John F. Strauss

Dr. Wilhelm Strauß, Kinderarzt. Eine Odyssee des 20. Jahrhunderts

Dr. Wilhelm Strauss, Pediatrician. A 20th Century Odyssey

John F. Strauss

Dr. Wilhelm Strauß, Kinderarzt
Eine Odyssee des 20. Jahrhunderts

Dr. Wilhelm Strauss, Pediatrician
A 20th Century Odyssey

VERLAG
BERGER

Meinem Vater
Felix Friedrich Strauss
im Gedenken an vergangene Zeiten,
meinem Sohn
Alexander Thomas Strauss
und
meinem Enkel
Felix Hanauer Strauss
in Hoffnung für die Zukunft

To my father
Felix Friedrich Strauss
in remembrance of times past,
and
to my son
Alexander Thomas Strauss
and
my grandson
Felix Hanauer Strauss
with hope for the future

Inhaltsverzeichnis

Table of Contents

Einleitende Bemerkungen

Am 12. Dezember 1938 floh mein Großvater Dr. Wilhelm Strauß[1] aus Wien, Hauptstadt der Republik Österreich und geographisches Rudiment des Habsburgerreiches, um mehr als einen Monat später, am 19. Januar 1939, als Flüchtling in Bagdad einzutreffen, Hauptstadt des Mandats Irak und geographischer Überrest des Osmanischen Reiches. Ihm, der als Regimentsarzt im Ersten Weltkrieg mit Orden ausgezeichnet wurde und seit 1921 österreichischer Staatsbürger war, muss die historische Ironie überaus deutlich gewesen sein, die darin lag, dass ein Angehöriger des österreichischen Staates in einem ehemaligen türkischen Kalifat Zuflucht suchte. Dass er sehr bald als ,staatenlos' angesehen werden sollte, konnte er hingegen nicht einmal erahnen.

Die Reise von Österreich über Ungarn, Italien und Syrien in den Irak muss überaus strapaziös gewesen sein. Wie viele mitteleuropäische Juden und andere politische Staatsfeinde war mein Großvater auf der Flucht, entzog er sich den Behörden und schien immer erst im letzten Augenblick an Ausweispapiere und Reisevisa zu gelangen. Kurz bevor auch er aus der Stadt floh, dokumentierte mein Vater Felix (Fritzl), der Letzte der Familie Strauß, der in Wien verblieben war, das Telegramm über die sichere Ankunft seines Vaters in Bagdad in einem seiner letzten Tagebucheinträge. Wie dramatisch auch immer diese Ereignisse für den heutigen Blick erscheinen mögen, stellten sie doch nur eines von vielen außergewöhnlichen Kapiteln im langen und ereignisreichen Leben meines Großvaters dar.

Wilhelm Strauß' Leben begann am 12. September 1885 in Prag, wo er als jüngster Sohn eines wohlhabenden Import-/Exportkauf-

---

1   In der deutschen Sprache erscheint der Familienname Strauss in Dokumenten und Unterschriften unterschiedlich und anscheinend austauschbar als Strauß oder aber als Strauss, in der englischen immer als Strauss. Im Interesse der Einheitlichkeit wird der Name im deutschen Text für in Europa geborene Familienmitglieder als Strauß, für in den USA geborene Familienmitglieder als Strauss und im englischen Text immer als Strauss wiedergegeben.

Introductory Remarks

On December 12, 1938, my grandfather Dr. Wilhelm Strauss[1] fled Vienna, the capital city of the Republic of Austria and a geographical remnant of the Hapsburg Empire, arriving more than a month later on January 19, 1939, as a refugee in Baghdad, the capital city of Mandatory Iraq and a geographical remnant of the Ottoman Empire. A decorated World War I regimental doctor and a citizen of Austria since 1921, he must have keenly appreciated the historical irony of an Austrian national seeking refuge in an erstwhile Turkish caliphate. Little did he know that he would soon be considered "stateless."

The journey from Austria through Hungary, Italy and Syria to Iraq must have been harrowing. My grandfather like many central European Jews and other political enemies of the state was on the run, eluding authorities and always, it seemed, obtaining identity papers and travel visas at the eleventh hour. My father Felix (Fritz), the last of the Strauss family to remain in Vienna, recorded the telegram acknowledging his father's safe arrival in Baghdad in one of his last diary entries, shortly before he too fled the city. As dramatic as these events seem today, they represented but one of many unlikely chapters in my grandfather's long and eventful life.

Wilhelm Strauss' life began on September 12, 1885 in Prague, where he grew up as the youngest son of a wealthy import/export merchant. By the turn of the century he was a medical student at the German University in Prague and a member of the Prague Circle, which included his soon-to-be-famous schoolmates Franz Kafka and Max Brod. While

---

1   The surname Strauss appears variously and apparently interchangeably in the German language, in both documents and signatures, as Strauß or Strauss; in the English language invariably as Strauss. In the interest of consistensy the name will be spelled Strauß in the German text for family members born in Europe, Strauss in the German text for family members born in the USA, and always Strauss in the English text.

manns aufwuchs. Um die Jahrhundertwende war er Medizinstudent an der Deutschen Karl-Ferdinands-Universität in Prag und Mitglied des Prager Kreises, zu dem auch seine bald berühmten Kommilitonen Franz Kafka und Max Brod gehörten. Während des Ersten Weltkriegs, in dem er als Regimentsarzt an der Ostfront diente, wurde er von Seiner Apostolischen Majestät Kaiser Franz Joseph I. zweimal für außerordentliche Tapferkeit ausgezeichnet.

Während der Krieg noch andauerte und das sechshundert Jahre alte Habsburgerreich zusammenbrach, heiratete mein Großvater meine Großmutter Therese Morgenstötter, eine katholische Tirolerin, die im Ersten Balkankrieg als Rotkreuzschwester gedient hatte. Nach dem Weltkrieg gründete er in der Industriestadt Wiener Neustadt eine Kinderarztpraxis, in der er eine Sozialmedizin praktizierte, welche Leitlinien folgte, wie sie Julius Tandler für das Rote Wien eingeführt hatte. Seine weitverbreitete Broschüre *Kinderkrankheiten und ihre Verhütung* von 1923 und sein maschinengeschriebener Bericht „Die Säuglings- und Kleinkinderfürsorge in Wiener Neustadt" aus dem Jahr 1925, beides in diesem Buch abgedruckt, zeugen von seinem Einfluss auf die Kinderheilkunde in Österreich während der Zeit unmittelbar nach dem Ersten Weltkrieg. Bis zum 15. Oktober 1938 sollte seine Praxis florieren. An diesem Tag wurden alle Juden per Dekret aus Wiener Neustadt vertrieben. Die Nazi-Schergen rissen sein Praxisschild herunter, setzten einen ‚arischen' Arzt in sein Büro und beschlagnahmten sein Haus und seine Möbel, womit sie seine Flucht nach Bagdad herbeiführten. Obgleich er sich bereits im mittleren Alter befand, war seine Odyssee damit jedoch noch lange nicht an ihr Ende gekommen.

Innerhalb eines einzigen Jahres nach seiner Ankunft in Bagdad wurde er Leiter der pädiatrischen Abteilung des Meir Elias Hospital und gründete in zwei Städten Privatpraxen, in denen er während eines Zeitraums von fast zehn Jahren unter anderen auch die Kinder des haschemitischen Königs des Irak betreute. 1949 emigrierte er zum letzten Mal, und zwar in die USA. Dort legte er in seiner sechsten Sprache (Englisch) sowohl eine medizinische als auch eine psychiatrische Approbationsprüfung ab und wurde medizinischer

serving as a regimental doctor on the Eastern Front during World War I, he was twice decorated by His Apostolic Majesty Kaiser Franz Joseph I for extraordinary bravery.

During the war and the collapse of the six-hundred-year-old Hapsburg Empire, my grandfather married my grandmother Therese Morgenstötter, a Tyrolean Catholic girl who had served as a Red Cross nurse during the First Balkan War. He subsequently established a pediatric medical practice in the industrial city of Wiener Neustadt where he practiced social medicine following precepts established by Julius Tandler in Red Vienna. His widely distributed 1923 brochure *Childhood Diseases and their Prevention* and his 1925 typewritten report "The Care of Infants and Young Children in Wiener Neustadt," both reprinted and translated in this book, bear witness to his influence on pediatric medicine in Austria immediately following World War I. His medical practice thrived until October 15, 1938 when all Jews were expelled by decree from Wiener Neustadt. Nazi goons tore down his office plaque, installed an "Aryan" doctor in his office, and confiscated his home and furniture, precipitating his flight to Baghdad. Although well into middle age, his odyssey was far from over.

Within a year of his arrival in Baghdad, he became the head of the pediatric department of Meir Elias Hospital and established a private practice in two cities where he ministered to, among others, the children of the Hashemite King of Iraq for nearly ten years. In 1949 he immigrated for the last time to the United States, passed both medical and psychiatry licensure exams in his sixth language, English, and became the medical director of the New York State School Children's Hospital in Rome, New York. Honored by the New York State Medical Society for fifty years of medical service in 1959, he continued to practice until his death at the age of eighty-five in 1970.

Direktor des New York State School Children's Hospital in Rome im Bundesstaat New York. 1959 von der New York State Medical Society für fünfzig Jahre medizinischen Dienst geehrt, praktizierte er bis zu seinem Tod im Jahre 1970, in dem er sein fünfundachtzigstes Lebensjahr erreicht hatte.

Auf seiner gesamten Lebensreise blieb Dr. Wilhelm Strauß trotz politischer Turbulenzen, extremer Widrigkeiten und persönlicher Tragödien seinem moralischen Kompass treu, was ihn zu einem Inbegriff von stiller und bescheidener Kompetenz, gutem Willen und Hingabe an humanitäre Ideale macht. Dieses Buch soll sein außergewöhnliches Leben in Erinnerung rufen.

Damit der Leser der vorliegenden biographischen Erzählung besser folgen kann, habe ich als Anhang gekürzte Stammbäume der Familien Strauß und Morgenstötter aufgenommen, die die Lebensdaten all jener Familienmitglieder enthalten, die im Buch erwähnt werden.

Die Titel der einzelnen Kapitel sind den Klavierzyklen des Komponisten Robert Schumann entnommen, dessen Musik mich seit meiner frühen Kindheit fasziniert hat. „Von fremden Ländern und Menschen" und „Fast zu ernst" stammen aus *Kinderszenen*, op. 15, „Kleine Studie" stammt aus *Album für die Jugend*, op. 68, und „Ende vom Lied" aus *Phantasiestücke*, op. 12. Für viele Musiker evozieren fast alle Geschichten spontan musikalische Passagen oder sogar ganze musikalische Werke. Diese Titel und Stücke von Robert Schumann scheinen, zumindest für mich, zu den Geschichten zu gehören, denen ich sie beigefügt habe.

Das letzte Kapitel ist mein Bericht über den Tod und die Beerdigung von Franz Strauß im Jahr 2005. Franz war das letzte Mitglied meiner Familie, das sein gesamtes Leben in Österreich verbrachte. Die Beerdigungszeremonie mit ihren vielen historischen und kulturellen Besonderheiten hat mich ebenso überrascht wie fasziniert – und schließlich zur Entstehung dieses Buches geführt.

14

Throughout his life's journey, despite political turmoil, extreme adversity, and personal tragedy, Dr. Wilhelm Strauss remained true to his own moral compass, a paragon of quiet and unassuming competence, good will, and devotion to humanitarian ideals. This book is a memorial to his extraordinary life.

In order to assist the reader in following the biographical narrative, I have included abbreviated Strauss and Morgenstötter family trees as an appendix, including all of the family members mentioned in the book.

The German language titles of each chapter are drawn from the musical cycles of composer Robert Schumann, whose music has fascinated me since early childhood. "Of Strange Lands and People" (*"Von fremden Ländern und Menschen"*) and "Almost too Serious" (*"Fast zu ernst"*) come from *Scenes of Childhood* (*Kinderszenen*), Op. 15; "Little Study" (*"Kleine Studie"*) comes from the *Album for the Young* (*Album für die Jugend*), Op. 68; and "End of the Story" (*"Ende vom Lied"*) comes from *Fantasy Pieces* (*Phantasiestücke*), Op. 12. For many musicians, almost all stories spontaneously suggest musical passages or even complete musical works. These titles and pieces of Robert Schumann seem, to me at least, to belong to the narratives to which I have attached them.

The final chapter is my account of the death and burial of Franz Strauss in 2005. Franz was the last member of my family to spend his entire life in Austria. The burial ceremony with its many historical and cultural anomalies surprised and fascinated me, ultimately leading to the writing of this book.

Danksagung

Ich bin vielen Menschen dafür dankbar, dass sie dieses Buch ermöglicht haben, ganz besonders meinem verstorbenen Vater Dr. Felix F. Strauß, dem Historiker, Archivar und passionierten Sammler von alten Dokumenten. Die Überzeugung, dass seine Erzählstimme authentischer gewesen wäre als meine, verfolgt mich.

Ich möchte dem Historiker Dr. Werner Sulzgruber, Autor zweier wegweisender Bücher über das jüdische Wiener Neustadt, für seine freundliche Unterstützung danken. Seine Ermutigung hat das Projekt maßgeblich vorangetrieben. Mein lieber Freund und Kollege, Dr. John C. Whelan, bildender Künstler und Mediziner, war mir in jeder Phase des Projekts ein kritischer Berater und Korrektor. Er half mir dabei, die Abbildungen, die in diesem Buch enthalten sind, auszuwählen und zu digitalisieren, nicht zuletzt gestaltete er das Buchcover. Ebenso bin ich Dr. Uwe Hebekus, der mit seinen kritischen Fragen, seinem historisch informierten Blick und seinem profunden Sprachwissen dieses mehrsprachige Buch möglich gemacht hat, zu großem Dank verpflichtet. Er hat meinen englischen Text ins Deutsche übersetzt und war mein Hauptberater in allen den Verlag Berger betreffenden Angelegenheiten.

Ohne die Hilfe von Dr. Manfred Skopec, Universitätsdozent im Ruhestand am Wiener Institut für Geschichte der Medizin (Josephinum), hätte ich das zweite Kapitel des Buches nicht schreiben können. Er ließ mich an seinem Wissen über die Prager und Wiener medizinische Wissenschaft des neunzehnten und frühen zwanzigsten Jahrhunderts teilhaben, wies mich auf die einschlägigen Nachschlagewerke hin und bot mir die in diesen Dingen dringend benötigte Unterstützung. Seine energiegeladene Frau Margaret Skopec, pensionierte Deutsch- und Englischlehrerin am Bundesgymnasium 18 in Wien, nahm stets an unseren Arbeitstreffen teil und übersetzte schließlich meines Großvaters Broschüre *Kinderkrankheiten und ihre Verhütung* von 1923 und seinen maschinengeschriebenen Bericht „Die Säuglings- u. Kleinkinderfürsorge in

Acknowledgements

I am grateful to many people for making this book possible, most especially to my late father Dr. Felix F. Strauss, historian, archivist, and inveterate collector of old documents. I am haunted by the conviction that his narrative voice would have been more authentic than mine.

I wish to thank historian Dr. Werner Sulzgruber, author of two groundbreaking books about Jewish Wiener Neustadt, for his gracious assistance. His encouragement spurred the project forward. My dear friend and colleague, Dr. John C. Whelan, visual artist and medical doctor, served as a critical consultant and proofreader at every stage of the project. He helped me to select and digitize the images included in this book, and also designed the book cover. I also owe profound thanks to Dr. Uwe Hebekus whose probing questions, historically informed perspective and deep knowledge of language made this polyglot book possible. He translated my English language text into German and served as my chief advisor in all matters concerning *Verlag Berger*.

I could not have written the second chapter of the book without the help of Dr. Manfred Skopec, retired University of Vienna Lecturer (*Universitätsdozent*) at the Institute for the History of Medicine in Vienna (*Josephinum*). He shared with me his knowledge of medical science in Prague and Vienna in the nineteenth and early twentieth centuries, steered me to appropriate reference works, and provided much-needed encouragement. His energetic wife Margaret Skopec, a retired German and English teacher at *Bundesgymnasium 18* in Vienna, always participated in our meetings, and ultimately translated both the 1923 brochure *Childhood Diseases and their Prevention*, and my grandfather's typewritten report "The Care of Infants and Young Children in Wiener Neustadt" into English. Also assisting me with translation was my late

Wiener Neustadt" ins Englische. Auch mein mittlerweile verstorbener Freund und Kollege Dr. Peter Liermann, emeritierter Germanistikprofessor am Luther College, stand mir bei der anfallenden Übersetzungsarbeit zur Seite: Er ging mit mir die zahlreichen, in der gestelzten Sprache der späthabsburgischen Bürokratie verfassten Dokumente durch und übersetzte das Kapitel „Ende vom Lied'. *In memoriam* Franz Strauß" ins Deutsche.

Die faszinierenden Anekdoten und das sanfte Drängen von Dr. Eva (Schnitzer) Wagner, des Schutzengels der Familie Strauß in Wiener Neustadt, waren für dieses Projekt ebenso unentbehrlich wie die Unterstützung ihrer Tochter Holle (Wagner) Rudas, die eine stille Recherche hinter den Kulissen betrieb. Beide halfen zudem dabei, den Stammbaum der Familie Strauß um die noch fehlenden Details zu ergänzen. Dr. Anthony Northey, Emeritus an der Acadia University in Nova Scotia (Kanada) und Autor von *Kafkas Mischpoche*, machte mich zuerst darauf aufmerksam, dass mein Großvater Mitglied des Prager Kreises gewesen war, und war mir später bei meinen Recherchen in Prag behilflich. Ebenso bin ich einer ganzen Reihe von Bibliothekaren und Archivaren dankbar, Gleichgesinnte sie alle, ganz besonders jedoch Lenka Matusikova, die mir den Weg in die Geburtsstadt meines Großvaters geebnet hat. Dr. Gary B. Cohen, Emeritus und ehemaliger Direktor des Center for Austrian Studies an der University of Minnesota, war äußerst zuvorkommend und großzügig mit Ratschlägen zur Veröffentlichung dieses Buches.

Und wie immer geschieht nichts ohne die Hilfe Dr. Virginia Fattaruso Strauss', meiner Frau und Mitherausgeberin zahlreicher Musikeditionen: Ihre Ermutigung, ihre wertvollen Anregungen und ihr geduldiges Korrekturlesen waren für das Zustandekommen dieses Projekts unverzichtbar.

friend and colleague Dr. Peter Liermann, Professor Emeritus of German at Luther College, who pored over numerous documents written in the stilted language of the late Hapsburg bureaucracy with me, and who translated the chapter "'End of the Story:' *In memoriam* Franz Strauss" into German.

The fascinating anecdotes and gentle prodding of the Strauss family guardian angel Dr. Eva (Schnitzer) Wagner of Wiener Neustadt, as well as the quiet behind-the-scenes research of her daughter Holle (Wagner) Rudas, both of whom filled in bits and pieces of the Strauss family tree, were essential to this project. Dr. Anthony Northey, Professor Emeritus at Acadia University in Nova Scotia (Canada), and author of *Kafka's Relatives*, first drew my attention to my grandfather's participation in the Prague Circle and later helped me with my research in Prague. I am also grateful to many librarians and archivists, kindred spirits all, but above all to Lenka Matusikova who paved my way in my grandfather's city of birth. Professor Emeritus and former Director of the Center for Austrian Studies at the University of Minnesota, Dr. Gary B. Cohen, has been extremely kind and generous with his advice about publishing this book.

And, as always, nothing ever happens without the help of my wife and co-editor of numerous music editions, Dr. Virginia Fattaruso Strauss, whose encouragement, valuable suggestions and patient proofreading were essential to this undertaking.

„Von fremden Ländern und Menschen". Die Lebensgeschichte von Wilhelm Strauß

Kindheit und Jugend in Prag

Dies ist die Geschichte, die eigentlich mein verstorbener Vater Dr. Felix F. Strauß, Professor für Geschichte, hätte schreiben sollen, was er, hätte er nur länger gelebt, wahrscheinlich auch getan hätte. Handelt sie doch von seinem Vater (meinem Großvater) Dr. Wilhelm (Willi) Strauß, von dessen Lebensweg, der in Prag begann, sich bis zum ‚Anschluss' (12. März 1938) in Wien und Wiener Neustadt fortsetzte, sich sodann über ein zehnjähriges Exil in Bagdad und Kirkuk im Irak erstreckte, um schließlich in Rome im US-amerikanischen Bundesstaat New York an seinen Endpunkt zu gelangen. Ebenso geht es in ihr um weit verstreute Völker, Nationalitäten und Kulturen und um den unerschütterlichen humanitären Idealismus meines Großvaters und seine Hingabe an seinen Beruf als Arzt in schweren Zeiten. Ein passender Untertitel für diese Geschichte könnte lauten „Leben und Zeitalter eines sozialistischen Kinderarztes", denn obwohl mein Großvater in beträchtlichen Wohlstand und in überaus privilegierte Verhältnisse hineingeboren wurde, war er schon sehr früh von sozialdemokratischen Idealen ergriffen, die er denn auch während seines ganzen Lebens in die Tat umsetzen sollte.

Vielleicht beginnt die Geschichte meines Großvaters aber in Wirklichkeit mit seinem eigenen Vater Salomon (Samy) Strauß (1845–1933), der die Briefe und Photographien, die er seinen zahlreichen Nachkommen schickte, mit „Papa" oder „Papa Strauß", gelegentlich auch einfach mit „Strauß" unterschrieb. Ein Teil seiner Bibliothek ging über die Generationen hinweg auf mich über, darunter eine sechsbändige Ausgabe von Lessings Werken, die 1885 im Leipziger Verlag Grimme & Trömel erschienen ist. Die erste Seite von deren erstem Band enthält eine in deutscher Sprache ver-

"Of Strange Lands and People:" The Life Story of Wilhelm Strauss

Early Life in Prague

This is the story my late father, Dr. Felix F. Strauss, Professor of History, should have and probably would have written had he lived longer. It concerns his father (my grandfather), Dr. Wilhelm (Willi) Strauss, and his journey through life beginning in Prague, continuing in Vienna and Wiener Neustadt until the *"Anschluss"* (March 12, 1938), stretching through ten years of exile in Baghdad and Kirkuk, Iraq, and ending in Rome, New York. It also concerns far-flung peoples, nationalities and cultures, and my grandfather's unwavering humanitarian idealism and public service as a medical doctor in trying times. A fitting sub-title for this narrative might be "The Life and Times of a Socialist Pediatrician," for my grandfather, although born into considerable wealth and privilege, was infected early by Social Democratic ideals which he put into practice all of his life.

Perhaps my grandfather's story truly begins with his own father, Salomon (Samy) Strauss (1845–1933), who signed letters and photographs to his many descendants "Papa" or "Papa Strauss" and occasionally just "Strauss." A portion of his library came down through the generations to me, including a six-volume set of Lessing's works published by Grimme and Trömel in Leipzig in 1885. On the very first page of the first volume, written in German, is a dedication from Salomon Strauss to his second wife Berta, née Jeiteles, (1857–1907), my grandfather's mother:

fasste Widmung von Salomon Strauß an seine zweite Frau Berta (geb. Jeiteles, 1857–1907), die Mutter meines Großvaters:

Meiner geliebten Berta gewidmet,
aus Anlaß des gemeinsamen Besuchs
der Aufführung von Lessings Komödie
Minna von Barnhelm
zur Eröffnung des
Neuen Deutschen Theaters.

Prag, am 8. Januar 1888

Strauß

Das Neue Deutsche Theater war nur einen kurzen Spaziergang entfernt vom eleganten Wohnhaus Salomon Strauß', gelegen im zweiten Prager Bezirk und versehen mit der Hausnummer 1270 (heute: Na Florenci 31 im ersten Bezirk).[2] Folglich befand sich mein Urgroßvater häufig unter dessen Zuschauern. Nicht weniger liebte er das Cabaret, die Oper und die Musik, und er war, wie so viele deutschsprachige Juden seiner Generation, ein leidenschaftlicher Anhänger der deutschen liberalen Geistestradition. Salomon war

---

2   Die meisten alten Häuser in Prag haben zwei Hausnummern: Die alten Nummern sind solche, die den einzelnen Gebäuden bezirksweise und in fortlaufender Folge nach ihrem jeweiligen Errichtungsdatum zugewiesen wurden, die neuen solche, die straßenweise und entsprechend den sich verändernden zeitgenössischen Erfordernissen vergeben bzw. neu vergeben wurden. Das in der Mitte des 19. Jahrhunderts erbaute Haus, in dem Salomon Strauß mit seiner Familie lebte, trug ursprünglich die alte Nummer 1270, wurde im frühen 20. Jahrhundert neu nummeriert als Na Florenci 25 und nach dem Zweiten Weltkrieg abermals neu als Na Florenci 31. Wilhelm Strauß' Geburtsurkunde gibt als Adresse seiner Familie 1270, Prag II an, nicht aber den Straßennamen, während in seinen frühen Schuldokumenten fälschlicherweise Graben (Na Příkopě) 1270, Prag I als seine Adresse genannt wird. Das Haus meines Urgroßvaters Salomon (Na Florenci) ist auch heute noch vorhanden, mit einem Kosmetiksalon im Erdgeschoss und einem Immobilienbüro im ersten Stockwerk.

22

Dedicated to my beloved Berta
on the occasion
of attending together
Lessing's comedy
Minna von Barnhelm
at the opening of the
New German Theater.

Prague on January 8, 1888

Strauss[2]

The New German Theater was but a short walk from Salomon
Strauss' elegant residence in Prague's Second District, house
number 1270 (Na Florenci 31, in the First District today),[3]
and he was often a member of its audience. He also loved
cabaret, opera, and music and was in general like so many
wealthy German-speaking Jews of his generation, an ardent
participant and upholder of the German liberal intellectual
tradition. He had come to Prague from Unter-Lukawitz

---

2   Most of the German passages from diaries, family letters, transcripts,
    etc. are translated by the author.

3   Most old buildings in Prague have two house numbers: old numbers,
    assigned by district in consecutive order according to the date a particu-
    lar structure was built, and new street numbers assigned and reassigned
    according to shifting contemporary needs. The mid-nineteenth century
    house where Salomon Strauss and his family lived was originally as-
    signed old 1270, was renumbered Na Florenci 25 in the early twentieth
    century, and was renumbered again after World War II as number Na
    Florenci 31. Willi's birth certificate gives his family address as 1270,
    Prague II but fails to mention the street name, while his early school
    records incorrectly identify his address as Graben (Na Příkopě) 1270,
    Prague I. My great-grandfather Salomon's house on Na Florenci, now
    with a beauty salon on the ground floor and a real estate agency above,
    is still extant.

von dem in der Nähe von Pilsen gelegenen Unter-Lukawitz (Dolní Lukavice)[3] nach Prag gekommen, wo er 1864, also als Neunzehnjähriger, gemeinsam mit Moritz Lauer eine Firma für den Im- und Export von Trockenfrüchten und Kaffee gründete. Die Firma war von Anfang an dezidiert international ausgerichtet, was beispielsweise daran deutlich wird, dass sie einen Briefkopf verwendete, der einen Hahn zeigte und die Schriftzüge „prunes excellentes" in französischer und „excellent prunes" in englischer Sprache enthielt. Die Telegrammadresse lautete „Laurstraus", weshalb ihr nur eine „.com'- oder eine „.volny.cz'-Domainendung fehlte, um sie wie eine moderne Internetadresse aussehen zu lassen. Überdies fungierte mein Urgroßvater an den beiden Prager Börsen als Börsenrat und Schiedsrichter.[4] Von 1888 an hatte die Firma Büros in allen großen Hauptstädten des Habsburgerreiches und betrieb einen florierenden Handel, der von der Levante bis zu den Britischen Inseln reichte.[5]

Willi, das fünfte der sechs Kinder Salomon Strauß', war noch nicht drei Jahre alt, als die Widmung an Berta in die Lessing-Ausgabe geschrieben wurde. Er hatte zwei ältere Halbschwestern,

---

3   In Dolní Lukavice, das zur Erbherrschaft im Besitz des Grafen Ferdinand Mathäus von Morzin gehörte, gab es spätestens seit dem frühen 17. Jahrhundert eine jüdische Gemeinde. 1654 wurde von ihr ein jüdischer Friedhof angelegt. Unterlagen aus dem Jahre 1849 zeigen, dass zu dieser Zeit zumindest sieben jüdische Familien in Dolní Lukavice lebten, welche die Namen Adler, Barkus, Meuml, Paradeis, Rebe, Trauer und Strauß (genannt Schleml) trugen.

4   Vgl. Werner Sulzgruber, *Lebenslinien. Jüdische Familien und ihre Schicksale. Eine biografische Reise in die Vergangenheit von Wiener Neustadt*, Wien, Horn: Verlag Berger 2013, S. 459.

5   Alten Prager Telefonverzeichnissen zufolge begann die Firma M. Lauer & Strauß ihr Geschäftsleben in der Bredauergasse 10, zog in den 1890er Jahren in die Dlážděná Ulice (Hausnummer 4) um und hatte ihren Sitz zuletzt in Na Florenci 13 gegenüber dem heutigen Masaryk-Bahnhof. In der Anfangszeit des Kommunismus, als Abbrüche nicht dokumentiert wurden, wurde Na Florenci 13 zusammen mit einigen benachbarten Gebäuden abgerissen und schließlich durch das hochmoderne Florentinum ersetzt. Damals wurde na Florenci vermutlich zum zweiten Mal innerhalb der jüngeren Geschichte neu durchnummeriert.

(Dolní Lukavice)[4] near Pilsen and, at the age of nineteen, co-founded a dried fruit and coffee import/export company with Moritz Lauer in 1864. The company was determinedly international from the very beginning, using letterhead which pictured a rooster and the words *"prunes excellentes"* in French and "excellent prunes" in English. The telegram address was "Laurstraus," only lacking a .com or a .volny.cz domain extension to make it sound like a contemporary internet address. My great-grandfather also served as Advisor and Arbitrator (*Börsenrat und Schiedsrichter*) to the Prague stock exchanges.[5] By 1888 the company had offices in all of the major Hapsburg capital cities and conducted a thriving business that reached from the Levant to the British Isles.[6]

Willi, the fifth of Salomon Strauss' six children, would have been three years old at the time the book dedication was written in 1888. He had two older half-sisters, Martha (b. 1876) and Valerie (Valla, b. 1878); two older half-brothers, Hermann (b. 1875) and Felix (b. 1883); and a younger

---

4   A Jewish community has existed in Dolní Lukavice at least since the early seventeenth century as part of the hereditary estates of Count Ferdinand Mathäus von Morzin. A Jewish cemetery was founded in 1654. Records dating from 1849 show at least seven Jewish families named Adler, Barkus, Meuml, Paradeis, Rebe, Trauer, and Schleml Strauss living in Dolní Lukavice.

5   Cf. Werner Sulzgruber, *Lebenslinien: Jüdische Familien und ihre Schicksale. Eine biographische Reise in die Vergangenheit von Wiener Neustadt* (Wien, Horn: Verlag Berger, 2013), p. 459.

6   According to old Prague phone directories, the firm M. Lauer & Strauss began its business life on Bredauergasse 10, moved to Dlážděná Ulice 4 in the 1890's, and ended its business life at Na Florenci 13 across the street from today's Masaryk Train Station. Sometime during the early Communist days when demolition records were not recorded, Na Florenci 13 and several adjacent buildings were torn down and ultimately replaced by the ultra-modern Florentinum. It was presumably at that time that Na Florenci was renumbered for the second time in the modern era.

Martha (geb. 1876) und Valerie (Valla, geb. 1878), zwei ältere Halbbrüder, Hermann (geb. 1875) und Felix (geb. 1883), sowie eine jüngere Schwester, Johanna (geb. 1888 und benannt nach Salomons erster Ehefrau). Da Hermann bereits im Alter von 19 Jahren verstarb, war es Felix, der darauf vorbereitet wurde, das Familienunternehmen zu übernehmen. Willi, der geliebte jüngste Sohn, sollte hingegen einen anderen Weg einschlagen, nämlich einen, an dem sich viele erfolgreiche jüdische Mittelstandsfamilien wie etwa die Freuds, die Schnitzlers oder die Mahlers orientierten: Er war dazu bestimmt, die Bildung eines Mannes von Welt zu erhalten und die Universität zu besuchen.

Nur zwei Generation zuvor wäre so etwas noch ganz und gar unvorstellbar gewesen. Wie so viele ihrer Zeitgenossen profitierte die Familie Strauß von den Josephinischen Reformen, insbesondere dem 2. Toleranzedikt von 1782, und den an sie anschließenden liberalen Reformen in der Ära Franz Josephs I., die ausdrücklich die Gleichheit aller Bürger vor dem Gesetz erklärten. Seit den 1880er Jahren schickten viele emanzipierte jüdische Familien zumindest einen ihrer Söhne an die Universität. Die Entwicklung verlief nicht selten etwa so: Die erste Generation verließ das Dorf oder das Schtetl und etablierte in Wien, Prag, Budapest oder einer nicht ganz so großen Stadt ein blühendes Handelsunternehmen; mindestens ein Angehöriger der zweiten Generation würde promovieren und einen entsprechenden Beruf ergreifen; und in der dritten oder vierten Generation brachte die Familie einen öffentlich wirkenden Intellektuellen, Professor, Autor, Kritiker, Musiker, Künstler oder Politiker hervor. Willi Strauß gehörte eindeutig zur zweiten Generation.

Der wunderbar einfühlsame und scharfsichtige Schriftsteller Stefan Zweig,[6] dessen familiärer Hintergrund demjenigen Willis sehr ähnlich war, hat es in seinem autobiographischen Meisterwerk *Die Welt von Gestern* von 1940 so formuliert:

---

6   Stefan Zweig, 1881 in Wien geboren, war in der Zeit zwischen den Weltkriegen der wohl meistgelesene österreichische Journalist, Romancier, Dichter, Dramatiker und Novellist. 1942, kurz nach der Fertigstellung von *Die Welt von Gestern*, beging er im Exil in Buenos Aires Selbstmord.

sister, Johanna (b. 1888 and named after Salomon's first wife Johanna Wiener). Since Hermann died at the age of nineteen, Felix was groomed to take over the family business. Willi, the much beloved youngest son, was to take a different path, one followed by many other successful middle class Jewish families like the Freuds, the Schnitzlers and the Mahlers: he was destined to receive a gentleman's education and attend university.

Such a thing would have been unimaginable even two generations earlier. Like so many of their contemporaries, the Strauss family was the beneficiary of the Josephinian reforms, especially the Second Edict of Toleration of 1782, and the continuing liberal reforms of the Franz Joseph Era, which explicitly stated that all citizens were equal under the law. By the 1880's many emancipated Jewish families sent at least one son to university. The progression ran something like this: the first generation left the village or the shtetl and established a thriving commercial business in Vienna, Prague, Budapest, or a lesser city; at least one member of the second generation would earn an academic doctorate and enter one of the professions; and by the third or fourth generation the family would give birth to a public intellectual, professor, author, critic, musician, artist, or politician. Willi Strauss clearly belonged to the second generation.

The wonderfully perceptive author Stefan Zweig,[7] whose family background was similar to Willi's, put it this way in his 1940 autobiographical masterpiece, *The World of Yesterday*:

---

7   Viennese-born Stefan Zweig (1881–1942) was probably the most read Austrian journalist, novelist, poet, playwright and short story writer during the inter-war period. Exiled in Buenos Aires, he committed suicide in 1942 shortly after completing *The World of Yesterday*.

Unbewußt sucht etwas in dem jüdischen Menschen dem moralisch Dubiosen, dem Widrigen, Kleinlichen und Ungeistigen, das allem Handel, allem bloß Geschäftlichen anhaftet, zu entrinnen und sich in die reinere, die geldlose Sphäre des Geistigen zu erheben [...]. Darum ist auch fast immer im Judentum der Drang nach Reichtum in zwei, höchstens drei Generationen innerhalb einer Familie erschöpft, und gerade die mächtigsten Dynastien finden ihre Söhne unwillig, die Banken, die Fabriken, die ausgebauten und warmen Geschäfte ihrer Väter zu übernehmen. [...] Eine ‚gute‘ Familie meint also mehr als das bloß Gesellschaftliche, das sie selbst mit dieser Bezeichnung sich zubilligt; sie meint ein Judentum, das sich von allen Defekten und Engheiten und Kleinlichkeiten, die das Ghetto ihm aufgezwungen, durch Anpassung an eine andere Kultur und womöglich eine universale Kultur befreit hat oder zu befreien beginnt.[7]

Ähnlich hätte Willi Strauß schreiben können:

Daß ich nach der Volksschule auf das Gymnasium gesandt wurde, war nur eine Selbstverständlichkeit. Man hielt in jeder begüterten Familie schon um des Gesellschaftlichen willen sorglich darauf, ‚gebildete‘ Söhne zu haben; man ließ sie französisch und englisch lernen, machte sie mit Musik vertraut, hielt ihnen zuerst Gouvernanten und dann Hauslehrer für gute Manieren. Aber nur die sogenannte ‚akademische‘ Bildung, die zur Universität führte, verlieh in jenen Zeiten des ‚aufgeklärten‘ Liberalismus vollen Wert; darum gehörte es zum Ehrgeiz jeder ‚guten‘ Familie, daß wenigstens einer ihrer Söhne vor dem Namen irgendeinen Doktortitel trug.[8]

Obwohl die Familie Zweig in Wien lebte, die Familie Strauß hingegen in Prag, ähnelten sich ihre Lebenswelten sehr, waren diese extrem wohlgeordnet, berechenbar und sicher. Man kann nicht

---

7   Stefan Zweig, *Die Welt von Gestern. Erinnerungen eines Europäers*, Stockholm: Bergmann-Fischer [14–17]1946, S. 27f.
8   Ebd., S. 46.

Unconsciously, something in a Jew seeks to escape the morally dubious, mean, petty and pernicious associations of trade clinging to all that is merely business, and rise to the purer sphere of the intellect where money is not a consideration [...]. Among Jews, then, the urge to make a fortune is nearly always exhausted within two or at most three generations of a family, and even the mightiest dynasts find that their sons are unwilling to take over the family banks and factories, the prosperous businesses built up and expanded by the previous generation. [...] So a 'good' family means more than a mere claim to social status; it also denotes a Jewish way of life that, by adjusting to another and perhaps more universal culture, has freed itself or is freeing itself from all the drawbacks and constraints and pettiness forced upon it by the ghetto.[8]

Willi Strauss might likewise have written:

It was taken for granted that I would go on from elementary school to grammar school. If only for the sake of social standing, every well-to-do family was anxious to have 'educated' sons, who were taught English and French and familiarized with music. First governesses and then tutors were engaged to teach them good manners. But in those days of 'enlightened' liberalism, only an education regarded as academic and leading to university really counted, and as a result it was the ambition of every 'good' family for at least one son to have some kind of doctoral degree.[9]

Although the Zweigs lived in Vienna and the Strausses in Prague, their worlds were very similar, extremely well-regulated, predictable and secure. One cannot help but admire

---

8   Stefan Zweig, *The World of Yesterday*, translated by Anthea Bell (Lincoln: University of Nebraska Press, 2009), p. 33.
9   Ibid, p. 51.

umhin, diese relativ ruhige Welt der Jahrzehnte vor dem Ersten Weltkrieg, wie sie von Zweig und anderen zeitgenössischen Autoren beschworen worden ist,[9] zu bewundern und sich nach ihr zu sehnen. Um Zweig nochmals zu zitieren:

> Wenn ich versuche, für die Zeit vor dem ersten Weltkriege, in der ich aufgewachsen bin, eine handliche Formel zu finden, so hoffe ich am prägnantesten zu sein, wenn ich sage: es war das goldene Zeitalter der Sicherheit. Alles in unserer fast tausendjährigen österreichischen Monarchie schien auf Dauer gegründet und der Staat selbst der oberste Garant dieser Beständigkeit. Die Rechte, die er seinen Bürgern gewährte, waren verbrieft vom Parlament, der frei gewählten Vertretung des Volkes, und jede Pflicht genau begrenzt. Unsere Währung, die österreichische Krone, lief in Goldstücken um und verbürgte damit ihre Unwandelbarkeit. Jeder wußte, wieviel er besaß oder wieviel ihm zukam, was erlaubt und was verboten war. Alles hatte seine Norm, sein bestimmtes Maß und Gewicht.[10]

Die Familie Strauß teilte diesen Komfort und diese Sicherheit in einer scheinbar unveränderlichen Welt. Es gab nicht nur das Haus in Na Florenci, sondern auch eine Villa vor der Stadt, die im wienerischen Landhausstil der Jahrhundertwende erbaut war, und regelmäßige Ferien in Orten wie Baden bei Wien. Der Rhythmus des Lebens im Habsburgerreich war nicht nur vorhersehbar, sondern auch gemächlich. Es war die Ära der Kutschen und Pferdebahnen, nicht die der Automobile und Flugzeuge. Über Mittag waren die meisten Geschäfte für mehrere Stunden geschlossen, um Raum zu geben für geruhsame Mittagsmahlzeiten und Nachmittagsnickerchen. Und verglichen mit dem London, dem Paris, dem Berlin oder selbst dem Wien des späten 19. Jahrhunderts, war Prag kaum mehr als verschlafene Provinz. Noch gab es so gut wie keine Anzei-

---

9   Zwei kontrastierende literarische Perspektiven auf die späte Habsburgermonarchie bieten Jaroslav Hašeks *Die Abenteuer des braven Soldaten Schwejk* und Robert Musils *Der Mann ohne Eigenschaften*.
10 Zweig, *Die Welt von Gestern* (Anm. 7), S. 16.

and long for that relatively tranquil world in the decades before World War I, nostalgically evoked by Stefan Zweig and other authors of the period.[10] To quote Zweig again:

> If I try to find some useful phrase to sum up the time of my childhood and youth before the First World War, I hope I can put it most succinctly by calling it the Golden Age of Security. Everything in our Austrian monarchy, then almost a thousand years old, seemed built to last, and the state itself was the ultimate guarantor of durability. The rights it gave its citizens were affirmed by our parliament, a freely elected assembly representing the people, and every duty was precisely defined. Our currency, the Austrian crown, circulated in the form of shiny gold coins, thus vouching for its own immutability. Everyone knew how much he owned and what his income was, what was allowed and what was not. Everything had its norm, its correct measurement and weight.[11]

The Strauss family shared this comfort and security in a seemingly immutable world. Not only was there the house on Na Florenci, there was also a villa in the country built in the turn-of-the-century Viennese Cottage District style and regular vacations to places like Baden bei Wien. The pace of life in Hapsburg lands was not only predictable, it was also unhurried. This was the era of horse-drawn carriages and trains, rather than automobiles and airplanes. Most businesses were closed for several hours at midday to allow for leisurely dinners and afternoon naps. Compared to London, Paris, Berlin, or even to Vienna in the late nineteenth century, Prague was

---

10 For two contrasting literary views of late monarchy times, see Jaroslav Hašek's *The Good Soldier Schweik* and Robert Musil's *The Man Without Qualities*.

11 Zweig, *The World of Yesterday* (Fn. 8), p. 23.

chen der politischen Ereignisse, die bald das Leben aller Europäer durcheinanderbringen würden.

Nicht, dass nicht auch Prag dabei gewesen wäre, sich zu verändern: Wäre man von Na Florenci aus in Richtung der Moldau am Kinsky-Palais vorbeigegangen, in dessen direkter Nähe Hermann Kafka, der Vater Franz Kafkas, des späteren Kommilitonen meines Großvaters, seine Galanteriewarenhandlung hatte, so hätte man den fünften Bezirk betreten, das alte jüdische Ghetto, umgangssprachlich ‚bei den Juden‘ genannt. Im Laufe der Zeit war der Bezirk zu einem Slum geworden. Während der Kindheit meines Großvaters wurde er in ein Geschäftsviertel verwandelt, nachdem seine alten Wohngebäude unmittelbar zuvor großteils abgerissen worden waren. In seinem Buch *Kafka und Prag* von 1971 schreibt Johann Bauer dazu:

> Die Assanation war der wohl drastischste und folgenschwerste bauliche Eingriff in der gesamten Prager Geschichte. Das schmutzige, verwahrloste Elendsviertel, längst seinem ursprünglichen Zweck entfremdet, wurde zu einem ‚eleganten Viertel‘ umgestaltet.[11]

Kafka, der im jüdischen Ghetto aufwuchs, hat seine Umgebung gegenüber dem Prager Schriftsteller Gustav Janouch in seiner unnachahmlichen Art einmal so beschrieben:

> ‚In uns leben noch immer die dunklen Winkel, geheimnisvollen Gänge, blinden Fenster, schmutzigen Höfe, lärmenden Kneipen und verschlossenen Gasthäuser. Wir gehen durch die breiten Straßen der neuerbauten Stadt. Doch unsere Schritte und Blicke sind unsicher. Innerlich zittern wir noch so wie in den alten Gassen des Elends. Unser Herz weiß noch nichts von der durchgeführten Assanation. Die ungesunde alte Judenstadt in uns ist viel wirklicher als die hygienische neue Stadt um uns.‘[12]

---

11 Johann Bauer, *Kafka und Prag*, Stuttgart: Belser 1971, S. 30.
12 Zitiert nach ebd., S. 27f.

a sleepy backwater. There were as yet few hints of the political events that would soon disrupt the lives of all Europeans.

Not that Prague was not changing: if one were to walk away from Na Florenci in the direction of the river Moldau past the Palais Kinsky where Hermann Kafka, father of my grandfather's schoolmate Franz Kafka, had his fancy goods store, one would enter the Fifth District, the old Jewish ghetto known colloquially as "Jewish town" (*"bei den Juden"*). The district had become in the course of time a slum, and was in the process of being cleared and turned into a commercial quarter during my grandfather's childhood. In his book *Kafka and Prague* author Johann Bauer writes:

> The transformation of the Jewish quarter was the most drastic and significant operation of its kind in the history of Prague. A sordid tumbledown, socially degraded area which had long ceased to serve its purpose, and which attracted from a distance but repelled at close quarters, was all at once converted into one of the 'smartest' parts of the capital.[12]

Franz Kafka, who grew up in the Jewish ghetto, once described his surroundings to Prague writer Gustav Janouch in his inimitable way:

> 'They are all still alive to us – the dark corners, the mysterious alleys, the sightless windows, dirty courtyards, noisy pothouses and secretive inns. We walk about the broad streets of the new town, but our steps and looks are uncertain; we tremble inwardly as we used to do in the miserable alleyways. Our hearts know nothing yet of any clearance: the insanitary old ghetto is much more real than our new hygienic surroundings.'[13]

---

12   Johann Bauer, *Kafka and Prague*, translated by P. S. Falla (New York: Praeger Publishers, 1971), p. 30.

13   As quoted ibid.

Obwohl die Familien Kafka und Strauß nur wenige Häuserblöcke voneinander entfernt wohnten, können sie sehr wohl in völlig verschiedenen Welten gelebt haben.

Auch wenn Willi Strauß die Umwandlung des Ghettos gewiss wahrgenommen haben wird, betraf sie ihn selbst doch so gut wie gar nicht. Während der fast krankhaft sensible Kafka einen Großteil seines Lebens am Rande des Ghettos verbrachte und Schüler einer nicht sehr angesehenen deutschen Schule am Fleischmarkt und später eines ebenfalls deutschen Gymnasiums im alten Palais Kinsky war, besuchte mein Großvater die Deutsche Privat-Volksschule des Piaristen-Ordens zu Prag. Danach erfolgte der Eintritt in das ebenfalls von den Piaristen betriebene Akademische Gymnasium am Graben.[13] Ganz anders als Kafka bewunderte er seinen Vater und war im Frieden mit der Welt, die ihn bis dahin ja auch sehr gut behandelt hatte. Jeweils im Alter von achtzehn Jahren, Franz Kafka im Jahre 1901 und Willi Strauß im Jahre 1903, immatrikulierten sich die beiden jungen Männer an der Prager Karl-Ferdinands-Universität, wo sie einander wahrscheinlich zum ersten Mal begegneten.

Um die Jahrhundertwende veränderte sich Prag jedoch auch noch auf andere Weise. Wiewohl es seit Jahrhunderten von den Habsburgern von Wien aus verwaltet wurde, hatte sich der tschechische Anteil seiner Einwohnerschaft zwischen 1850 und 1900 vervierfacht. Eine deutschsprachige Minderheit, die zudem noch beständig schrumpfte, besetzte indessen nach wie vor die meisten wichtigen Regierungsposten und beherrschte das kommerzielle und industrielle Leben. Wie alle Geschäftsleute war Salomon Strauß dazu verpflichtet, seine Bücher in deutscher Sprache zu führen, und das Firmenschild von Lauer & Strauß präsentierte sich sowohl auf Deutsch als auch auf Tschechisch. Ebenso wurden die

13 Steht man heute vor dem ehemaligen Gebäude dieser Schule, erblickt man zwei Gedenktafeln, eine zu Ehren von Rainer Maria Rilke, der die Schule zwischen 1882 und 1886, also elf Jahre vor Wilhelm Strauß, besuchte, die andere zu Ehren von Johannes Urzidil, „[l]etzter Dichter des Prager Kreises", der sie elf Jahre nach meinem Großvater abschloss.

Although the Kafka and the Strauss families lived but a few blocks apart, they may as well have lived in different worlds.

Willi Strauss, though surely not unaware of the transformation of the ghetto, was largely insulated from it. While the morbidly sensitive Kafka lived much of his life on the edge of the ghetto and attended a less prestigious German school on Fleischmarkt and later high school in the old Palais Kinsky, my grandfather attended the private Piarist elementary school (*Deutsche Privat-Volksschule des Piaristen-Ordens zu Prag*). He would later attend the Piarist high school (*Graben-Gymnasium*).[14] Unlike Kafka, he admired his father and was at peace with the world, which so far had treated him very well. At their respective ages of eighteen, Franz Kafka in 1901 and Willi Strauss in 1903, both young men enrolled at the German University in Prague (*Carolinum/Karls-Universität*) where they probably met for the first time.

Prague at the turn of the century was changing in other ways as well. Although it had been administered for centuries by the Hapsburgs from Vienna, the Czech population had quadrupled between 1850 and 1900. A shrinking German-speaking minority still held many of the key governmental posts and still dominated commercial and industrial life. Salomon Strauss was required like all businessmen to keep his books in German, and the office plaque of M. Lauer & Strauss appeared both in German and in Czech. All of his children's official documents, such as birth certificates, were also issued both in German and Czech versions.

---

14 A walk past the school today reveals two plaques, one honoring Rainer Maria Rilke, who attended the school between 1882 and 1886, eleven years before Wilhelm Strauss; and the other honoring Johannes Urzidil, "[l]ast poet of the Prague Circle," who graduated eleven years after my grandfather.

amtlichen Dokumente seiner Kinder, etwa Geburtsurkunden, in deutscher und in tschechischer Sprache ausgestellt.

Am Arbeitsplatz war Tschechisch die Hauptsprache – alle männlichen Angehörigen der Familie Strauß sprachen fließend Tschechisch –, zu Hause wurde jedoch Deutsch gesprochen, und die Familie identifizierte sich, wie so viele andere deutsch-jüdische Familien, mit der deutschen Kultur. Wie Johann Bauer hervorgehoben hat:

> Hinzu kommt, daß Alt-Prag auch Judenstadt war; die meisten der alteingesessenen Deutschen waren Juden. Die jüdische Gemeinde geriet im Lauf der Zeit in eine immer stärker werdende Isolation. Von den Tschechen, die sie als Deutsche ansahen, trennte sie der Glaube und die Sprache. Mit den Deutschen, für die sie eben Juden waren, verband sie lediglich die Sprache.[14]

Die Mitglieder der Familie Strauß waren, wie viele jüdische Angehörige ihrer Schicht, die in urbanen Zentren lebten, vollständig assimilierte Juden. Jüdische Gebräuche wurden eher ignoriert als eingehalten. Willi Strauß war, obwohl er Privatschulen besuchte, die von Piaristen betrieben wurden, und später in einer Wiener Piaristenkirche getraut wurde, in Sachen Religion ein Skeptiker, wenn nicht sogar ein Atheist. Während seiner Schulzeit bekam er sowohl im Fach Religion als auch im Fach Philosophie stets Bestnoten. Auch als Erwachsener behielt er sein Interesse an Philosophie und Geistesgeschichte bei, und zwar bis zum Ende seines Lebens. Religiös war er hingegen sicher nicht.

---

14 Bauer, *Kafka und Prag* (Anm. 11), S. 44.

Czech was the primary language of the workplace – all of the Strauss males were fluent in Czech – but German was spoken at home, and the family, like so many other German/Jewish families, identified with German culture. As author Johann Bauer pointed out:

> Old Prague, moreover, was a Jewish city, in that most of the long-established German residents were Jews. In the course of time the Jewish community had become increasingly isolated. They were divided by language from the Czechs, who thought of them as Germans, and by almost everything else from the new Germans, who thought of them as Jews.[15]

Salomon Strauss and the Strauss family, like many of their class in urban centers, were fully assimilated Jews. Jewish customs were honored more in the breach than in practice. Willi Strauss, although educated in Piarist private schools and later married in a Piarist church in Vienna, was a religious sceptic if not an atheist. As a child he always received top grades in both religion and philosophy, and as an adult he retained a lifelong interest in philosophy and intellectual history. Religious, however, he was certainly not.

---

15   Bauer, *Kafka and Prague* (Fn. 12), p. 42.

Salomon Strauß als Achtzigjähriger; die Widmung lautet: „Zur Erinnerung an meinen Badener Aufenthalt, April 1925, Papa Strauß"

Salomon Strauss at the age of 80; the German inscription reads: "Souvenir of my visit to Baden [bei Wien], April 1925, Papa Strauss"

Die junge Berta Jeiteles, zukünftige Ehefrau von Salomon und Mutter von Willi Strauß
(undatiert)
Young Berta Jeiteles, future wife of Salomon and mother of Willi Strauss (undated)

Willi Strauß im Alter von 8 Monaten (Mai 1886); Rückseite der Karte beschriftet von seinem Vater Salomon

Willi Strauss, age 8 months (May 1886); back of card inscribed by his father, Salomon

Die sechs Kinder von Salomon Strauß mit Willi ganz rechts (ca. 1890)

The six children of Salomon Strauss with Willi on the far right (ca. 1890)

Willi Strauß mit seinen Klassenkameraden an der Prager Piaristenvolksschule (1897)
Willi Strauss with his Piarist classmates in Prague (1897)

41

John F. Strauss vor dem Haus von Salomon Strauß, Prag, 1270/Na Florenci 31
John F. Strauss at the home of Salomon Strauss, Prague, 1270/31 Na Florenci

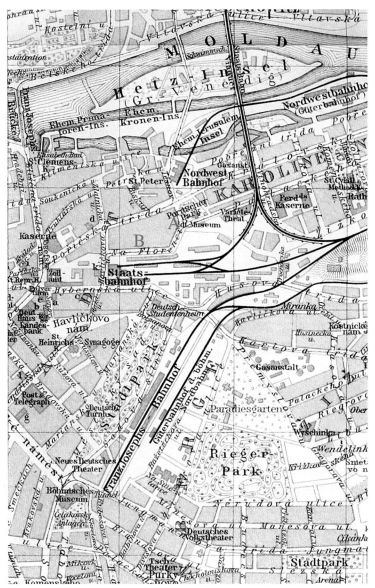

Das Zentrum Prags im frühen 20. Jahrhundert; das Haus Salomon Strauß' (A) und seine
Firma (B), Lauer & Strauß, befanden sich beide in der Straße Na Florenci, direkt gegenüber
dem Staatsbahnhof

Central Prague in the early 20th Century; Salomon Strauss' home (A) and his business (B),
Lauer & Strauss, directly across from the railway station, were both on Na Florenci

43

Schule, Universität, erste Jahre im Beruf

Auch weil so viel über Franz Kafka geforscht worden ist, ist nicht wenig über die staatlichen und privaten Schulen in Prag in der Zeit um die Jahrhundertwende bekannt.

> Das Unterrichtssystem entsprach jenem mitteleuropäischen Modell, das sich trotz seiner konservativen Form als sehr zählebig erwies und in Böhmen auch nach dem Untergang der k. u. k. Monarchie fast unverändert weiterpraktiziert wurde. Den Kern des Unterrichts bildeten die klassischen Sprachen. (In einigen Klassen entfielen von 25 Wochenstunden 10 auf Latein und Griechisch.) Die klassischen Sprachen galten als sicherste Grundlage der Sprachkultur und als Muster des Grammatikunterrichts für die modernen Sprachen, die Muttersprache miteingeschlossen. Der Unterricht bestand in der Hauptsache aus hartem Drill grammatikalischer Regeln und Paradigmata sowie Übungsübersetzungen.[15]

Alle Schul- und Universitätszeugnisse meines Großvaters, vom Jahre 1892 an, in dem er sechs Jahre alt war, bis zu seiner Zeit als Gymnasiast und dann als Medizinstudent, befinden sich in meinem Besitz, die früheren Zeugnisse ordnungsgemäß von seinem Vater Salomon Strauß unterschrieben. Sie zeigen, dass Willi Strauß ein sehr guter Schüler gewesen ist, der für seine Leistungen zumeist die Noten „vorzüglich" oder „lobenswert" erhielt und der auffallend sprachbegabt war.[16] Überdies habe ich das Glück, eine Kopie seines Maturitätszeugnisses zu besitzen, das den erfolgreichen Abschluss des Gymnasiums dokumentiert, ebenso sein Meldungsbuch der Medizinischen Fakultät, das in aller Ausführlichkeit die strenge medizinische Ausbildung in der Zeit um die Jahrhundertwende vor Augen führt.

---

15 Ebd., S. 53.
16 Sämtliche Familienbriefe, Tagebücher, offizielle Dokumente etc. sind enthalten in den Papieren der Familie Strauß im Stadtarchiv von Wiener Neustadt.

Education and Early Medical Practice

In part because so much research has been done on Franz Kafka, a great deal is known about public and private schools in Prague at the turn of the century.

> The teaching method and syllabus conformed to the Central European pattern which, despite its conservatism, showed great vitality and maintained itself in Bohemia even after the fall of the monarchy. It was based on the classical languages (in some classes Kafka did ten hours of Greek and Latin out of a total of twenty-five hours a week), which was regarded as the surest foundation of literary culture and whose grammar served as the model for learning modern languages, including one's own. The teaching took the form of rigorous drilling in grammar rules and paradigms, and translations from the classical languages into German and vice versa.[16]

My grandfather's transcripts beginning in 1892 when he was six years old, the early ones duly signed by Salomon Strauss, and continuing through high school (*Gymnasium*) and medical school are all in my possession. They reveal a strong student who received for the most part grades of "Exemplary" (*Vorzüglich*) or "Praiseworthy" (*Lobenswert*), and who clearly had a talent for languages.[17] I am also fortunate to have a copy of his graduation transcript (*Maturitäts-Zeugnis*) proving successful completion of high school, and his Course Record Book (*Meldungsbuch*), detailing a rigorous turn-of-the-century medical education.

---

16 Ibid., pp. 53–54.
17 All family letters, diaries, legal documents, etc. are included in the Strauss family papers in the municipal archive of Wiener Neustadt.

Während mein Großvater und sogar Franz Kafka die Schule in guter Erinnerung behielten, beschrieb Stefan Zweig seine eigene Schulzeit in weit weniger schmeichelhaften Worten:

> Dieser Weg bis zur Universität war nun ziemlich lang und keineswegs rosig. Fünf Jahre Volksschule und acht Jahre Gymnasium mußten auf hölzerner Bank durchgesessen werden, täglich fünf bis sechs Stunden, und in der freien Zeit die Schulaufgaben bewältigt und überdies noch, was die ‚allgemeine Bildung‘ forderte neben der Schule, Französisch, Englisch, Italienisch [mein Großvater aber lernte nicht Italienisch, sondern Tschechisch], die ‚lebendigen‘ Sprachen neben den klassischen Griechisch und Latein, – also fünf Sprachen zu Geometrie und Physik und den übrigen Schulgegenständen. Es war mehr als zu viel und ließ für körperliche Entwicklung, für Sport und Spaziergänge fast keinen Raum und vor allem nicht für Frohsinn und Vergnügen.[17]

An späterer Stelle seines Buches schreibt Zweig:

> Wir sollten vor allem erzogen werden, überall das Bestehende als das Vollkommene zu respektieren, die Meinung des Lehrers als unfehlbar, das Wort des Vaters als unwidersprechlich, die Einrichtungen des Staates als die absolut und in alle Ewigkeit gültigen.[18]

Zweigs Bemerkungen können sehr viel dazu beitragen, einige Charakterzüge meines Großvaters zu erklären. Sein ganzes Leben lang respektierte er die Autorität, war er ebenso stoisch gegenüber der kafkaesken Bürokratie, wie er auf die Einhaltung sozialer Normen und Erwartungen achtete. Als Kind fragte ich ihn wiederholt, warum er nie lächle, wenn Familienphotos gemacht wurden, worauf er stets antwortete: „Ich bin ein ernster Mensch.“ Immer trug er eine Krawatte und entweder einen Anzug oder einen der von

---

17 Zweig, *Die Welt von Gestern* (Anm. 7), S. 46 (Hinzufügung in eckigen Klammern durch den Autor).
18 Ebd., S. 53.

Although my grandfather and even Franz Kafka had good memories of school, Stefan Zweig described his education in far less flattering terms:

> The path to university was rather a long one, and by no means a bed of roses. You had to spend five to six hours a day sitting on the wooden school bench for five years of elementary school and eight of grammar school. In your free time you did homework, and in addition you had to master the subjects required for 'general culture' outside school: the living languages of French, English and Italian [my grandfather studied Czech rather than Italian], classical Greek and Latin – that is to say five languages in all as well as geometry, physics and other school subjects. It was more than too much, leaving almost no time for physical exercise, sporting activities, walking, and above all none for light-hearted amusements.[18]

Later in the book Zweig wrote:

> Above all, we were brought up to respect the status quo as perfect, our teachers' opinions as infallible, a father's word as final, brooking no contradiction, and state institutions as absolute and valid for all eternity.[19]

Zweig's observations go a long way toward explaining several of my grandfather's character traits. He was respectful of authority all of his life, stoic in the face of Kafkaesque bureaucracy, and rigidly mindful of social norms and expectations. As a child I would ask him why he never smiled when family photos were taken, and he would invariably reply: "I am a serious man." He always wore a necktie and either a suit or one of my grandmother's hand-knitted sweaters buttoned to the top.

---

18   Zweig, *The World of Yesterday* (Fn. 8), p. 51 (bracketed words added by the author).
19   Ibid., p. 57.

meiner Großmutter handgestrickten Pullover, den er bis oben zuknöpfte. In seiner Brusttasche hatte er zu jeder Zeit ein Notizbuch und einen Stift, womit er sich Notizen über Dinge machte, die ihn interessierten und über die er mehr wissen wollte.

Nicht nur war er fast übertrieben korrekt, was seine Kleidung und sein Verhalten betraf, er konnte nicht selten auch ziemlich pedantisch sein. Als er beispielsweise in meiner Kindheit einmal mit mir zusammen meine Briefmarkensammlung anschaute, gab er sogleich seiner Idee nach, mir die biographischen Fakten eines jeden großen Mannes und einer jeden großen Frau, die auf den Briefmarken dargestellt waren, vorzutragen. Kein Wunder, dass er keinen Sinn für Filme hatte und nie einen Plattenspieler oder einen Fernseher besaß. Er verwahrte sich strikt gegen das, was er als primitives Denken bezeichnete, und erst recht verabscheute er Schlamperei und jeden Mangel an Präzision. Schließlich war er „ein ernster Mensch" und, so könnte man sagen, ein nachgerade typisches Produkt der rigiden späthabsburgischen Erziehung.

Die bemerkenswerte medizinische Ausbildung meines Großvaters in Prag und in Wien wird im folgenden Kapitel behandelt. Es gibt jedoch ein eigentümliches Dokument aus dieser Zeit, das im tschechischen Nationalarchiv in Prag aufbewahrt wird und das mir in Kopie von dem Kafka-Forscher Dr. Anthony Northey zur Kenntnis gebracht wurde. Es verdient bereits an dieser Stelle besondere Erwähnung, da es zeigt, dass mein Großvater über sein Medizinstudium hinaus noch andere Dinge im Sinn hatte.

Bei dem Dokument handelt es sich um eine Liste von Subskribenten für einen Vortrag, den der Dichter Detlev von Liliencron im Jahre 1903 halten sollte, also dem Jahr, in dem Willi Strauß sein Medizinstudium aufnahm. Zu den siebzehn Subskribenten gehörten Dr. Hugo Salus, der die Veranstaltung wahrscheinlich organisiert hat und der 120 Kronen für ihre Finanzierung beisteuerte, sowie diverse zukünftige Berühmtheiten der auch als Prager Kreis bekannten Sektion Literatur der Lese- und Redehalle der deutschen Studenten in Prag, von denen jede entweder zehn oder zwanzig Kronen zum Honorar von Liliencrons beitrug. Auf der

He kept a memorandum book and a pen in his breast pocket, notating things which interested him and about which he wished to learn more.

Not only was he rigidly proper in dress and behavior, he could also be somewhat pedantic. His idea of looking at my childhood stamp collection, for example, was to recite biographical facts about every great man or woman represented in the album. Not surprisingly, he had no use for movies and never chose to own a phonograph or television. He abjured what he called primitive thinking, and above all detested sloppiness (*Schlamperei*) and lack of precision. After all, he was "a serious man," and one might say, a very successful product of a rigid, late Hapsburg education.

My grandfather's remarkable medical education in Prague and Vienna is described in the following chapter. However, there is one curious document from that period, copied from the Czech National Archive in Prague and brought to my attention by Kafka scholar Dr. Anthony Northey, which deserves special mention, and which shows that my grandfather had matters on his mind beyond medical studies.

The document is a list of subscribers for a lecture to be given by the writer Detlev von Liliencron in 1903, the year that Willi Strauss began his medical studies. The seventeen subscribers include Dr. Hugo Salus, who probably organized the lecture and who contributed 120 crowns to the effort, and various soon-to-be luminaries of the Section for Literature of the Reading and Lecture Group of German Students in Prague (*Lese-und Redehalle der deutschen Studenten in Prag*), also known as the Prague Circle, each of whom contributed either 10 or 20 crowns to the lecturer. The list includes Franz Kafka who was the nominal leader of the Section, Paul Kisch, brother of Egon Erwin Kisch, Max Brod, the self-appointed literary executor and biographer of Franz Kafka, Willi Strauss, and his friend Fritz Pazaurek ("Uncle Paz" in my father's diaries of the 1930's). Interest-

Liste finden sich neben Salus u. a.: Franz Kafka, der der nominelle Leiter der Sektion war, Paul Kisch, Bruder von Egon Erwin Kisch, Max Brod, späterer Biograph Kafkas und selbsternannter Verwalter von dessen literarischem Nachlass, Willi Strauß und dessen Freund Fritz Pazaurek (der „Onkel Paz" in den Tagebüchern meines Vaters aus den 1930er Jahren). Interessanterweise kommt Brod auf genau diese Liste zu sprechen, wenn er in seiner Kafka-Biographie schreibt: „[S]o entsinne ich mich, daß uns der Ausschuß das Honorar für Detlev von Liliencron, den wir zu einem Prager Vortrag eingeladen hatten, nicht oder nicht in der erforderlichen Höhe bewilligen wollte." (Northey zufolge ist diese Erinnerung Brods allerdings fehlerhaft, da der Vortrag in Wirklichkeit sehr wohl stattgefunden hat.) Brod vermerkt ebenfalls, dass „[d]ie Sektion [...] ihre regelmäßigen Debatten- und internen Vortragsabende" hatte.[19]

Wie oft Willi Strauß an den Zusammenkünften der Sektion teilgenommen hat, wird man wahrscheinlich niemals wissen. Sicher ist jedoch, dass mein sehr belesener Großvater zumindest für eine gewisse Weile Mitglied der renommiertesten literarischen Gesellschaft Prags gewesen ist.

Die Lese- und Redehalle, manchmal auch einfach ‚die Halle' genannt, war nach der erfolglosen Revolution von 1848 gegründet worden und hatte in der Zeit der liberalen deutschösterreichischen Dominanz als ein Zentrum des deutschsprachigen kulturellen Lebens in Prag fungiert. Um 1903 bestand deren Sektion für Literatur, die nur noch lose mit ihr verbunden war, zum überwiegenden Teil aus deutschsprachigen Juden,[20] zu denen bald sehr bekannte Autoren wie etwa der Dichter Franz Werfel oder der Kunsthistoriker Oskar Pollak zählten. (Pollaks Ehefrau ist übrigens jene berühmte Milena von Kafkas *Briefe an Milena* gewesen.) Die Sektion

---

19 Max Brod, *Franz Kafka. Eine Biographie*, in: ders., *Über Franz Kafka*, Frankfurt a. M., Hamburg: Fischer Bücherei 1966, S. 7–221, S. 45.

20 Vgl. das Kapitel „Prague Circles: Backgrounds and Methods" in Scott Spector, *Prague Territories: National Conflict and Cultural Innovation in Franz Kafka's Fin de Siècle*, Berkeley, Los Angeles, London: University of California Press 2001, S. 1–35.

ingly, Brod mentions that very subscription list in his biography of Franz Kafka, writing "I remember, for example, that the committee refused to pay the fee, or at any rate to approve a sufficiently high fee for Detlev von Liliencron whom we had invited to lecture in Prague." (According to Northey, however, Brod's memory was faulty because the lecture did in fact take place.) Brod also remarks that "the Section held its regular debates and read papers regularly in its own circle."[20]

How often Willi Strauss attended Section meetings will probably never be known. What is clear, however, is that my well-read grandfather was at least for a while a member of Prague's most renowned literary society.

The *Lese- und Redehalle*, sometimes referred to as *"die Halle,"* had been founded after the unsuccessful Revolution of 1848, and had functioned as a center of Prague-German cultural activity during the era of German/Austrian liberal dominance. By 1903 the break-away Section for Literature consisted primarily of German-speaking Jews,[21] including soon to be famous writers like Franz Werfel and Oskar Pollak. (Incidentally, Pollak's wife was the famous Milena of Kafka's *Letters to Milena*.) The Section met at the Café Arco in Prague, leading the satirist Karl Kraus to refer to them as "the Arconauts" (*"die Arconauten"*) and eventually most of them, including Willi Strauss, moved to Vienna to seek better opportunities. Although my grandfather's library consisted for the most part of leather-bound classics of German literature, he also took a keen interest in the literature of the Prague Circle as well as in works by Hugo von Hofmannsthal, Rainer

---

20 Max Brod, *Franz Kafka: A Biography*, translated by G. Humphreys Roberts and Richard Winston (New York: Da Capo Press, 1995), p. 43.

21 See the chapter "Prague Circles: Backgrounds and Methods" in John Spector's *Prague Territories* (Berkeley, Los Angeles, London: University of California Press, 2002), pp. 1–35.

traf sich im Prager Café Arco, was den Satiriker Karl Kraus dazu veranlasste, deren Mitglieder als „die Arconauten" zu bezeichnen. Die meisten dieser Mitglieder, unter ihnen Willi Strauß, gingen schließlich nach Wien, um dort nach aussichtsreicheren Lebensmöglichkeiten Ausschau zu halten. Auch wenn die Bibliothek meines Großvaters zum größten Teil aus in Leder gebundenen Ausgaben der Klassiker der deutschen Literatur bestand, hatte er ebenso eine ausgeprägte Vorliebe für die Literatur des Prager Kreises und für die Werke Hugo von Hofmannsthals, Rainer Maria Rilkes und Stefans Zweigs, der literarischen Idole der Generation meines Vaters Felix Strauß.

Als Willi Strauß 1909 an der Prager Karl-Ferdinands-Universität seinen medizinischen Abschluss machte, hatte sich der einst große Haushalt der Familie Strauß bereits stark verkleinert. Seine Halbschwestern Martha und Valla hatten beide ungarische Männer geheiratet und waren nach Budapest gezogen, sein Halbbruder Hermann und seine Schwester Johanna waren beide verstorben, und auch Berta, die Mutter meines Großvaters, hatte 1907, im Alter von fünfzig Jahren, einen vorzeitigen Tod erlitten, ein Verlust, über den er für den Rest seines Lebens nicht hinwegkommen sollte. Salomon Strauß und sein ältester noch verbliebener Sohn Felix blieben in der Firma M. Lauer & Strauß, während Willi, das erste studierte Mitglied der Familie, seine Assistenzzeit am Allgemeinen Krankenhaus zu Prag begann.

1911 hatte auch Willi Prag verlassen und war nach Wien gegangen, wo er als Sekundararzt in der chirurgischen Abteilung sowohl des Krankenhauses auf der Wieden als auch des Wilhelminenspitals tätig war und zudem zum Assitenzarzt in der Reserve ernannt wurde. Im darauffolgenden Jahr war er am Wilhelminenspital Sekundararzt in der Abteilung für Infektionskrankheiten bei Kindern. 1913 schloss er seine medizinische Ausbildung am Wiener Karolinen-Kinderspital ab, und zwar unter der Leitung von Professor Wilhelm Knöpfelmacher, der zugleich auch sein Mentor war. Ein großformatiges Ölporträt Knöpfelmachers sollte während all der Jahre, in denen mein Großvater in Wiener Neu-

Maria Rilke and Stefan Zweig, the literary idols of my father Felix Strauss' generation.

By 1909, the year that Willi Strauss received his medical degree from the German University in Prague, the once large Strauss household was already much diminished. His sisters Martha and Valla had both married Hungarians and moved to Budapest, Hermann and Johanna had both died, and my grandfather's mother Berta had also passed away prematurely in 1907 at the age of 50, a loss which haunted my grandfather for the rest of his life. Salomon Strauss and his eldest remaining son Felix remained at the firm M. Lauer & Strauss, while Willi, the first university-educated member of the family, began his medical residency at the General Hospital of Prague.

By 1911, Willi too had left Prague for Vienna where he served as an intern in the Department of Surgery in both the *Krankenhaus auf der Wieden* and the *Wilhelminenspital,* and received an appointment as Assistent Doctor in the Reserve. The next year he continued at the *Wilhelminenspital* as an assistant physician in the Department for Children's Infectious Diseases, completing his medical training at the *Karolinen-Kinderspital* in 1913, under the direction of his mentor, Professor Wilhelm Knöpfelmacher. A large oil portrait of Knöpfelmacher was to hang over the desk in my grandfather's examination room during all of the years that he practiced medicine in Wiener Neustadt.[22]

---

22 Dr. Wilhelm Knöpfelmacher (b. 1866 Boskowitz, Moravia, d. 1938 Vienna), one of the foremost pediatricians of his day, served as Director of the *Karolinen-Kinderspital* in Vienna and as Associate Professor at the University of Vienna until 1934. After the *"Anschluss,"* forced by the Nazis to scrub streets as a member of the so-called "Scrub Brigades" (*"Putzkolonnen"*), he wrote in his suicide letter: "'As thanks for saving the lives of 60,000 children, I must take my own life'" (as quoted in Herbert Exenberger, Johann Koss, Brigitte Ungar-Klein, *Kündigungsgrund Nichtarier. Die Vertreibung jüdischer Mieter aus den Wiener Gemeindebauten in den Jahren 1938–1939* [Wien: Picus Verlag, 1996],

stadt als Arzt praktizierte, über dem Schreibtisch seines Untersuchungszimmers hängen.[21]

---

21 Dr. Wilhelm Knöpfelmacher, geboren 1866 in Boskowitz (Mähren), gestorben 1934 in Wien, war einer der führenden Kinderheilkundler seiner Zeit. Er war Direktor des Karolinen-Spitals und bis 1934 außerordentlicher Professor an der Wiener Universität. Nachdem er im Zusammenhang des ‚Anschlusses‘ von den Nazis gezwungen worden war, in den sogenannten ‚Putzkolonnen‘ Straßen zu schrubben, schrieb er in seinem Abschiedsbrief: „Ich habe 60.000 Kinder vom Tode gerettet, jetzt ernte ich den Dank und muß selbst aus dem Leben scheiden‘“; zitiert nach Herbert Exenberger, Johann Koss, Brigitte Ungar-Klein, *Kündigungsgrund Nichtarier. Die Vertreibung jüdischer Mieter aus den Wiener Gemeindebauten in den Jahren 1938–1939*, Wien: Picus 1996, S. 141. Knöpfelmacher beging am 23. April 1938 Selbstmord.

p. 141; translated by the author). Knöpfelmacher committed suicide on April 23, 1938.

Maturitäts-Zeugnis.

Strauß Wilhelm,

geboren am *5. September* 18*85* zu *Prag*,

in *Böhmen*, *mosaischer* Religion, hat die Gymnasialstudien *im Schuljahre 18 95/96 am k. k. d. Staatsgymnasium in Prag, Neustadt, Graben begonnen, daselbst ununterbrochen fortgesetzt, im Schuljahre 1902 – 1903*

beendigt und sich der Maturitätsprüfung vor der unterzeichneten **Prüfungs-Commission** zum *erstenmal* unterzogen.

Auf Grund dieser Prüfung wird ihm nachstehendes Zeugnis ausgestellt:

Sittliches Betragen: *lobenswert.*

Leistungen in den einzelnen Prüfungsgegenständen:

Religionslehre: *vorzüglich.*

Lateinische Sprache: *befriedigend.*

Griechische Sprache: *lobenswert.*

Form. **F** für Gymn. — Preis 6 h. — K. K. Schulbücher-Verlag. Wien. Buchdruckerei Karl Gorischek. Wien V.

Wilhelm Strauß' Maturitätszeugnis, ausgestellt am 11. Juli 1903 (Seite 1)

Certificate qualifying Wilhelm Strauss for university entrance, issued on July 11, 1903 (page 1)

Deutsche Sprache (als Unterrichtssprache):	befriedigend.
Geographie und Geschichte:	lobenswert. (Durchschnittsleistung).
Mathematik:	befriedigend.
Physik:	befriedigend.
Naturgeschichte:	befriedigend.
Philosophische Propädeutik:	vorzüglich.

Wilhelm Strauß' Maturitätszeugnis (Seite 2)
Certificate qualifying Wilhelm Strauss for university entrance (page 2)

Da hienach der Examinand den gesetzlichen Forderungen
entsprochen hat, so wird ihm hiemit das

Zeugnis der Reife zum Besuche einer Universität

ausgestellt.

Prag , am 11. Juli 1903.

Tzarh

für den   k. k. Landesschulinspector,   Mitglieder der Prüfungs-Commission:
Präses der Prüfungs-Commission.

Dr Heinrich Rotter,
n. u. Gymnasialdirector.

Dr Alex Kisch   für Religionslehre.
Niklaus Komma   . Latein, Ordin.d.Kl.
Karel Kapstan   . Griechisch.
Jos Strohschneider . Deutsch.
Jos Deil   . Geogr. u. Gesch.
Raim. Walter   . Mathematik.
Pp. Knothe . Physik.
Edm Loeffler . phil. Prop.

Wilhelm Strauß' Maturitätszeugnis (Seite 3)
Certificate qualifying Wilhelm Strauss for university entrance (page 3)

Garantiefond für die Vorlesung
Liliencron.

Dr Hugo Salus	120 K
Paul Kisch	20 "
Max Brod	20 "
Max Milrath	10 "
Leopold Pollak	10 "
Franz Kafka	10 "
Rudolf Schwarzkopf	10 "
Arthur Lasch	10 "
Arnold Spritzer	10 "
Victor Freund	10 "
Emil Thorsch	10 "
Camill Weil	10 "
Franz Bacher	10 "
Oskar Trier	10 "
Franz Weiss	10 "
Fritz Pazawuth	10 "
Willi Strauss	10 "

Zeichnungsliste für den Vortrag von Liliencrons in Prag (1903)
Subscription list to the von Liliencron lecture in Prague (1903)

59

Der Medizinstudent Willi Strauß, bekleidet mit dem hohen Kragen, der Krawatte mit Four-in-Hand-Knoten, der Weste und dem Stadtmantel, die kennzeichnend sind für einen Gentleman der Belle Époque (1907)

Medical student Willi Strauss dressed in the high collar, four-in-hand tie, vest, and town coat indicative of the Belle Époque gentleman (1907)

Porträt von Willi Strauß als medizinischer Austauschstudent in München von der Hand des deutschen Malers Franz Reinhardt (1907, Öl auf Leinwand)

Portrait of Willi Strauss as a medical exchange student in Munich, by German artist Franz Reinhardt (1907, oil on canvas)

Dr. Wilhelm Strauß' medizinisches Diplom (auf Lateinisch) von der Deutschen Universität Prag, ausgestellt am 24. Mai 1909

Medical diploma (in Latin) of Dr. Wilhelm Strauss from the German University in Prague, issued on May 24, 1909

Rechts unten: Der junge Dr. Strauß, Zweiter von rechts, mit Kollegen aus der Kinderchirurgie (undatiert)

Bottom right: Young Dr. Strauss, second from right, with colleagues in pediatric surgery (undated)

62

Dr. Strauß, hintere Reihe, Zweiter von links, mit Ärztekollegen und ihrem Mentor in der Kindermedizin, Dr. Wilhelm Knöpfelmacher, und dessen Frau (undatiert)

Dr. Strauss, back row second from left, with fellow doctors and their mentor in pediatric medicine, Dr. Wilhelm Knöpfelmacher, and his wife (undated)

Der junge Dr. Strauß in seiner Reservistenuniform mit Säbel (2. März 1910)
Young Dr. Strauss in his reserve uniform with a sabre (March 2, 1910)

Urkunde der Ernennung von Dr. Wilhelm Strauß zum Assistenzarzt in der Reserve, ausgestellt am 22. November 1910

Certificate of Appointment of Dr. Wihelm Strauss as Assistant Doctor in the Reserve, issued on November 22, 1910

Kriegsdienst

Wenige Wochen nach der Ermordung des Erzherzogs Franz Ferdinand durch den serbischen Nationalisten Gavrilo Princip in Sarajevo (28. Juni 1914) stolperte Europa in den Krieg. Wie der in Österreich geborene Schriftsteller und *New York Times*-Journalist Paul Hofmann 1988 in seinem Buch *The Viennese: Splendor, Twilight, and Exile* schreibt:

> Wien wurde für einige Monate von patriotischer Inbrunst ergriffen, und die Intellektuellen der Stadt halfen dabei, sie mit Manifesten, Zeitungsartikeln und Gelegenheitsgedichten noch weiter anzuheizen. Die Sozialdemokratische Partei, die sich zuvor der Regierung des Kaisers widersetzt hatte, unterstützte den Krieg, und nicht wenige ihrer Führer leisteten freiwillig Kriegsdienst.[22]

Viele Jahre späte erinnerte sich mein Großvater in einem auf Deutsch geschriebenen Brief an Dr. Adrienne Schnitzer vom 29. Juni 1957 an seinen Militärdienst:

> Ich rückte am 31. Juli 1914 zur 10. schweren Haubitzdivision als Oberarzt ein. Der Truppenkörper gehörte dem 10. Corps, Przmysl, Galizien, Armee Dankl, zu. Ich blieb bei diesem Truppenkörper, der später in das zweite schwere Haubitzregiment verwandelt wurde, als Chefarzt und machte alle Vormärsche, Rückzüge und Kämpfe in Galizien, Polen (Lublin), Wolhynien (Luell, Rono, Olyka) mit. Im Sommer 1916 wurde ich in ein Feldspital, dessen Nummer ich nicht mehr weiß, auch zum 10. Corps gehörig, transferiert. Im Winter 16–17 machte ich Dienst bei einem Corpstrainkommando als Regimentsarzt, war dann 7 Monate an einem Feldspital in Wladimir Wolinsk, Wolhynien, und den Rest der Zeit bis November 1918 Chefarzt

---

22 Paul Hofmann, *The Viennese: Splendor, Twilight, and Exile*, New York: Doubleday 1988, S. 156 (Übers. von U. H.).

Military Service

A few weeks after the Archduke Franz Ferdinand was assassinated by Serbian nationalist Gavrilo Princip in Sarajevo on June 28, 1914, Europe stumbled into war. As Austrian-born author and *New York Times* journalist Paul Hofmann wrote in his 1988 book *The Viennese: Splendor, Twilight and Exile*:

> Patriotic fervor swept Vienna for a few months, and the city's intellectuals helped inflame it further with manifestos, newspaper articles, and instant poetry. The Social Democratic Party, which had previously opposed the emperor's governments, supported the war and several of its leaders volunteered for military service.[23]

Many years later, in a letter written in German to Dr. Adrienne Schnitzer on June 29, 1957, my grandfather recalled his military service:

> I enlisted as a Chief Resident (*Oberarzt*) in the Tenth Heavy Artillery Division on June 31, 1914. The division was part of the Tenth Corps of Pryzmysl and Galicia, part of the Dankl Army. I remained with that body of troops, which was transformed later into the Second Heavy Artillery Regiment, as Chief Medical Officer (*Chefarzt*) and participated in all of the troop advances, retreats, and battles in Galicia, Poland (Lublin), and Volhynia (Luell, Rono, Olyka). In summer 1916, I was transferred to a field hospital, the number of which I have forgotten, but it also belonged to the Tenth Corps. In the winter of 1916–17 I served as Regimental Doctor (*Regimentsarzt*) of a Supply and Provisioning Commando Corps *(Corpstrainkommando)*, then for seven months at a field hospital in Wladimir Wolinst, Volhynia,

---

23   Paul Hofmann, *The Viennese: Splendor, Twilight, and Exile* (New York: Doubleday, 1988), p. 156.

einer Offiziersabteilung an einem mit dem Deutschordensritter Hospital No ? (ich glaube No 5) verbundenen Spital in Chelm, Russisch-Polen. Am 12. November 1918, am Tag der Erklärung der Republik Deutschösterreich, traf ich in Wien ein. Meine Dekorationen: Goldenes Verdienstkreuz mit der Krone am Bande der Tapferkeitsmedaille, Signum Laudis mit den Schwertern, Karl-Truppenkreuz. Das ist es, was ich aus meinem Gedächtnis nach 40 Jahren und mehr ausgraben konnte.

Mein Großvater diente, mehrfach ausgezeichnet, volle vier Jahre an der Ostfront und nahm nur 1917 einen kurzen Urlaub, um in Wien meine Großmutter zu heiraten.

and then for the rest of the time until November 1918 as Chief Medical Officer (*Chefarzt*) of an officer's department at a hospital in Chelm, Russian Poland, which was affiliated with the Teutonic Knights Hospital No. ? (I think No 5). I arrived in Vienna on November 12, 1918, the day of the declaration of the Republic of German-Austria. My decorations: Golden Service Cross with the Crown on the Ribbon of the Bravery Medal (*Goldenes Verdienstkreuz mit der Krone am Bande der Tapferkeitsmedaille*), Military Medal of Merit with Swords (*Signum Laudis mit den Schwertern*), Troops Cross of Charles (*Karl-Truppenkreuz*). That is all I can dig out of my memory after forty years plus.

My grandfather served with distinction on the Eastern Front for four full years, taking only a brief leave in 1917 to marry my grandmother in Vienna.

Z. 1506 1915.

Seine Majestät
Der Kaiser von Oesterreich
König von Böhmen u.s.w.
und Apostolische König von Ungarn

haben mit Allerhöchster Entschließung

vom 16. Juli 1915

dem Oberarzt in der Reserve

539/29223

DR. WILHELM STRAUSZ

der schweren Haubitz-Division 10

in Anerkennung vorzüglicher und aufopferungsvoller Dienstleistung v.d.Feinde,

das Goldene Verdienstkreuz mit der Krone

am Bande der Tapferkeitsmedaille

Allergnädigst zu verleihen geruht.

Was hiermit beurkundet wird.

Wien, am   21. Juli   1915.

Von Seiner k. u. k. Apostolischen Majestät

Obersthofmeisteramt:

Werner

Urkunde zur Verleihung der Tapferkeitsmedaille an Dr. Wilhelm Strauß, ausgestellt am 21. Juli 1915

Certificate awarding Dr. Wilhelm Strauss a Medal of Bravery, issued on July 21, 1915

Dr. Strauß an der Ostfront bei der Durchführung von Impfungen gegen Cholera (8. August 1915)

Dr. Strauss giving cholera inoculations on the Eastern Front (August 8, 1915)

Dr. Strauß in Uniform mit einem Rotkreuz-Armband und mit Arzttaschen, auf einem Pferd reitend (März 1915)

Dr. Strauss riding a horse, in uniform with a Red Cross armband and medical bags (March 1915)

Dr. Strauß mit Säbel und Zigarette in seiner Uniform (Juli 1915)
Dr. Strauss in his uniform with sword and cigarette (July 1915)

SEINE

KAISERLICHE UND KÖNIGLICHE

APOSTOLISCHE MAJESTÄT

HABEN

MIT ALLERHÖCHSTER ENTSCHLIESZUNG

vom 5. Mai 1916

Euer Hochwohlgeboren

mit 1. Mai 1916

zum

Regimentsarzt in der Reserve

mit dem Range vom 1. Mai 1916 , Rang Nr. 37

allergnädigst zu ernennen geruht.

Wien, am 6. Mai 1916.

Für den Minister:

An

den Herrn k. u. k. Oberarzt in der Reserve der schweren Haubitzdivision Nr. 10

Dr. Wilhelm STRAUSS.

Urkunde der Ernennung von Dr. Wilhelm Strauß zum Regimentsarzt in der Reserve, ausgestellt am 6. Mai 1916

Certificate of Appointment of Dr. Wilhelm Strauss as Regimental Doctor in the Reserve, issued on May 6, 1916

Dr. Strauß als Leitender Sanitätsoffizier vor dem Feldbüro des Zweiten Schweren Haubitzregiments (1916)

Dr. Strauss, Chief Medical Officer, in front of the field office of the Second Heavy Artillery Regiment (1916)

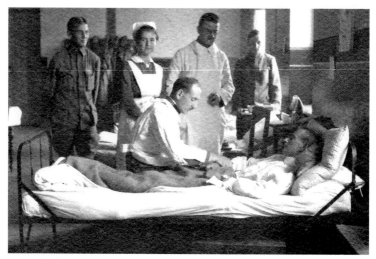

Dr. Strauß, am Bett eines Patienten sitzend, mit Kollegen (undatiert)

Dr. Strauss seated at the bedside of a patient with colleagues (undated)

Dr. Strauß, untypisch grinsend, mit Offizierskollegen, im Hintergrund ein Porträt Kaiser Karls I. (Weihnachten 1916)

Dr. Strauss with an uncharacteristic grin and fellow officers, with a portrait of Emperor Karl I in the background (Christmas 1916)

Dr. Strauß mit einem Arztkittel über seiner Armeeuniform (18. Juni 1917)
Dr. Strauss wearing a physician's coat over his army uniform (June 18, 1917)

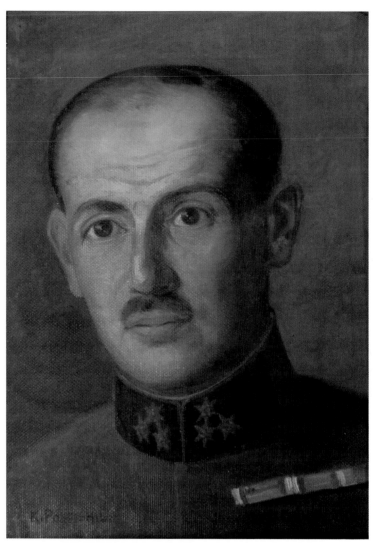

Porträt Dr. Strauß', gemalt in Chelm an der Ostfront und signiert mit „K. Pospishil"
(Juli 1918, Öl auf Leinwand)

Portrait of Dr. Strauss painted in Chelm on the Eastern Front, signed "K. Pospishil"
(July 1918, oil on canvas)

Dr. Wilhelm Strauß in seiner Armeeuniform mit einem Orden gegen Ende des Ersten Weltkriegs (undatiert)

Dr. Wilhelm Strauss in his army uniform with a medal toward the end of World War I (undated)

Eheschließung und Familiengründung

Zum ersten Mal begegneten meine Großeltern einander wahrscheinlich 1913/14 im Karolinen-Kinderspital. Meine Großmutter Therese Morgenstötter hatte gerade ihren Abschluss am Rudolfinerhaus gemacht, welches das Karolinen-Kinderspital schon seit langer Zeit mit Krankenschwestern versorgt hatte. Sie arbeitete zunächst in der internistischen Abteilung, später dann in der Säuglingsabteilung, in der mein Großvater als Sekundararzt tätig war.

Therese (Thresl) Juliane Morgenstötter (in einigen amtlichen Dokumenten auch Morgenstätter genannt) wurde am 22. Februar 1892 in Jenbach (Tirol) geboren. Ihre Vorfahren gehörten im Mittelalter zu den Gründern Jenbachs, und zum weiteren Kreis ihrer Familie zählten noch immer bedeutende Bauern, Gerber und Gastwirte der Region. Sie war eine willensstarke, sogar rebellische Frau und eine wahre Schönheit. Eifrig bestrebt, den landwirtschaftlichen Familienbetrieb und das provinzielle Tirol hinter sich zu lassen, stand sie von 1908 an für vier Jahre als Kammerzofe in den Diensten Johannas Fürstin von Schönburg. 1912 wurde sie unter dem Namen „Schwester Helene" in die renommierte Schwesternschule Rudolfinerhaus aufgenommen.[23] Im Ersten Balkankrieg (1912/13)

---

[23] Am 1. Februar 1912 schrieb sich Therese Morgenstötter an der Schwesternschule Rudolfinerhaus ein, von der sie am 15. November 1914 ihr Diplom mit der Note „sehr gut" erhielt. Einem Dienstzeugnis zufolge, das von Otto von Frisch, dem Direktor der Schule, verfasst wurde, „arbeitete Schwester Helene in verschiedenen chirurgischen Frauen- und Männerstationen des Rudolfinerhauses, in der gynäkologischen Station für Mütter und Neugeborene und im Operationssaal. Im Karolinen-Kinderspital der Stadt Wien in der Sobieskigasse 31 arbeitete sie in der internistischen Abteilung und in der Abteilung für Neugeborene." Ihr Diplom besagt, dass „ihre Leistung in allen Abteilungen vorbildlich war". Die Rudolfinerhaus-Schwestern waren ein Kader von gut ausgebildeten Bediensteten des Gesundheitswesens, die nach ihrem Abschluss von ihrer Oberschwester (Schwester Oberin) in bestimmten Krankenhäusern eingesetzt oder an eine Kriegsfront geschickt wurden. Sie waren dazu verpflichtet, ledig zu bleiben. „Auf eigenen Wunsch verließ Schwester Helene am 31. Juli 1917 unser Haus, um mit Dr. Wilhelm Strauß den Bund der Ehe einzugehen", so von Frisch.

80

Marriage and Family

My grandparents probably first met at the *Karolinen-Kinderspital* in 1913/14. My grandmother Therese Morgenstötter had just graduated with a degree from the *Rudolfinerhaus*, which had long provided nurses to the *Karolinen-Kinderspital*. She served first in the Department of Internal Medicine, and later in the Department of Infants where my grandfather was an intern.

Therese (Thresl) Julianne Morgenstötter (also spelled Morgenstätter in some official documents) was born on February 22, 1892 in Jenbach, Tyrol. Her ancestors were among the founders of medieval Jenbach and were still prominent farmers, tanners, and innkeepers in the region. She was a strong-willed, even rebellious woman, and a real beauty. Eager to leave the family farm and provincial Tyrol, she served as a chambermaid to Johanna Fürstin von Schönburg for four years beginning in 1908. In 1912 she was accepted into the prestigious *Rudolfinerhaus* nursing school, assuming the name "Sister Helene."[24] During the First Balkan War (1912/13), she served in the Red Cross Nursing Corps in Montenegro on the Bulgarian front, and was decorated by the Montenegrin Foreign Ministry of Affairs. Later, in 1915/16, she served at the War Reserve Hospital in Tarnow

---

24 On February 1, 1912 Therese Morgenstötter enrolled in the *Rudolfinerhaus* nursing school, earning her diploma with the grade of "Very Good" on November 15, 1914. According to a testimonial written by School Director Otto von Frisch, "Sister Helene worked in the various surgical wards of the *Rudolfinerhaus* for women and men, in the gynecology ward for mothers and newborns and in the operating room. In the *Karolinen-Kinderspital* of the city of Vienna, Sobieskigasse 31, she worked in the wards for internal medicine and newborns." Her certificate states that "her performance was exemplary in all departments." The *Rudolfinerhaus* nurses were a cadre of well-trained public health servants who, after graduation, were assigned duties in particular hospitals, or sent to serve on a war front, by their Head Nurse (*Schwester Oberin*). They were required to remain single. According to von Frisch, "Sister Helene left our house at her own request on July 31, 1917 in order to be married to Dr. Wilhelm Strauss."

diente sie im Rotkreuz-Krankenpflegekorps in Montenegro an der bulgarischen Front und wurde vom montenegrinischen Außenministerium ausgezeichnet. Später, 1915/16, diente sie im Reservelazarett in Tarnow, wo ihr die Bronzene Ehrenmedaille des Roten Kreuzes mit der Kriegsdekoration verliehen wurde. Im Jahr vor ihrer Eheschließung arbeitete sie im Sanatorium Fürth (Schmidgasse 12–14, Wien) als Anästhesieschwester. Als junge Frau war sie eine gläubige Katholikin, die ein ausgeprägtes Bedürfnis empfand, der Menschheit zu dienen.

Am 31. Juli 1917 wurden Willi Strauß und Therese Morgenstötter nach katholischem Ritus in der Piaristenkirche Maria Treu im achten Wiener Gemeindebezirk miteinander vermählt. Die beiden, auch in der Heiratsurkunde aufgeführten, Trauzeugen waren: der ältere Bruder meiner Großmutter Josef (Sepp) Morgenstötter, damals Mitglied der k. u. k. Sicherheitswache im neunzehnten Bezirk Wiens, und ihr jüngerer Bruder Martin Morgenstötter, Mitglied der k. u. k. Infanterie. Sepp, später ein hochrangiger Wehrmachtsoffizier, sollte eine wichtige Rolle bei der Flucht meines Vaters Felix Strauß aus dem besetzten Österreich spielen. Mein Großvater war in der Heiratsurkunde aufgeführt als k. u. k. Regimentsarzt, stationiert in Chelm (Polen) und mosaischen Glaubens. Im katholischen Tirol, dem ‚Heiligen Land Tirol‘, wie es noch heute genannt wird, galt die Eheschließung meiner Großeltern als ein ebenso unverzeihlicher wie unfassbarer Akt der Auflehnung. Der Priester in Jenbach betete an einem Sonntagmorgen in der Kirche öffentlich dafür, mein Großvater möge an der Ostfront fallen und damit meine Großmutter von ihrem unüberlegten Gelübde befreien.

Am 22. April 1918 wurde mein Vater Felix F. Strauß geboren, und kurz darauf zog die junge Familie Strauß nach Wiener Neustadt, wo sie zunächst kurz am Burgplatz 5 und dann für längere Zeit am Bismarck-Ring 10 wohnte, die letztere Adresse in der Mitte zwischen dem Theresianum, in dem sich auch die Schule befand, die mein Vater später besuchte, und dem Hauptbahnhof.

earning the Bronze Medal of Honor of the Red Cross with War Decoration (*Bronzene Ehrenmedaille des Roten Kreuzes mit der Kriegsdekoration*). The year before her marriage found her working at the *Sanatorium Fürth* (Schmidgasse 12–14, Vienna) as a nurse anesthetist. As a young woman, she was a devout Roman Catholic with an overpowering need to serve humankind.

Willi Strauss and Therese Morgenstötter were married according to Catholic rites in the Piarist church Maria Treu in Vienna's Eighth District on July 31, 1917. The two witnesses listed on their marriage certificate were my grandmother's elder brother Josef (Sepp) Morgenstötter, then a member of the Imperial and Royal (*k. u. k.*)[25] Security Police in Vienna's Nineteenth District, and her younger brother Martin Morgenstötter, a member of the Imperial and Royal Infantry. Sepp, later a high-ranking *Wehrmacht* officer, would play an important role in helping my father Felix Strauss escape from occupied Austria. On the marriage certificate my grandfather was listed as a Mosaic, Imperial Regimental Physician stationed in Chelm, Poland. In Catholic Tyrol (*"das Heilige Land Tirol"* as it is still known today), my grandparents' marriage was considered an unpardonable and inexplicable act of defiance. The priest in Jenbach prayed publicly in church on a Sunday morning that my grandfather would fall on the Eastern Front, and release my grandmother from her ill-considered vows.

My father Felix F. Strauss was born on April 22, 1918 and shortly thereafter the young Strauss family moved to Wiener Neustadt, living briefly first at Burgplatz 5 and then more permanently at Bismarck-Ring 10, midway between the *Theresianum* where my father later attended school, and the main railway station.

---

25 The Compromise (*Ausgleich*) of 1867 transformed the Austrian Empire into the Dual Monarchy of Austria-Hungary which existed until 1918. Franz Joseph I assumed the title of Emperor and King (*Kaiser und König*), and the initials *k. u. k.* (small initials in the adjective form) began to appear on all official state documents.

Peregrin und Maria Therese (Müllauer) Morgenstötter mit ihrer Familie (ca. 1895); Therese in der vorderen Reihe ganz links

Peregrin and Maria Therese (Müllauer) Morgenstötter and their family (ca. 1895); Therese is in the front row at the far left

Therese Morgenstötter („Schwester Helene") im Garten des Wiener Rot-Kreuz-Spitals Rudolfinerhaus (Juli 1914)

Therese Morgenstötter ("Sister Helene") in the garden of the Red Cross Hospital *Rudolfinerhaus*, in Vienna (July 1914)

Therese in ihrer Krankenschwesterntracht und mit gepackten Taschen auf dem Weg in den Ersten Balkankrieg (1912)

Therese in her nursing uniform with her bags packed, departing for the First Balkan War (1912)

Rot-Kreuz-Legitimationskarte Therese Morgenstötters, die sie zum Aufenthalt auf dem gesamten Schauplatz des Ersten Balkankrieges berechtigt, ausgestellt am 21. Oktober 1912 (französische und deutsche Seite)

Red Cross Identity Card of Therese Morgenstötter, permitting a sojourn throughout the First Balkan War zone, issued on October 21, 1912 (French and German sides)

DIPLOM

(DUPLIKAT DES GROSSEN DIPLOMES.)

DER RUDOLFINERVEREIN ZUR ERBAUUNG UND ERHALTUNG
EINES PAVILLON-KRANKENHAUSES BEHUFS HERANBILDUNG VON
PFLEGERINNEN FÜR KRANKE UND VERWUNDETE IN WIEN ERTEILT
HIEMIT DER SCHWESTER VOM ROTEN KREUZ

Schwester Helene/Therese Morgenstötter:/

GEBOREN ZU *Jenbach, 1892*

DIES DIPLOM ALS BESTÄTIGUNG DREIJÄHRIGER AUSBILDUNG UND
TREUER DIENSTLEISTUNG ALS KRANKENSCHWESTER IM

ROTEN KREUZ-SPITAL RUDOLFINERHAUS

FÜR DEN AUSSCHUSS DES RUDOLFINER-VEREINES:

DER VORSITZENDE:

DER SCHRIFTFÜHRER:

WIEN, AM *15. Nov. 1914.*

DER DIREKTOR
DES ROTEN KREUZ-SPITALS RUDOLFINERHAUS:

Therese Morgenstötters Schwesterndiplom vom Rot-Kreuz-Spital Rudolfinerhaus, ausgestellt am 15. November 1914

Therese Morgenstötter's Nursing Diploma from the Red Cross Hospital *Rudolfinerhaus*, issued on November 15, 1914

Therese Morgenstötter (dritte Reihe, Zweite von rechts) mit anderen Schwestern und medizinischem Personal im Reserve-Lazarett in Tarnow (Mai 1915)

Therese Morgenstötter (third row, second from right), with other nurses and medical staff, at the War Reserve Hospital in Tarnow (May 1915)

Therese Morgenstötter, ein Jahr vor ihrer Eheschließung (July 1916)
Therese Morgenstötter a year before her marriage (July 1916)

Therese Morgenstötters Reisepass, ausgestellt am 28. Juli 1917 (Seiten 4 bis 7)
Therese Morgenstötter's passport, issued on July 28, 1917 (pages 4 through 7)

Kronland N.-Österr.
Polit. Bezirksamt VIII.

Diözese Wien.
Pfarre Maria Treu
in der Josefstadt.

Trauungs-Schein.

Aus dem hiesigen Trauungs-Buche Tom. *1917* Fol. *69*
wird hiemit amtlich bezeugt, daß
in (Ort der Trauung): *der Pfarre Maria Treu v. Wien viij,*
am (in Buchst.): *einund dreißigsten Juli* Eintausend
neun hundert *und siebzehn* (in Ziffern): *31/7. 1917*
vom hochw. Herrn: *P. aus. Pithon, Rektor v. Pfarrer*
in Gegenwart der Zeugen (Vor- u. Zuname, Char.): *Josef Morgenstätter,*
k.k. Sicherheitswachmann, XIX. Budinskygass. 14, Martin Mor-
genstätter, k.k. Korp. im k.k. Kaiser Schützen Regt. № 1
nach römisch-katholischem Ritus getraut wurden:

Bräutigam (Zu- u. Vorname, Rel., Char., Wohnort, Stand, Alter, auch Geb.-Datum, Geb.- u. Zust.-Ort):
Herr Dr. Strauss Wilhelm, mosaisch, k.k. Regimentsarzt
i. der Res., dzt. in Chelm, russ. Polen, ledig, 31 Jahre alt,
geb. 5. September 1885 in Prag, dort zuständig,
ehelicher Sohn des
Eltern (Vor- u. Zuname, Char.): *Salomon Strauss, Kaufmannes*
und der Berta, geb. Jeiteles; beide mos.

und deſſen

Braut *fl. Morgenstätter Theresia, Krankenpflegerin,*
katholisch, ledig, 25 Jahre alt, geb. am 22. februar
1892 in Jenbach, Bez. Schwaz in Tirol, dort zuständig
ehel. Tochter des
Eltern (wie oben): *Peregrin Morgenstätter Gürtermeisters*
und der Maria, geb. Müllauer; beide kath.

Urkund deſſen die eigenhändige Unterſchrift des Gefertigten und das beigedrückte Amtsſiegel.

Pfarramt Josefſtadt, am *31. Juli 1917*

P. aus. Pithon
Pfarrer

Buchdruckerei G. Salm, vormals J. G. Wallishausser, Wien. 1915 3/15.

Trauschein von Wilhelm und Therese Strauß, ausgestellt am 31. Juli 1917
Marriage Certificate of Wilhelm and Therese Strauss, issued on July 31, 1917

Piaristenkirche Maria Treu, Wien VIII, in der Willi und Therese am 27. Juli 1917 vermählt wurden (Postkarte aus den frühen 1920er Jahren)

Maria Treu Piarist Church, Vienna VIII, where Willi and Therese were married on July 27, 1917 (postcard from the early 1920s)

Salomon (Samy) Strauß mit dem dreijährigen Felix (Fritzl) und Therese Strauß in Baden bei Wien (August 1921)

Salomon (Samy) Strauss with Felix (Fritz) aged three, and Therese Strauss in Baden bei Wien (August 1921)

Porträt Therese Strauß' von der Hand des österrreichischen Malers Fritz Jaeger, Cousin ersten Grades von Willi Strauß (1924, Öl auf Leinwand)

Portrait of Therese Strauss by Austrian artist Fritz Jaeger, first cousin of Willi Strauss (1924, oil on canvas)

Der Kinderarzt von Wiener Neustadt

Es waren schwere Zeiten. In den Jahren unmittelbar nach dem Ende des Ersten Weltkrieges sah sich eine besiegte und bitterarme Erste Republik Österreich, die auf keinerlei Erfahrung mit der Demokratie zurückgreifen konnte, mit einem chronischen Mangel an Nahrungsmitteln und Brennmaterial konfrontiert und war überdies nahe daran, in eine Hyperinflation zu geraten. Als mein Großvater am 29. August 1918 die Stadtverwaltung in einem Brief um Kohle für die Beheizung seines Untersuchungszimmers bat, wurde seine Bitte kurzerhand abgelehnt, weil es eben keine Kohle gab.

Nur wenige Menschen dachten, dass Deutschösterreich, wie der neu geschaffene Rest des ehemaligen Habsburgerreiches kurz genannt wurde, überleben könne, ohne zu einem Teil des weitaus größeren Deutschland zu werden. Andererseits wurde die Verzweiflung gemildert durch den sich über alles hinwegsetzenden Idealismus der Sozialdemokratischen Arbeiterpartei Deutschösterreichs in dem, was später als Rotes Wien bekannt werden sollte. Die durchgreifenden Reformen in den Bereichen des sozialen Wohnungsbaus, des Gesundheits- und des Bildungswesens sollten das erschaffen, was der Politiktheoretiker Max Adler den „Neuen Menschen" nannte.

> Der Neue Mensch sollte aufrichtig, selbstlos, gemeinschaftsorientiert, fleißig und auf sachliche Weise voller Freude sein. [...] Das Ethos des Neuen Menschen, von dem die sozialdemokratischen Führer erfüllt waren, wurde für die Parteibasis und zunehmend auch für die gesamte Bevölkerung attraktiv gemacht durch die allumfassende Fürsorge der Stadt für die Arbeiterklasse. Julius Tandler, ein bedeutender Anatom, der Stadtrat für das Wohlfahrts- und Gesundheitswesen Wiens war, sorgte dafür, dass junge Mütter kostenlos medizinische Versorgung und eine Säuglingsausstattung erhielten. In den Arbeiterbezirken wurden neue Kindergärten, Spielplätze und Kinderfreibäder eingerichtet.[24]

---

24 Hofmann, *The Viennese* (Anm. 22), S. 191 (Übers. von U. H.).

The Pediatrician of Wiener Neustadt

Times were terrible. In the years immediately following the end of World War I, a defeated and desperately poor First Austrian Republic with no experience in democratic governance faced chronic food and fuel shortages, and was about to fall into hyper-inflation. A letter from my grandfather to the city authority dated August 29, 1918, requesting coal to heat his examining room, was summarily refused because there was no coal to be had.

Few thought that German Austria *(Deutschösterreich)*, as the newly created remnant of the former Hapsburg Empire was briefly called, could survive without becoming part of greater Germany. On the other hand, desperation was tempered by the vaulting idealism of the Social Democratic Workers' Party of German Austria (*Sozialdemokratische Arbeiterpartei Deutschösterreichs*) in what would later become known as Red Vienna. Sweeping reforms in public housing, public health, and education were meant to create what political theorist Max Adler called "New Human Beings" (*"Neue Menschen"*).

> The New Human was to be honest, selfless, community-minded, industrious and soberly joyful. [...] The new human ethos of the Social Democratic leadership was rendered attractive to the rank and file, and, increasingly, to the population at large through the city's cradle-to-grave care for the working class. Julius Tandler, a prominent anatomist who was Vienna's social welfare commissioner, saw to it that young mothers received free medical attention and were given free layettes. New kindergartens, playgrounds and wading pools were opened in the proletarian districts.[26]

---

26   Hofmann, *The Viennese* (Fn. 23), p. 191.

Dr. Wilhelm Strauß, ein Neuer Mensch sozialdemokratischer Observanz, wurde von der Gemeinde Wiener Neustadt beauftragt, auch dort die von Julius Tandler verfochtenen Sozialreformen in die Tat umzusetzen. Wie Tandler selbst in einer Ansprache an die Wiener Ärztekammer im März 1916 anregte:

> ,Kinderfürsorge sollte der erste Schritt sein. Die Ärzte müssen ihre Vorstellungen von medizinischer Praxis überdenken. Die individuelle Praxis muss das Gemeinwohl und die Volksgesundheit zum Maßstab haben.'[25]

Im Laufe der 1920er Jahre übernahm Dr. Strauß eine zunehmend größere Verantwortung für das Kindergesundheitswesen von Wiener Neustadt. Gleichzeitig wuchs seine Familie um zwei weitere Söhne: Franz, geboren am 25. Juni 1922, und Johann (Hans), geboren am 22. Juni 1930. Auch die Privatpraxis am Bismarck-Ring 10 florierte, sodass in ihr bald ein separater Eingang, ein Wartezimmer und ein Sprechzimmer zur Verfügung stehen mussten, das zur Überraschung vieler fließend Wasser hatte. Der Wohnbereich der Familie und der Bereich mit den Räumen für die Hausangestellten teilten sich einen gemeinsamen Eingang. Die Wohnräume waren zahlreich und großzügig. Zu ihnen gehörten eine gut ausgestattete Bibliothek und ein Spielzimmer für die Kinder, in dem mein Vater und seine beiden Brüder Franz und Hans der Familie und Freunden mit einem Puppentheater Stücke darboten. Wie die meisten österreichischen Familien der Mittelschicht beschäftigte die Familie Strauß eine Köchin, eine Hauswirtschafterin und eine Kinderfrau. Sie pachtete auch einen Schrebergarten, in dem sie im Sommer viele Wochenenden verbrachte und in dem Therese Strauß Gemüse und Blumen zog. Häufig gab es Besuche von Angehörigen der Prager und der Budapester Familienzweige, ebenso von medizinischen Kollegen wie etwa Friedl Schneider und Fritz Pazaurek,

---

25 Zitiert nach Alfred Goetzl, Ralph Arthur Reynolds, *Julius Tandler: A Biography*, San Francisco: Schwabacher-Frey Company 1944, S. 17f. (Rückübers. ins Dt. von U. H.).

Dr. Wilhelm Strauss, a "New Human" in the Social Democratic mold, was contracted by the community of Wiener Neustadt to put into practice the social welfare reforms advocated by Julius Tandler. As Tandler himself suggested in a March 1916 address to the Viennese Medical Association:

'Child welfare should be the first step. Physicians must revise their ideas concerning medical practice. Individual practice must give way in favor of public welfare and public health.'[27]

During the 1920's Dr. Strauss assumed ever greater responsibility for the public health of children in Wiener Neustadt. At the same time, his family grew to include two more sons: Franz, born June 25, 1922 and Johann (Hans), born on June 22, 1930. The private medical practice at Bismarck-Ring 10 also prospered, requiring an entryway, a waiting room, and a consulting office which, to the surprise of many, included a source of clean running water. The family living area and the maid's quarters shared a common entrance. The living rooms were many and spacious, including a well-stocked library and nursery, where my father and his two brothers Franz and Hans presented plays to family and friends in a home puppet theater. Like most middle class families in Austria, the Strauss family employed a cook, a housekeeper, and a nursemaid. They also rented a garden plot (*Schrebergarten*)[28] where the family spent summer weekends, and Therese Strauss grew vegetables and flowers. There were frequent vis-

---

27 As quoted in Alfred Goetzl, Ralph Arthur Reynolds, *Julius Tandler: A Biography* (San Fransisco: Schwabacher-Frey Company, 1945), pp. 17–18.

28 *Schrebergärten*, named after Daniel Gottlob Moritz Schreber, who first helped to develop such garden plots in middle-nineteenth-century Leipzig, are unused and often undesirable plots of land made available by governmental authorities to working class city apartment dwellers in order that they might have a garden to grow flowers and vegetables.

einem alten Freund meines Großvaters. Seine täglichen Wege legte Dr. Strauß zu Fuß oder mit dem Fahrrad zurück, und da er kein Automobil besaß, reiste die Familie mit dem Zug zu Orten wie Jenbach, der Heimatstadt meiner Großmutter.

Mein Großvater war immer groß und schlank, fast hager, ein Abstinenzler und überaus penibel in seinen Essgewohnheiten. Er hatte durchdringende, intelligente Augen und ein ungewöhnlich reaktionsschnelles und aufnahmefähiges Gedächtnis. Das einzige Laster, das er sich erlaubte, war es, zu rauchen, dies aber ausschließlich am späten Nachmittag und abends. Er aß kaum Fleisch, mied Fett, Gewürze und Fertigspeisen wie z. B. Würstel, und er war ein früher Verfechter von frischem Obst und Gemüse als Hauptnahrungsmitteln. Dies war auch die Ernährungsweise, die er den jungen Müttern empfahl, die er ärztlich betreute, und er war bekannt dafür, dass er in Armut lebende Kinder mit Ernährungsdefiziten auf eigene Kosten mit Zitrusfrüchten versorgte. Er war gewissenhaft, verbrachte ganze Nächte am Bett schwerkranker Kinder wie etwa Eva Schnitzer, die im Alter von sieben Jahre beinahe an einer Lungenentzündung gestorben wäre, und man wusste, dass er schon viele Leben in Wiener Neustadt gerettet hatte.

Die Familie Schnitzer wohnte im zweiten Stockwerk des Hauses am Bismarck-Ring 10. Sie bestand aus Dr. Adrienne Schnitzer, einer der ersten Frauen, die in Österreich als Rechtsanwältin tätig waren, und ihren beiden Töchtern Klemi und Eva. Sie alle waren oft im Haushalt der Familie Strauß anzutreffen. Therese Strauß, die auf einem Bauernhof in Tirol aufgewachsen war, hatte ganz andere Essgewohnheiten als ihr Mann und eine entschiedene Vorliebe für stark gewürzte Speisen. Oft entschlüpfte sie nach oben in die Wohnung der Schnitzers, um dort Gulasch, Debracziner, Frankfurter und Ähnliches zu essen.

Eva, die für meine Großmutter so etwas wie eine Ersatztochter war, sollte später Hans Wagner, den besten Freund meines Vaters, heiraten und selbst eine angesehene Rechtsanwältin werden, die sich auf Streitsachen spezialisierte, welche Frauen betrafen. Sie war noch am Leben, während ich diese Geschichte schrieb, und

itors from the Prague and Budapest branches of the family and from medical colleagues like Friedl Schneider and my grandfather's old friend Fritz Pazaurek. Dr. Strauss made his daily rounds on foot or on a bicycle, and since he had no automobile, the family traveled to places like Jenbach, my grandmother's hometown, by train.

My grandfather was always tall and thin, almost gaunt, a teetotaler, and extremely fastidious in his eating habits. He had piercing intelligent eyes and an unusually quick and retentive memory. The one vice he permitted himself was smoking, and then only in the late afternoon and evening. He ate meat sparingly, eschewed fat, spice, and prepared foods like sausages, and was an early advocate of fresh fruit and vegetables as dietary staples. This was also the diet which he advocated to the young mothers he counseled, and he was known to provide fresh citrus fruit at his own expense to impoverished children with dietary deficiencies. He was conscientious, sitting up all night with gravely ill children like Eva Schnitzer who almost died of a lung infection at the age of seven, and was known to have saved many lives in Wiener Neustadt.

The Schnitzer family lived on the second floor of number 10, and consisted of Dr. Adrienne Schnitzer, one of the first women to practice law in Austria, and her two daughters Klemi and Eva, who were often present in the Strauss household. Therese Strauss, who had grown up on a farm in Tyrol, had very different eating habits from her husband, and a decided taste for spicy food. She would often slip upstairs to the Schnitzer's apartment to eat goulash, *Debrecziner*, *Frankfurter*, and the like.

Eva, who served as my grandmother's surrogate daughter, would later marry my father's best friend Hans Wagner and become a distinguished lawyer in her own right, specializing in women's issues. She was alive at the writing of this narrative and kindly provided me with many family letters, legal papers, and anecdotes about my grandparents' life between

sie hat mir dankenswerterweise eine Fülle von Familienbriefen und Dokumenten zugänglich gemacht und mir auch eine ganze Reihe von Anekdoten aus dem Leben meiner Großeltern zwischen den beiden Weltkriegen erzählt. Die außergewöhnliche Freundschaft zwischen den Familien Schnitzer/Wagner und Strauß blüht mittlerweile in der vierten Generation.

So oft wie meine Großmutter nach oben ging, um die Schnitzers zu besuchen, erschien Eva unten inmitten des Familienlebens der Straußens. Sie war so alt wie Franz und seine ständige Begleiterin. In seinem zweiten Lebensjahr war Franz an Poliomyelitis und Enzephalitis erkrankt, was ihn für den Rest seines langen Lebens körperlich und geistig beeinträchtigte. Bei seinen physiotherapeutischen Behandlungsstunden war Eva stets zugegen. Gemeinsam mit ihm ging sie gerade Linien, ließ sich fallen, wenn er hinfiel, und imitierte ihn, als er lernte, ein verwüstetes Nervensystem zu kontrollieren. Später übte sie zusammen mit Franz Schönschreiben und nahm auch an dem Unterricht teil, den ihm seine Hauslehrer erteilten. Welch bittere Ironie muss es für Dr. Wilhelm Strauß, einen bereits sehr angesehenen Kinderarzt, gewesen sein, von der Stadt beauftragt zu sein, Mütter zu beraten und Kurse über Kinderkrankheiten zu geben, zugleich aber sein eigenes Kind von Kinderlähmung und Enzephalitis niedergeworfen zu sehen.

Während der 1920er Jahre wurde mein Großvater in der *Gleichheit*, einer sozialdemokratischen Wochenzeitung, die sich zu dieser Zeit als Fürsprecherin des sozialistischen Modells des Roten Wien verstand, mehrfach lobend erwähnt. Beispielsweise lautet eine Notiz in der Ausgabe vom 20. Januar 1921:

Auf vielfach geäußerten Wunsch hin plant das Jugendamt, einen Kurs über die Betreuung von Säuglingen anzubieten. Innerhalb eines Zeitraumes von zehn Wochen wird Dr. Wilhelm Strauß zehn Lektionen abhalten und den Teilnehmerinnen einen Überblick über praktische Fragen der Säuglingspflege geben. Darüber

the two world wars. The extraordinary Schnitzer/Wagner and Strauss friendship is now thriving in its fourth generation.

As often as my grandmother went upstairs to visit the Schnitzers, Eva appeared in the thick of Strauss family life downstairs. She was the same age as Franz and his constant companion. In the second year of his life he had contracted polio and encephalitis, which left him both physically and mentally impaired for the rest of his long life. Eva was always present during his physical therapy sessions, walking straight lines and falling when he fell, imitating him as he learned to control a ravaged nervous system, and later practicing penmanship and studying with Franz and his tutors. What a cruel irony it must have been for Dr. Wilhelm Strauss, already a renowned pediatrician, hired by the city to offer advice to mothers and to teach courses in childhood disease, to have his own child struck down by polio and encephalitis.

During the 1920's, my grandfather received favorable mention in *Gleichheit*, a social democratic weekly newspaper that saw itself as a proponent of the socialist model of Red Vienna at this time. A notice, for example, in the January 20, 1921 edition reads:

> In response to a frequently expressed wish, the Child Welfare Office (*Jugendamt*) is planning to offer a course about the care of infants. Dr. Wilhelm Strauss will present ten lessons in ten weeks giving participants an overview of practical questions concerning baby care. In addition, participants will be provided with hands-on experience.[29]

---

29 *Gleichheit*, January 20, 1921, p. 7 (translated by P. L.).

hinaus werden den Teilnehmerinnen praktische Erfahrungen vermittelt.[26]

Ein Artikel vom 2. Oktober 1925, der die Tätigkeit der Pflegerinnenschule des Jugendamtes Wiener Neustadt zum Thema hat, berichtet davon, dass in dieser Schule

der bekannte Kinderarzt Dr. Strauß den Schülerinnen die physiologischen Probleme des Jugendalters – Körperbau, Ernährung, Erkrankungen, Hygiene u. dgl. – in leicht verständlicher und durch praktische Fälle wirksam unterstützter Weise näher bringt.[27]

Noch interessanter ist eine am 4. Mai 1923 in der *Gleichheit* erschienene Werbeanzeige, welche die Veröffentlichung einer von meinem Großvater verfassten Broschüre ankündigt, die den Titel *Kinderkrankheiten und ihre Verhütung* trägt und die von der sozialdemokratischen Stadtverwaltung für die Verteilung an junge Mütter bestimmt war:

Kinderkrankheiten und ihre Verhütung.
Ein gutes Buchgeschenk an die Mütter.

Es ist eine ausgezeichnete Broschüre, in welcher ein Vortrag Dr. Wilhelm Strauß', gehalten in Ternitz und Wiener Neustadt, zusammengefaßt ist. Und das beste: dieses Büchlein wird vom Herausgeber, der *Kreiskrankenkasse Wiener Neustadt*, jeder Wöchnerin gelegentlich der Behebung der Schwangerschafts- oder Wöchnerinnenunterstützung eingehändigt und damit versucht, Kinderkrankheiten in den Arbeiterfamilien vorzubeugen. Dieser Gedanke ist so gut, daß er nur noch der entsprechenden Beachtung seitens der Mütter bedarf, um tatsächlich vielen Erkrankungen der Kleinen vorbeugen zu können. Das Büchlein ist

---

26 *Gleichheit*, 20. Januar 1921, S. 7.
27 *Gleichheit*, 2. Oktober 1925, S. 6.

Another notice concerning the nursing school (*Pflegerinnenschule*) published on October 2, 1925 states that

> the well-known pediatrician Dr. Wilhelm Strauss introduces students to the physiological problems of youth (physical structure, nutrition, illnesses, hygiene etc.) and does so in an easily understandable manner with many practical demonstrations.[30]

A still more interesting advertisement appeared in *Gleichheit*, on May 4, 1923 announcing the publication of my grandfather's brochure *Childhood Diseases and their Prevention (Kinderkrankheiten und ihre Verhütung)*, which was distributed to young mothers by the Social-Democratic city administration:

> *Childhood Diseases and Their Prevention.*
> *A good gift book for mothers.*

> It is an excellent brochure in which a lecture held by Dr. Wilhelm Strauss in Ternitz and Wiener Neustadt has been summarized. And the best thing is that this small book is given by the publisher (the Health Insurance Company of Wiener Neustadt) to every woman giving birth as a means of assistance during pregnancy and delivery, thus attempting to reduce and prevent childhood diseases in families of the working class. This impulse is so good, that it only requires the attention to be paid to it accordingly by the mothers themselves, to indeed prevent many illnesses of their infants. Its contents are exhaustive and touch on all

---

30   *Gleichheit*, October 2, 1925, p. 6 (translated by P. L.).

erschöpfend und streift alle Gebiete. Man lese es gewissenhaft, und der schöne Zweck ist erreicht.[28]

Direkt unter dieser Werbeanzeige für *Kinderkrankheiten und ihre Verhütung* findet sich, gehalten in krasser und zweifellos gewollter Ironie, eine weitere Bekanntmachung. Sie lautet:

Endlich gefunden

ist der Dichter, der Sänger des Hakenkreuzes! [...]

‚Wir schlagen alle Juden tot
und schmieren sie aufs Butterbrot[.]‘

[...]

‚Knallt ihn ab, den Rathenau,
Die verfluchte Judensau!‘[29]

Die Verse sind heute weit schockierender als sie es in den 1920er Jahren waren. Gleichwohl drängt sich mit ihnen die Frage auf: Wie konnten die 200.000 Juden im Großraum Wien, ganz zu schweigen von den Menschen, die Mischehen eingegangen waren, täglich mit einem solch unverhohlenen und aggressiven Antisemitismus leben? Und warum haben sie Österreich nicht vor dem Holocaust verlassen? Vielleicht dachte mein Großvater, wie es auch Sigmund Freud tat, „dass der Ausbruch des Nationalsozialismus mit dem Marsch der Zivilisation nicht wird Schritt halten können, [...], dass ein normaler Rhythmus bald wiederhergestellt sein wird".[30]

Zu meinem großen Bedauern hat sich für mich nie die Gelegenheit ergeben, mit ihm darüber zu sprechen.

Mein Vater Felix Strauß, damals kaum zwanzig Jahre alt, war von diesem „Ausbruch" auf sicherlich naive Weise überrascht.

---

28 *Gleichheit*, 4. Mai 1923, S. 4.
29 Ebd. Walther Rathenau, Außenminister Deutschlands, war am 24. Januar 1922 einem Attentat zum Opfer gefallen.
30 Zitiert nach Hofmann, *The Viennese* (Anm. 22), S. 249 (Rückübers. ins Dt. von U. H.).

important issues. If one reads it diligently, its high aim will be achieved.[31]

Immediately below the advertisement for *Childhood Diseases*, presented with stark and, no doubt, intended irony, is another announcement which reads:

Finally Found

is the poet of the wonderful verses of the swastika song! [...]

'We beat all the Jews to death,
And smear them on our buttered bread[.]'

[...]

'Gun him down, the Rathenau,
The damned Jewish sow!'[32]

The verses are far more shocking today than they were in the 1920's, but they nonetheless beg the question: how could the 200,000 Jews in the greater Vienna area, not to mention mixed marriage families like the Strausses, live daily with such casual and virulent anti-Semitism? And why did they not leave before the Holocaust? Perhaps my grandfather thought, like Sigmund Freud, "'that the Nazi eruption was out of step with the march of civilization, [...], that a normal rhythm would soon be restored.'"[33]

Unfortunately, I never discussed the matter with him.

---

31   *Gleichheit*, May 4, 1923, p. 4 (translated by P. L.).
32   Ibid. Walther Rathenau, Germany's foreign minister, had fallen victim to an assassination on January 24, 1922.
33   As quoted in Hofmann, *The Viennese* (Fn. 23), p. 249.

Seine Familie bestand schließlich zum weit überwiegenden Teil aus getauften Katholiken, und er selbst hielt sich, wie er in seinem Tagebuch festhielt, für einen patriotischen Deutschen und gewiss nicht für einen Juden. Es ist heute zweifellos äußerst schwierig, sich das politische und religiöse Klima im Österreich der 1930er Jahre vorzustellen, geschweige denn, es zu verstehen. Wenn ich im Jahr 2020 von meinem liberalen Standpunkt aus zurückblicke, finde ich die Frömmigkeit meines Vaters, wie sie in seinen Tagebüchern so leidenschaftlich zum Ausdruck kommt, fast ebenso schwer nach-zuvollziehen wie den fanatischen Antisemitismus, mit dem er fast täglich konfrontiert wurde. Lange Zeit, so scheint es, waren mein Vater und seine beiden Brüder dem Antisemitismus gegenüber in genau dem Maße nichtsahnend, in dem sie sich empfänglich zeigten für den Charme des barocken österreichischen Katholizis-mus. Beides war ja Teil ihrer alltäglichen kulturellen Umgebung. ihr Vater hingegen, ein Mann der Wissenschaft, war sowohl von jeder Art von Unmenschlichkeit abgestoßen als auch gleichgültig gegenüber jedweder Zurschaustellung von Religiosität. Soweit ich weiß, hat er nach seiner Trauung in der Piaristenkirche Maria Treu niemals mehr eine Kirche auch nur betreten.

In den Tagebüchern meines Vaters, die am 1. Oktober 1934 be-gannen und am 19. Januar 1939 abrupt in der Mitte eines Sat-zes endeten, taucht mein Großvater an zahlreichen Stellen auf. Am 5. September 1935 schrieb mein Vater zum fünfzigsten Geburts-tag meines Großvaters ein Gedicht. Am 12. September zitierte er aus einem (verloren gegangenen) Tagebuch von 1932 eine Pas-sage, in der er seinen geplatzten Blinddarm und dessen Entfernung durch meinen Großvater beschrieben hatte. Am 30. Oktober no-tierte er: „Papa beschäftigt sich mit kulturellen Dingen, aber über-haupt nicht mit Politik." Am 30. November machte er sich Sor-gen: „Morgen kommt Papa zu mir nach Wien, natürlich nicht, um mich zu loben" (mein Vater Felix war damals ein wenig ehrgeiziger Schüler, der den größten Teil seiner Zeit damit verbrachte, Litera-tur zu lesen, Theateraufführungen zu besuchen und Gedichte zu schreiben und auswendig zu lernen). Am 5. Dezember befürchtete

Clearly my father Felix Strauss, barely twenty years old, was naively surprised by the "eruption." His family, after all, were baptized Catholics, and my father, as he wrote in his diary, thought of himself above all as a patriotic German and certainly not as a Jew. It is undoubtedly extremely difficult today to imagine, let alone to understand, the political and religious climate of Austria in the 1930's. As I look back from my free-thinking viewpoint in 2020, for example, I find my father's piety, ardently expressed in his diaries, almost as difficult to understand as the rabid anti-Semitism which confronted him almost daily. For a long time it seems, my father and his two brothers were as oblivious to anti-Semitism as they were susceptible to the charms of Austrian Baroque Catholicism. Both were, after all, part of their everyday cultural landscape. Their father, on the other hand, a man of science, was both repulsed by inhumanity and unmoved by religious display. As far as I know he never stepped into another church after his marriage in Maria Treu.

There are many glimpses of my grandfather in my father's diaries which began on October 1, 1934, and ended abruptly in mid-sentence on January 19, 1939. On September 5, 1935, my father composed a poem for my grandfather's fiftieth birthday. On September 12, he quoted a 1932 diary (missing) describing his burst appendix and its removal by my grandfather. On October 30, he wrote, "Papa is in touch with cultural matters, but not at all with politics." On November 30, he worried: "Tomorrow Papa comes to Vienna, not to praise me" (my father Felix was an indifferent student at the time, spending most of his time reading literature, attending plays, and writing and memorizing poetry). On December 5, my father worried that most of Christmas vacation would be spent studying chemistry with Papa. On December 23, he described what turned out to be the last idyllic family Christmas gathering in Wiener Neustadt.

er, die Weihnachtsferien würden wohl großteils damit verbracht werden, dass sein Vater mit ihm für das Fach Chemie lernen werde. Am 23. Dezember beschrieb er, was sich als die letzte idyllische weihnachtliche Zusammenkunft der Familie in Wiener Neustadt erweisen sollte.

Dr Wilh. Strauss

Kinderarzt.

Schild der pädiatrischen Praxis von Dr. Wilhelm Strauß in Wiener Neustadt
Office plaque of the pediatric practice of Dr. Wilhelm Strauss in Wiener Neustadt

Rezept, ausgestellt von Dr. Wilhelm Strauß in Wiener Neustadt
Prescription written by Dr. Wilhelm Strauss in Wiener Neustadt

Rechts unten: In Ermangelung von neu gezeichneten Stadtplänen aus der Zeit zwischen den Weltkriegen zeigt hier ein spätmonarchischer Plan des 1. Bezirks von Wiener Neustadt die Lage von Dr. Strauß' Wohnhaus und Untersuchungszimmer am Bismarck-Ring 10 (A), des Theresianums, wo der junge Felix zur Schule ging (B), und des Bahnhofs (C)

Bottom right: In the absence of redrawn city maps between the World Wars, a late Monarchy map of Wiener Neustadt's 1st district shows the relative locations of Dr. Strauss' residence and examining room on Bismarck-Ring 10 (A), the *Theresianum* where young Felix attended school (B), and the train station (C)

Bismarck-Ring in Wiener Neustadt; Blick in Richtung des Bahnhofs; der Pferdewagen steht vor dem Bismarck-Ring 10 (ca. 1920)

Bismarck-Ring in Wiener Neustadt; view in the direction of the railway station; the horse-drawn cart is stopped in front of Bismarck-Ring 10 (ca. 1920)

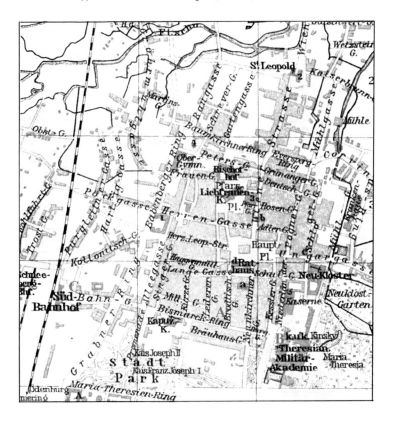

z. *1692/6*   Stadtrat Wiener-Neustadt, am   *6. Mai 1921*

An *Dr. Wilhelm Strauß,*

in   *Wiener - Neustadt*
Bürgplatz 5.

Der Gemeinderat von Wiener-Neustadt hat Ihnen mit Sitzungsbeschluß vom *3. Mai* 19 *21* die freiwillige Aufnahme in den Heimatsverband der Stadtgemeinde Wiener-Neustadt gegen Erlag der gesetzlichen Taxe, welche gemäß § 40, Z. 2 b des Gesetzes vom 19. Mai 1908, L.-G.-Bl. Nr. 90, mit *100* K (*Einhundert* Kronen) bemessen wird, bewilligt.

Hievon werden Sie mit der Aufforderung in Kenntnis gesetzt, obigen Taxbetrag ehestens bei der städtischen Hauptkasse einzuzahlen, worauf Sie gegen Vorweisung der diesbezüglichen Quittung und der Personal- und Familiendokumente den (die) Heimatschein(e) im städtischen ~~Meldungsamte~~ *Konskriptionsamt*, Rathaus, II./Stock, ~~Tür 5~~ *Halle*, beheben können.

4 Beilagen folgen zurück.

Der Bürgermeister:

Wiener Neustädter Wohnberechtigungsschein für Dr. Wilhelm Strauß, ausgestellt am 6. Mai 1921

Certificate permitting Dr. Wilhelm Strauss to reside in Wiener Neustadt, issued on May 6, 1921

Wiener Neustädter Heimatschein für Dr. Wilhelm Strauß, ausgestellt am 10. Mai 1921
Certificate of Wiener Neustadt Citizenship for Dr. Wilhelm Strauss, issued on May 10, 1921

Vorderseite des Einbands von *Kinderkrankheiten und ihre Verhütung* (1923)
Cover of *Childhood Diseases and their Prevention* (1923)

Kinderkrankheiten und ihre Verhütung.

Ein gutes Buchgeschenk an die Mütter.

Es ist eine ausgezeichnete Broschüre, in welcher ein Vortrag Dr. Wilhelm Strauß', gehalten in Ternitz und Wiener-Neustadt, zusammengefaßt ist. Und das beste: dieses Büchlein wird vom Herausgeber, der Kreiskrankenkasse Wiener-Neustadt, jeder Wöchnerin gelegentlich der Behebung der Schwangerschafts- oder Wöchnerinnenunterstützung eingehändigt und damit versucht, Kinderkrankheiten in den Arbeiterfamilien vorzubeugen. Dieser Gedanke ist so gut, daß er familien vorzubeugen. Dieser Gedanke ist so gut, daß er nur noch der entsprechenden Beachtung seitens der Mütter bedarf, um tatsächlich vielen Erkrankungen der Kleinen vorbeugen zu können. Das Büchlein ist erschöpfend und streift alle Gebiete. Man lese es gewissenhaft, und der schöne Zweck ist erreicht.

Endlich gefunden

ist der Dichter, der Sänger des Hakenkreuzes! Zwar gab es schon früher manch kräftig Liedlein, das sich gar fröhlich sang beim Ausmarsch zu völkischen Felddienstübungen, etwa das markige

> „Wir schlagen alle Juden tot
> und schmieren sie aufs Butterbrot"

oder das zu kühner Tat aufrufende und nicht vergebens rufende

> „Krallt ihn ab, den Rathenau
> Die verfluchte Judensau!" —

aber das waren eben n u r Kampfgesänge und sie allein genügen dem Germanen nicht, dessen Gemüt, wenngleich in rauher Schale verborgen, gar zart und minnig ist und darum gar sehr auch des tief empfundenen Weihegesanges bedarf, zu singen nach der Schlacht, wenn die Gummiknüppel ruhen und die vollen Humpen kreisen. Eben deshalb wird der Jubel in deutschen Landen allgemein sein, da nun, nach langer Sammlung im Gebet, O t t o k a r K e r n s t o c k, der fromme Priester und treffliche Sängersmann, mit einem Gedicht hervortritt, das alle Herzen höher schlagen läßt, die noch Sinn für deutsche Art und Sitte haben.

Werbeanzeige für *Kinderkrankheiten und ihre Verhütung* in *Gleichheit*, im direkten Anschluss daran antisemitische Verse, eingebettet in einen ironischen Kommentar (4. Mai 1923)

Advertisement for *Childhood Diseases and their Prevention* in *Gleichheit*, immediately followed with ironic intent by anti-Semitic verses (May 4, 1923)

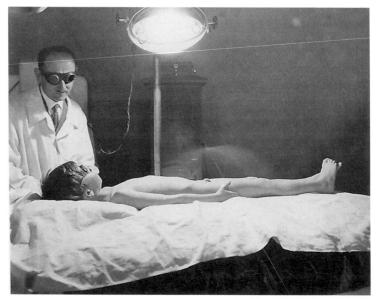

Dr. Strauß, der einem kleinen Jungen Lichttherapie verabreicht (1932)

Dr. Strauss administering light therapy to a young boy (1932)

Landschaftsgemälde, das in Dr. Strauß' Wiener Neustädter Büro hing, signiert mit „G. Reiter [1912 oder 1922]"

Landscape painting that hung in the office of Dr. Strauss in Wiener Neustadt, signed "G. Reiter [1912 or 1922]"

Willi Strauß bei der Arbeit im Schrebergarten, bekleidet mit Weste und Krawatte (Sommer 1928)

Willi Strauss working in the *Schrebergarten*, dressed in a vest and tie (summer 1928)

Therese Strauß mit ihren drei Söhnen (1930)
Therese Strauss and her three sons (1930)

Porträt von Hans, Felix und Franz Strauß von der Hand des österreichischen Malers Fritz Jaeger, Cousin ersten Grades von Willi Strauß (1935, Öl auf Leinwand)

Portrait of Hans, Felix, and Franz Strauss by Austrian artist Fritz Jaeger, first cousin of Willi Strauss (1935, oil on canvas)

Links unten: Dr. Wilhelm Strauß' Führerschein, am 27. Oktober 1930 ausgestellt in Wiener Neustadt

Bottom left: Driver's License of Dr. Wilhelm Strauss, issued in Wiener Neustadt on October 27, 1930

121

Emigration

Zwei Jahre später wurden die Tagebucheinträge sehr viel düsterer. Am 18. Oktober 1937 hielt mein Vater fest, dass seine Eltern die Erlaubnis erhalten hatten, nach Bagdad einzuwandern, wo seinem Vater eine Stelle angeboten worden war. „Papa ist sehr nervös und gereizt." Am 22. September 1938 verfasste mein Vater Felix einen seiner längsten, nachdenklichsten und am stärksten von innerem Hin- und Hergerissensein zeugenden Tagebucheinträge, der hier auszugsweise wiedergegeben werden soll:

> Wenn man uns zu Fremden in der Heimat macht, so müssen wir uns die Fremde zur Heimat machen. [...] Die schwere, kriegsbewölkte Zeit verlangt es. Krieg. Dieses Wort geht mir durch Mark und Bein. Ich wurde im letzten Jahre des großen Völkerringens geboren. Ich kann mich daran selbstredend nicht erinnern. Meine Jugend war nicht schwer, ich lebte in den Tag hinein. Meine Eltern waren es, die alle Sorgen auf sich nahmen und verhinderten, daß ich von all der Mühsal auch nur berührt wurde. Ich bin älter geworden. Die Zeit, wo ich, auf mich selbst angewiesen, meinen Weg suchen und gehen muß, ist in der nächsten Nähe. [...] Vater sagte, er gehe auf alle Fälle, mir aber ließ er die Wahl frei [...].
>
> Wenn [...] Deutsche behaupten, ich gehöre nicht zu ihnen, so kann ich nur erwidern, wohl, ich bin kein Deutscher wie sie, aber meinem Inneren, meinem Verstand, meinem Herzen, meinem Gefühl [nach] werde ich immer Deutscher sein. Sie können [mir] meinen Heimatschein wegnehmen, sie können mich des Landes verweisen, meine Heimat können sie mir nicht nehmen. [...] Ich war immer ein guter Österreicher und habe mich immer als Deutscher gefühlt. [...]
>
> [...] Heute, da die Prager Regierung zurückgetreten [ist] und einer neuen, voraussichtlich militärdiktatorischen Platz machen wird, scheinen wir einem Krieg sehr nahe zu sein. Dadurch drängen sich mir zwei Fragen auf. 1. Wie verhalte ich mich zum Krieg? 2. Wo ist mein Platz im Krieg? [...] Ich sehe klar. 1. Der

Emigration

Two years later the diary entries had become much darker. On October 18, 1937, my father wrote that his parents had been given permission to immigrate to Baghdad where his father had been offered a position. "Papa is very nervous and irritable." On September 22, 1938 my father Felix wrote one of his longest, most thoughtful, and most conflicted diary entries, excerpted below:

> If we are made strangers in our country, then we must make foreign countries our home. […] Our war-threatening times demand it. War. This word makes me shiver. I was born in the last year of the Great War between the nations of the world. Of course I cannot remember anything about that. My youth was not difficult; I just lived from day to day. My parents had to deal with all the worries and made sure that I was not touched by any mishaps. I have grown older. The time when I will be on my own, have to find my own way, is very near. […] Father said he was leaving for sure, but left it up to me to make my own decision […].
>
> If […] Germans maintain that I do not belong to them, then I can only reply: yes, I may not be a German by their definition, but inside, in my thinking, in my heart I will always be a German. They can take away my certificate of citizenship, they can expatriate me, but they cannot take my homeland away from me. […] I have always been a good Austrian and have always felt as a German. […]
>
> […] Today, as the Prague government has resigned and will probably be replaced by a military and dictatorial one, we appear to be very close to war. As a consequence, I am confronted with two questions: 1. How do I view war? 2. What is my place in it? […] In my mind the following is clear: 1. War is the most horrific institution, of the most destructive nature, a dangerous sickness – I want to call it mass rabies –, a beast murdering whole nations, a machin-

Krieg ist die greulichste Einrichtung, destruktivster Art, eine
gefährliche Krankheit – ich möchte sie Massentollwut nennen
–, eine völkermordende Bestie, eine jede Natur und Kultur und
Moral zerstörende Vernichtungsmaschine. Nur eines ist, um das
es ich lohnt, Krieg zu führen: Die Heimat, das Vaterland zu ver-
teidigen, zu erhalten. [...] 2. Ich kenne mein Vaterland. Und war
es hart zu mir und den Meinen, so habe ich es vergessen. Ich hab'
es dennoch lieb. [...] Ich werde bereit sein! Ich werde, Vaterland,
dessen sei gewiß, meine Pflicht erfüllen, die ein Deutscher zu erfüllen hat! Denn ich bin ein Deutscher! Mag reden, der da will.
Gott wird mir helfen, stark zu sein!!

Die politischen Ereignisse begannen sich zu überschlagen. Am
29. September 1938 schrieben die Schwestern meines Großvaters
Briefe, in denen sie ihn drängten, nach Budapest zu fliehen, solange er das noch könne. Am darauffolgenden Tag kam mein Vater in seinem Tagebuch auf das Münchner Abkommen zu sprechen
und notierte euphorisch (und irrtümlicherweise): „Der Friede ist
gerettet." Am 2. Oktober schrieb er, dass das Praxisschild von Dr.
Wilhelm Strauß gewaltsam von dessen Haus am Bismarck-Ring
(damals zum Gedenken an den vor Kurzem ermordeten Bundes-
kanzler Engelbert Dollfuß: Dollfuß-Ring) entfernt und dieser
selbst interimistisch durch einen ‚arischen' Arzt, Walter Kraus, ersetzt worden sei. Die Familie Strauß war gezwungen, in die Dienst-
mädchenunterkünfte zu ziehen, mein Großvater jedoch würde die
Stadt ganz verlassen müssen. Er durfte sich nicht mehr als Arzt aus-
weisen oder ‚Arier' behandeln, Juden aber konnte er immer noch
ärztlich betreuen. Als mein Vater sich über seine Antriebslosigkeit
beklagte, verordnete ihm mein Großvater, Englisch zu lernen. (In
der Hoffnung, sich in den USA wieder vereinen zu können, lernte
zu dieser Zeit die gesamte Familie Englisch.) Am 31. Oktober ver-
kündete mein Großvater, dass er nicht mit den übrigen Mitglie-
dern der Familie in die Wiener Lazarettgasse ziehen könne, weil
er befürchten müsse, sie in Schwierigkeiten zu stürzen. Am 3. November beschrieb mein Vater leidenschaftslos die ‚Kristallnacht'.

ery destroying all nature, all culture and morality. There is only one reason that justifies engaging in war: to defend and maintain the homeland, the fatherland. [...] 2. I know my fatherland. And when it acted harshly toward me and my family, that is all forgotten. I love it nevertheless. [...] I shall be ready! Fatherland, be sure that I will do my duty as any German must! Because I am a German! May others disagree. God will keep me strong!![34]

Political events began to accelerate. On September 29, 1938, my grandfather's sisters wrote letters, urging him to escape to Budapest while he still could. The next day, my father referred to the Munich Conference, writing ecstatically (and mistakenly) that, "peace is saved." On October 2, he wrote that Dr. Wilhelm Strauss' office plaque had been forcibly removed from Bismarck-Ring (then called Dollfuss-Ring to commemorate the recently slain Federal Chancellor Engelbert Dollfuss) and that he had been replaced by a provisional "Aryan" Doctor, Walter Kraus. The Strauss family was forced to move into the maid's quarters, but my grandfather would have to leave the city altogether. He was no longer permitted to identify himself as a medical doctor or to treat "Aryans," although he could still treat Jews. When my father complained of listlessness, my grandfather prescribed English study. (The whole family was studying English by that time, hoping to reunite in the United States.) On October 31, my grandfather announced that he would not be able to move with the rest of the family to Lazarettgasse (Vienna) for fear of causing them trouble. On November 3, my father dispassionately described the *"Kristallnacht."* On December 11, 1938, just hours before his permit to leave the country expired, Willi Strauss departed

---

34   Translated by P. L.

Am 11. Dezember 1938, nur wenige Stunden vor Ablauf seiner Ausreiseerlaubnis, verließ Willi Strauß Wien in Richtung Budapest und kam neununddreißig Tage später in Bagdad an.

Werner Sulzgruber verweist auf zwei zusätzliche Details über die letzten Tage meines Großvaters in Wiener Neustadt, die mir zuvor nicht bekannt waren: „Im Herbst 1938 schenkte er [...] seiner ‚arischen' Gattin unter anderem 6.000,– RM, damit dieser Betrag nicht als ‚jüdisches Vermögen' klassifiziert und beschlagnahmt werden würde. Offiziell begründete er die Schenkung damit, dass durch seine Gattin die ‚Alimentation' des minderjährigen Kindes Hans ‚bei den in Aussicht genommenen Pflegeeltern' sichergestellt werden müsse."[31] Darüber hinaus beschrieb mein Großvater seine drei Söhne Felix, Franz und Hans gegenüber den nationalsozialistischen Behörden als „Halbarier", um die offizielle Bezeichnung ‚Jude' zu vermeiden.[32] In einem privaten Gespräch hat mich Sulzgruber darauf aufmerksam gemacht, dass sich in dem von meinem Großvater ersonnenen Begriff ‚Halbarier' ein einzigartiger Akt verbalen Widerstands bekunde.[33] Sulzgruber wies mich auch darauf hin, dass Wilhelm und Therese Strauß die einzigen Bewohner von Wiener Neustadt gewesen seien, die in den Irak flohen.

Obwohl mein Großvater in Prag geboren worden war, er am 2. Januar 1921 die österreichische Staatsbürgerschaft erhalten hatte und ihm am 10. Mai desselben Jahres Aufenthaltspapiere für Wiener Neustadt ausgestellt worden waren, war er auf dem Weg, zu einem Staatenlosen zu werden. Zu den Dokumenten, die er während seiner Flucht aus Österreich mit sich führte, gehörte ein Leumundszeugnis, versehen mit tschechischen, österreichischen und irakischen Stempeln und ergänzt um dessen arabische Übersetzung. Er trug auch mit einem „J" und dem deutschen Reichsadler gestempelte Urkunden des Polizeichefs von Wiener Neustadt bei

---

31 Sulzgruber, *Lebenslinien* (Anm. 4), S. 461.
32 Vgl. ebd.
33 Man kommt nicht umhin, an dieser Stelle anzumerken, dass der ehemalige US-Präsident Barack Obama stets als ‚Schwarzer', nicht aber als ‚Halbweißer' bezeichnet wird.

Vienna for Budapest, arriving in Baghdad thirty-nine days later.

Werner Sulzgruber provides two additional details about my grandfather's last days in Wiener Neustadt, about which I had been previously unaware: "In fall 1938 he gave to his 'Aryan' wife among other things 6000 Marks [*Reichsmark*], so that the sum would not be considered Jewish property and confiscated. He officially specified that the gift to his wife was meant to cover boarding costs incurred by the foster-parents of the under-age Hans."[35] In addition, my grandfather described his three sons Felix, Franz and Hans to Nazi authorities as being "half Aryans" (*"Halbarier"*) in order to avoid the official designation "Jewish".[36] In private conversation Sulzgruber maintained that my grandfather's invented term "half Aryan" was a unique expression of verbal resistance.[37] Sulzgruber also pointed out to me that Wilhelm and Therese Strauss were the only Wiener Neustadt residents to escape to Iraq.

Although my grandfather had been born in Prague, received his citizenship in Austria on January 2, 1921, and had been issued residency papers in Wiener Neustadt on May 10 of the same year, he was on the way to becoming a stateless person. Among the documents that he carried during his escape from Austria was a character reference (*Leumundszeugnis*) provided with Czech, Austrian and Iraqi stamps as well as with an Arabic translation. He also carried certificates from the Police Commissioner of Wiener Neustadt stamped with a "J" and the German eagle, attesting to his past domicile and offering no objection to his departure.

A German passport (Austrian passports were no longer valid), also stamped with a "J," recorded his journey from the East Train Station in Vienna, through Eisenstadt and the

---

35   Sulzgruber, *Lebenslinien* (Fn. 5), p. 461 (translated by the author).
36   Cf. ibid.
37   One cannot help remarking that former U. S. President Barack Obama is invariably described as a "black man," and not as a "half-white man."

sich, die seinen früheren Wohnsitz bescheinigten und ebenso, dass keinerlei Einwände gegen seine Abreise erhoben wurden.

Ein deutscher Reisepass Willi Strauß' (österreichische Reisepässe waren nicht länger gültig), ebenfalls mit einem „J" gestempelt, dokumentiert seine Reise vom Wiener Ostbahnhof über Eisenstadt und den Grenzkontrollposten Hegyeshalom bis zu seiner Ankunft in Budapest zwei Tage später. (Heute dauert die gleiche Reise weniger als vier Stunden.) Fast einen Monat lang trug mein Großvater Transitvisa von italienischen, französischen und britischen Behörden zusammen, den Siegermächten des Ersten Weltkriegs, die 1938 Teile des ehemaligen Habsburger und des ehemaligen Osmanischen Reiches verwalteten.

Seite 8 des Reisepasses enthält ein vom 29. Dezember 1938 datierendes, vom französischen Amt für auswärtige Angelegenheiten abgestempeltes und mit einem Vermerk versehenes Visum, das den Transit ohne Zwischenstopp von Budapest über Syrien in den Irak erlaubte. Zusätzlich sprach ein französischsprachiger Stempel in roter Farbe die Warnung aus, dass das Visum in den spanischen Kolonialzonen nicht gültig sei. Auf Seite 9 des Reisepasses wurde, datierend vom 27. Dezember 1938 und abgestempelt und annotiert von der britischen Passkontrolle, die Erlaubnis für eine einfache Reise in den Irak erteilt. Eine handschriftliche Notiz bestätigt, dass das Visum durch das Telegramm Nr. 30584 aus Bagdad bewilligt wurde. Datierend vom 9. Januar 1939 und abgestempelt und annotiert von der italienischen Gesandtschaft in Budapest, wurde auf Seite 11 die Erlaubnis für eine einfache Reise durch Italien erteilt. Triest, vor dem Ende des Ersten Weltkriegs der einzige habsburgische Seehafen und nun Ort der Einschiffung meines Großvaters nach Beirut, war in italienischen Besitz übergegangen.

Ordnungsgemäß sind im Reisepass meines Großvaters vermerkt: seine Ankunft in und seine Abreise aus Triest, seine Ankunft in und seine Abreise aus Beirut sowie seine Ankunft in Bagdad am 19. Januar 1939. Zweimal gelang es ihm, seinen Pass verlängern zu lassen: zum ersten Mal am 4. September 1940 in Bagdad und erneut am 4. Oktober 1941 in Teheran. Sein nächster, mit dem

border check point at Hegyeshalom, and his arrival in Budapest two days later. (Today the same trip takes less than four hours.) For nearly a month, my grandfather collected transit visas from Italian, French and British authorities, the victors of World War I who in 1938 administered portions of the former Hapsburg and Ottoman Empires.

Page 8 of the passport, dated December 29, 1938, stamped and annotated by the French Foreign Affairs Office, permitted transit without a stop from Budapest to Iraq via Syria. A message in red ink also warned that the visa was not valid in Spanish colonial zones. Page 9 of the passport, dated December 27, 1938, stamped and annotated by British Passport Control, granted permission for a single journey to Iraq. A hand-written note confirmed that the visa was authorized by telegram no. 30584 from Baghdad. Page 11, dated January 9, 1939, stamped and annotated by the Italian Legation in Budapest, granted permission for a single trip through Italy. Trieste, the sole Hapsburg seaport before the end of World War I and my grandfather's point of embarkation for Beirut, had become an Italian possession.

The passport duly recorded my grandfather's arrival and departure from Trieste and Beirut, and his arrival in Baghdad on January 19, 1939. Twice he succeeded in renewing his passport: once in Baghdad on September 4, 1940, and again in Tehran on October 4, 1941. His next passport, stamped "stateless" would be issued by British-administered Iraq in 1948, the year he immigrated to the United States.

And so, in the months following the *"Anschluss"* in 1938, the Strauss family was split apart in four different countries, although the hope remained that they would reunite in America. Franz, who was impaired, was hidden away in Tyrol where he assumed his mother's maiden name and became part of the extended Morgenstötter clan; Hans was sent to live in Budapest with my grandfather's sister Martha Laszlo where he died of scarlet fever at the age of ten; and my father Felix sailed for

Stempel „staatenlos" versehener Reisepass sollte 1948, im Jahr seiner Einwanderung in die USA, von dem von Großbritannien verwalteten Irak ausgestellt werden.

So wurde die Familie Strauß in den Monaten, die auf den ‚Anschluss' von 1938 folgten, auf vier verschiedene Länder verstreut, obwohl die Hoffnung blieb, dass sie sich in Amerika wieder vereinen würde. Franz, der körperlich und geistig beeinträchtigt war, wurde in Tirol versteckt, wo er den Mädchennamen seiner Mutter annahm und Teil der erweiterten Familie Morgenstötter wurde; Hans wurde nach Budapest zu Martha Laszlo, der Schwester meines Großvaters, geschickt, wo er im Alter von zehn Jahren an Scharlach starb; und mein Vater reiste per Schiff nach New York City, wo er von Ludwig (Lou), einem Bruder meiner Großmutter, unterstützt wurde, der im Ersten Weltkrieg den Kriegsdienst verweigert hatte und inzwischen in Brooklyn zu einem erfolgreichen amerikanischen Automechaniker geworden war. Meinem Großvater aber wurde zu einer Zeit, in der es für Tschechen restriktive Einwanderungsquoten gab, die Einreise in die Vereinigten Staaten verwehrt, denn er galt als Tscheche (was ihn sicherlich überrascht haben muss). Deutschland hingegen betrachtete Dr. Wilhelm Strauß aus Wiener Neustadt weder als Tschechen noch als Österreicher noch als Deutschen.

New York City where he was sponsored by my grandmother's brother Ludwig (Lou), a World War I draft dodger, who had become a successful American auto mechanic in Brooklyn. My grandfather Willi was refused entry into the United States because he was considered a Czech (which certainly must have surprised him) at a time when there were strict Czech quotas. Germany, on the other hand, considered Dr. Wilhelm Strauss of Wiener Neustadt as being neither Czech, nor Austrian, nor German.

Willi Strauß entspannt sich auf einer Bank im Wald, kurz vor dem ‚Anschluss' (1938)
Willi Strauss relaxing on a bench in the woods, shortly before the *"Anschluss"* (1938)

Therese Strauß, kurz vor ihrer Abreise nach Bagdad (Oktober 1938)
Therese Strauss, shortly before her departure for Baghdad (October 1938)

Magistrat Wiener Neustadt,Abteilung 2

am ....27.Oktober.1938......

Leumundszeugnis.

Es wird bestätigt,dass gegen   Herrn Dr.Wilhelm S t r a u s s ,geboren

am 5.September 1885 in Prag,zuständig nach Wr.Neustadt,mosaisch,ver-

heiratet,Kinderarzt,in Wr.Neustadt,Bismarckring Nr.10

wohnhaft,hieramts nichts Nachteiliges vorliegt.

Dieses Zeugnis wird zum Zwecke der Ausreise

hiemit erteilt.

Im Auftrage des Verwalters der
landesunmittelbaren Stadt
Wiener Neustadt:
Der Abteilungsvorstand:

Leumundszeugnis für Dr. Wilhelm Strauß, das ihm die Ausreise aus dem Dritten Reich nach Bagdad erlaubt, ausgestellt am 27. Oktober 1938 (deutschsprachige Seite)

Character Reference for Dr. Wilhelm Strauss permitting his passage from the Third Reich to Baghdad, issued on October 27, 1938 (German language page)

Leumundszeugnis für Dr. Wilhelm Strauß (arabischsprachige Vorderseite)
Character Reference for Dr. Wilhelm Strauss (Arabic language front page)

Leumundszeugnis für Dr. Wilhelm Strauß (arabischsprachige Rückseite)
Character Reference for Dr. Wilhelm Strauss (Arabic language back page)

DEUTSCHES REICH

J

(Stempelmarke)

Gebühr von

RM _3'_ Rpf __ entrichtet

REISEPASS

Nr. _168_

NAME DES PASSINHABERS

Dr. _Strauß Wilhelm_

BEGLEITET VON SEINER EHEFRAU

UND VON __1__ KINDERN

STAATSANGEHÖRIGKEIT:

DEUTSCHES REICH

Dieser Paß enthält 32 Seiten

Deutscher Reisepass von Dr. Wilhelm Strauß (Einband nicht mehr vorhanden), ausgestellt am 12. September 1938 (Seite 1)

German passport of Dr. Wilhelm Strauss (missing its cover), issued on September 12, 1938 (page 1)

Deutscher Reisepass von Dr. Wilhelm Strauß (Seiten 2 und 3)
German passport of Dr. Wilhelm Strauss (pages 2 and 3)

VERLÄNGERUNGEN

1. Verlängert bis 4. September 1940
..........., den 4. September 1939
Dienststelle
Unterschrift
Deutsche Gesandtschaft

2. Verlängert bis 4. Oktober 1941
Teheran, den 5.10.40
Dienststelle
Deutsche Gesandtschaft Teheran

292/40

3. Verlängert bis
..........., den
Dienststelle
Unterschrift

GELTUNGSBEREICH DES PASSES

In- und Ausland

Der Paß wird ungültig am 11. September 1939 (neun)

wenn er nicht verlängert wird.

Ausstellende Behörde Polizeikommiss.
Wr.-Neustadt

Datum 12. Sep. 1938

Unterschrift

Deutscher Reisepass von Dr. Wilhelm Strauß (Seiten 4 und 5)
German passport of Dr. Wilhelm Strauss (pages 4 and 5)

Deutscher Reisepass von Dr. Wilhelm Strauß (Seiten 6 und 7)
German passport of Dr. Wilhelm Strauss (pages 6 and 7)

Deutscher Reisepass von Dr. Wilhelm Strauß (Seiten 8 und 9)
German passport of Dr. Wilhelm Strauss (pages 8 and 9)

Deutscher Reisepass von Dr. Wilhelm Strauß (Seiten 10 und 11)
German passport of Dr. Wilhelm Strauss (pages 10 and 11)

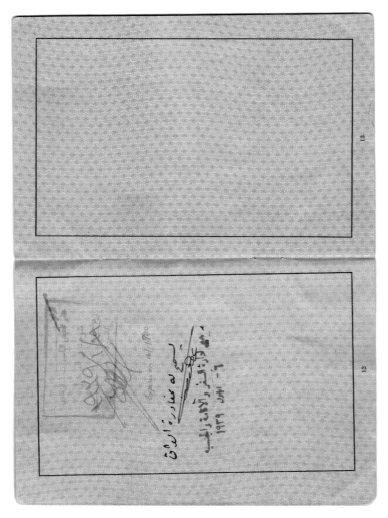

Deutscher Reisepass von Dr. Wilhelm Strauß (Seiten 12 und 13)
German passport of Dr. Wilhelm Strauss (pages 12 and 13)

Lou Morgenstötter, Thereses Bruder und Förderer Felix' in Amerika (Brooklyn, 1955)
Lou Morgenstötter, brother of Therese and sponsor of Felix in America (Brooklyn, 1955)

Wiedersehen von Felix F. Strauß und Sepp Morgenstötter in Jenbach (18. April 1965)

Reunion of Felix F. Strauss and Sepp Morgenstötter in Jenbach (April 18, 1965)

Felix F. Strauß in seiner österreichischen Uniform (1936)
Felix F. Strauss in his Austrian uniform (1936)

Felix F. Strauß in seiner amerikanischen Uniform (1942)
Felix F. Strauss in his American uniform (1942)

Die Reise Dr. Wilhelm Strauß' von Wiener Neustadt (A) nach Bagdad (G); Anfang November 1938 schickte Willi seine Familie nach Wien (B); am 11. Dezember reiste er mit dem Zug über Eisenstadt (C) nach Ungarn ab und kam am 13. Dezember in Budapest (D) an; nachdem er die notwendigen Transitvisa erhalten hatte, reiste er zum Hafen von Triest (E), den er am 9. Januar 1939 erreichte, um am 11. Januar mit dem Schiff von dort abzufahren; am 17. Januar landete er in Beirut (F), wo er einen Tag verbrachte, bevor er nach Bagdad (G) weiterreiste, das er am 19. Januar, 39 Tage nach seiner Abreise aus Wien, erreichte; (H) markiert Kirkuk, den Standort von Dr. Strauß' zweiter Klinik; (I) markiert Prag

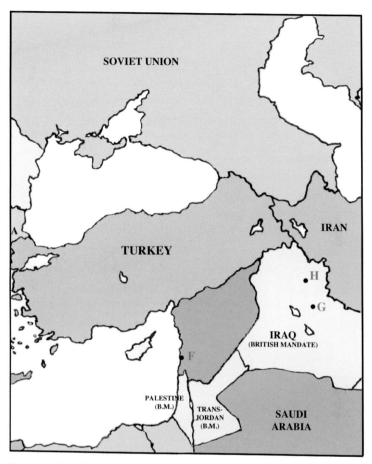

The journey of Dr. Wilhelm Strauss from Wiener Neustadt (A) to Baghdad (G); in early November 1938, Willi moved his family to Vienna (B); on December 11, he departed by train for Hungary, passing through Eisenstadt (C) and arriving in Budapest (D) on December 13; after collecting the necessary transit visas, he traveled to the port of Trieste (E), arriving there on January 9, 1939, and departing by ship on January 11; on January 17, he landed in Beirut (F), spending one day before continuing on to Baghdad (G), arriving on January 19, 39 days after leaving Vienna; (H) marks Kirkuk, site of Dr. Strauss' second clinic; (I) marks Prague

Bagdad

Das meiste von dem, was ich über das Leben meiner Großeltern in Bagdad weiß, stammt aus ihrem Briefwechsel mit meinem Vater in New York und mit der Familie Schnitzer in Wiener Neustadt. Sie spürten ihre Exilsituation sehr heftig und erkannten erst nach und nach, wie lange sie dauern würde. Zunächst trugen sie eidesstattliche Erklärungen und Bürgschaftsbriefe zusammen, schrieben Briefe an Freunde und Verwandte, die in alle vier Winde verstreut waren, und suchten, in einem vergeblichen Versuch, die Familie wieder zu vereinen, ausländische Botschaften auf. Am 30. September 1939 schrieb mein Großvater zum ersten Mal in englischer Sprache an meinen Vater, was er aus zwei Gründen tat: Zum einen verstand er dies als geistige Übung, zum anderen wollte er verhindern, dass er den Zensoren der britischen Verwaltung auffiel. Natürlich war sein Englisch noch nicht perfekt:[34]

> Wir sind geduldig, aber aufgrund all der Enttäuschungen, die wir hier hinnehmen mussten, auch erschöpft. Und doch hoffen wir, dass wir, wenn alle Hindernisse überwunden sind, die für unsere Arbeit nötige Spannkraft haben werden. In einem Punkt jedoch geben wir uns keinerlei Illusionen hin, nämlich hinsichtlich der Wahrscheinlichkeit, dass wir uns alle bald wiedersehen werden. Ich bezweifle, dass wir in der heutigen Zeit die Erlaubnis bekommen könnten, in die USA auch nur einzureisen. Wenn ich nachts im Bett liege und an alle unsere Freunde und an Deine jungen Freunde denke, mich frage, was sie im Moment tun, was sie erleiden, ob sie noch leben, dann fühle ich mit besonderer Intensität das Unheil, das auf die Menschheit gekommen ist. Vor fünfundzwanzig Jahren, als ich selbst in den Krieg zog, habe ich es nicht so stark empfunden wie jetzt, da ich, durch das Schicksal gezwungen, zur Seite getreten bin.

---

34 Anm. von U. H.: Der noch etwas unbeholfene Charakter von Wilhelm Strauß' Englisch ist in der deutschen Übersetzung im Folgenden nicht wiedergegeben.

Baghdad

Most of what I know about my grandparents' life in Baghdad comes from their correspondence with my father in New York, and with the Schnitzer family in Wiener Neustadt. They felt their exile very keenly and only gradually realized how long it was likely to last. At first they collected affidavits and letters of sponsorship, wrote letters to friends and relations scattered to the four winds, and haunted foreign embassies in a vain attempt to reunite the family. By September 30, 1939, my grandfather wrote to my father for the first time in English, both as an intellectual exercise, and in an attempt to evade the British Mandate censors. Naturally, his English was not yet perfect:

> We are patient but tired because of all the disappointments we had to suffer here, and yet we hope when all obstacles will be overcome we will have the elasticity to work. In one point we have no illusions that, the probability that we may all see each other soon. I am in doubt that we could get in the present time the permission to enter USA at all. When I am lying in bed in the night and am thinking on all our friends and on your young friends, and ask myself what they are doing in the moment, what they are suffering, if they are alife yet, then I feel with especial intensity the mischief that has overcome the mankind. Twenty-five years ago when I myself went into the war, I did not feel it so hard like now when I am standing aside forced by the fate.

Wie so mancher gute Vater konnte er der Versuchung nicht widerstehen, Ratschläge à la Polonius zu erteilen:

> Versuche, so schnell wie möglich materiell unabhängig zu werden. Und verliebe Dich nicht zu früh; und wenn doch, muss es nicht gerade das ärmste Mädchen sein. Denn Du darfst nicht vergessen, dass, für den Fall, dass ich nicht länger erfolgreich sein kann oder gar vor der Zeit sterbe, Du der Nächste bist, der Deinen Brüdern helfen muss.

Dies sind die Themen, die sich wie rote Fäden durch viele Briefe meines Großvater ziehen sollten.

Am 23. August 1939 wurde Dr. Wilhelm Strauß offiziell als approbierter Arzt registriert. Zum selben Zeitpunkt begann er mit seiner Tätigkeit am Meir Elias Hospital in Bagdad. Innerhalb eines Jahres wurde er dort zum Leiter der Kinderabteilung ernannt, und nur wenig später wurde Therese in das Pflegepersonal dieser Klinik aufgenommen. Überdies eröffnete mein Großvater in Kirkuk eine Privatpraxis. Zu seinen zahlreichen Patienten gehörten die Kinder der königlichen Familie, die ihre Wertschätzung für seine Dienste dadurch zum Ausdruck brachte, dass sie ihm etliche persische Teppiche schenkte, die sich noch heute im Besitz meiner Familie befinden.

Die Briefe meiner Großeltern an meinen Vater wurden fortgesetzt mit unzähligen Nachrichten über ihre österreichische Familie und ihre österreichischen Freunde, Vorschlägen zur Erhaltung der Gesundheit, Klagen über die extreme Hitze im Irak und gelegentlichen Kommentaren zu Büchern, die meinen Großvater interessierten. So las er beispielsweise ein weiteres Mal Goethes *Wilhelm Meisters Lehrjahre*. Die meiste Zeit über lernte er jedoch Arabisch und verbesserte sein Englisch. In einem seiner Briefe erwähnte er mit trockenem Humor, dass sein Französisch genauso gut und genauso schlecht sei, wie es schon immer gewesen sei. Englisch allerdings, bemerkte er weiter, sei eine relativ leicht zu erlernende Sprache.

Like many a good father he could not resist giving Polonius-like advice:

> Try to get as soon as possible materially independent and
> don't fall in love too soon and it must not be just the poorest
> girl. You may not forget that in the case I cannot succeed
> any more, or am dying before the time, you are the next who
> has to help your brothers.

These themes were to run like red threads though many of his letters.

Beginning on August 23, 1939 Dr. Wilhelm Strauss became registered as a licensed physician at the Meir Elias Hospital in Baghdad. Within a year, he was named Head of Pediatrics (*Leiter der Kinderabteilung*), where Therese joined the nursing staff a little later. My grandfather also opened a private practice in Kirkuk. Among his many patients were the children of the royal family who expressed their appreciation for his ministrations by giving my grandfather a number of Persian carpets, which are still in the possession of my family.

My grandparents' letters to my father continued with frequent news about their Austrian family and friends, suggestions for maintaining good health, complaints about the extreme heat in Iraq, and occasional commentary on books that my grandfather found interesting. He was rereading Goethe's *Wilhelm Meister's Apprenticeship*, for example, but for the most part he was studying Arabic and improving his English. In one of his letters he mentioned wryly that his French was just as good and just as bad as it had ever been, but that English was a relatively easy language to learn.

Und dann kam die Katastrophe: Willis Schwester Martha Laszlo berichtete am 12. April 1941 aus Budapest, dass Hans, sein jüngster Sohn, mit Scharlach ins Krankenhaus eingeliefert worden war. Sein unerwarteter Tod einige Tage später war ein verheerender Schlag für die Familie. Am 6. Dezember schrieb mein Großvater an meinen Vater auf Deutsch:

> Wir denken an unser Hänschen so wie ein Soldat, der im Krieg ein Bein verloren hat. Wir sind dauernd verstümmelt, aber wir humpeln weiter, noch ist das Leben nicht leer, solange wir Euch und unsere Freunde haben und durch unser Wirken einen bescheidenen Beitrag zur Aufrechterhaltung menschlicher Kultur beitragen können.

Im selben Brief ging es aber noch um andere Dinge von großer Bedeutung. Offensichtlich war mein Vater darauf aufmerksam geworden, wie kostspielig die medizinische Versorgung in den USA sich darstellte und wie unabdingbar deshalb eine entsprechende Versicherung war. Mein Großvater, nach wie vor ein überzeugter Sozialdemokrat, wies darauf hin, wie weit Österreich vor dem ‚Anschluss' anderen Ländern in dieser Sache voraus gewesen war. Mit großem Bedauern nahm er überdies die Nachricht meines Vaters zur Kenntnis, dass dieser bald Soldat der US-amerikanischen Armee sein werde.

Tatsächlich rückte mein Vater im Januar 1942 in die Armee ein, kurz nach dem japanischen Angriff auf Pearl Harbor, und heiratete meine Mutter Isabelle Bonsall in Spartanburg, South Carolina, dem Ort, an dem er eine militärische Grundausbildung erhalten hatte. Mein Großvater Willi, der davon nichts wusste (die Briefe brauchten zu dieser Zeit mehrere Monate, um an ihren Bestimmungsort zu gelangen), schrieb am 8. Mai auf Englisch aus Bagdad:

> Unsere Lage ist unverändert. Ich würde mich freuen, verdiente ich so viel, dass ich Mutter von ihrer Arbeit befreien könnte. Für

154

And then came the catastrophe: Willi's sister Martha Laszlo reported from Budapest on April 12, 1941, that his youngest son Hans was hospitalized with scarlet fever. His unexpected death a few days later was a devastating blow to the family. On December 6, my grandfather wrote to my father in German:

> We think about our Hans the way a soldier thinks about a leg he has lost. We are permanently mutilated, but we trudge on because life will not be empty so long as we have family and friends and so long as we are able to make a modest contribution to the preservation of human culture.

The same letter contained other matters of interest. Apparently my father had discovered the high cost of medical care in America and the necessity of carrying insurance. My grandfather, still an ardent Social Democrat, pointed out how far in advance of other countries Austria had been before the *"Anschluss."* He also acknowledged with sadness my father's news that he might soon have to become a soldier in the American army.

My father in fact enlisted in the army in January 1942 shortly after the attack on Pearl Harbor, and married my mother, Isabelle Bonsall, in Spartanburg, South Carolina where he had received basic training. My grandfather Willi, who knew nothing of this (letters took as long as several months to reach their destination), wrote in English from Baghdad on May 8:

> Our position is unchanged. I would be glad if I could earn so much to relieve Mother from her work. The influence of the climate without having since five years the opportunity to relax in the mountains in the summer gets every year more unfavorable for her, the child of the mountains. If you could manage it that at least she could get a visa for immi-

sie, das Kind der Berge, das seit fünf Jahren nicht die Möglichkeit hat, sich im Sommer in den Bergen zu erholen, wird der Einfluss des Klimas mit jedem Jahr nachteiliger. Wenn Du dafür sorgen könntest, dass wenigstens sie ein Visum für die Einwanderung bekommt, wäre ich sehr froh. Ich selbst, denke ich, kann es hier unter normalen Bedingungen noch eine Weile aushalten. Inzwischen konnte ich langsam etwas ansparen, und nach dem Krieg könnten wir alle drei wieder zusammen leben, alle mit einer Arbeit, und auch Franz könnte nach einer Weile zu uns kommen. Selbst wenn Du heiraten solltest, würde es reichen, sofern sie die ‚Richtige' wäre.

Die folgenden Briefe enthielten Eheratschläge für das junge Paar und die Erinnerung daran, dass, mit Salomon Strauß' wohlwollender Zustimmung, auch meine Großeltern während eines Weltkriegs von einem Augenblick auf den anderen geheiratet hatten.

Im weiteren Verlauf des Krieges wurden die Briefe zunehmend seltener. Am 4. Dezember 1943 schrieb mein Großvater meinem Vater erneut auf Englisch:

Du fragst nach Details aus unserem Leben. Ich kann unseren bisherigen Berichten nicht viel hinzufügen. Wir beide widmen uns unserer täglichen Arbeit, die den größten Teil unserer Zeit in Anspruch nimmt. Mutter ist seit einiger Zeit ‚stellvertretende Oberschwester', eine feste ‚befristete' Stelle, die nicht sehr beneidenswert ist und ihr viel abverlangt. Meine Privatpraxis wächst langsam, beileibe nicht im rechten Verhältnis zu meinem Leistungsvermögen, aber Du weißt ja, dass ich nie ein Geschäftsmann war und auch nie einer sein werde. Ich bin eher für ein natürliches Wachstum. Unser Gesundheitszustand ist insgesamt nicht so schlecht, wenn man unser Alter und die Klimabedingungen berücksichtigt. Es gibt aber eine Sache, die ich nicht so einfach hinnehme, nämlich den Gedanken, dass meine Fähigkeit zum Bergsteigen zumindest teilweise verloren gegangen zu sein scheint...

gration, I should be very glad. Myself, I think, can support it under normal conditions still for a while. Meanwhile I could economize slowly and after the war we could live again all three together, everybody with a job and Franz could join us after a while. Even if you get married that would do if she will be the 'right one.'

Subsequent letters contained marriage advice to the young couple, and the recollection that my grandparents had also married suddenly during a world war with Salomon Strauss' sympathetic approval.

Letters were becoming ever scarcer as the war continued. On December 4, 1943, my grandfather wrote to my father again in English:

You want details about ourselves. I can't add much to our previous reports. Both of us are devoted to our daily work which absorbs the most of our time. Mother is since some time 'acting head nurse,' a permanent 'temporary' job, not very much enviable, and taking up her time. My private practice is slowly growing, not in proportion to my capacity, but you know I never was and will not be a businessman. I prefer a natural growing. Our state of health is not so bad after all, taking into account our age and climate conditions. There is one matter only I don't like to put up with, that's the thought that it seems that all my ability for climbing mountains seems to have gone partly…

Ebenfalls berichtete er, dass er *The Adventures of Hajji Baba of Ispahan* von James Morier lese und dass er es genossen habe, Charlie Chaplins *The Great Dictator* anzuschauen. Meine Großmutter erwähnte noch immer in jedem ihrer Briefe den Tod von Hans, und sie räumte ein, dass sie oft antriebsschwach sei, und klagte darüber, dass sie an Schlaflosigkeit und Ekzemen leide und dass die extreme Hitze für sie kaum zu ertragen sei.

Mit einem Mal war der Krieg zu Ende. Am 5. Juni 1946 schrieb meine Großmutter auf Deutsch einen langen und nachdenklichen Brief an die Schnitzers in Wiener Neustadt:

> [D]ie Welt kommt mir heute schwärzer vor als jemals. – Wenn wenigstens für unsere Enkel etwas herausschauen würde, aber ich zweifle sehr daran.
>
> [...]
>
> Uns geht es gut, wir arbeiten fleissig, sind wohl oft müde, das Klima ist ja doch sehr anstrengend. Ich habe die Spitalsstellung (vor 2 Jahren, nach fünfjähriger Betätigung) aufgegeben, da es mir zu viel wurde, und helfe meinem Mann am Nachmittag in seiner Klinik, [...] er ist froh, wenn ich in seiner Nähe bin. Er ist der alte feine Mensch geblieben, der sich für andere die Haut herunterschindet. Am Vormittag gehe ich 3mal wöchentlich in eine englische Schule und lerne dort mit lauter jungen Mädeln. Einmal in der Woche kommt ein Mäderl zu mir, um Deutsch zu lernen, und sonst finde ich auch eine Arbeit.
>
> Fritzl [Felix Strauß] war wirklich in Deutschland, und die Grüsse an Klemi [Schnitzer] waren von ihm. Er hatte dort einen ganz schönen Posten, war aber doch froh, als er nach Hause gehen konnte, da er mehr als 3 Jahre von seiner geliebten Frau getrennt war. Er versuchte, Urlaub zu bekommen, um zu Franz zu fahren, es wurde aber abgelehnt. [...]
>
> Sie fragen, wann wir zurückkehren wollen!? Mein Mann hat gar kein Verlangen zurückzukehren, er kann sich nicht vorstellen, wie er mit den Leuten sich wieder verständigen könnte. Es gibt ja sehr wenige, die wie Sie waren oder die Mohrs und Paz [Fritz Pazaurek]. Es war ein scheusslicher Schock für ihn. Er hat wohl

He also reported that he was reading *The Adventures of Hajji Baba of Ispahan* by James Morier and had enjoyed watching Charlie Chaplin's *The Great Dictator*. My grandmother still mentioned the death of Hans in each of her letters and admitted that she was often listless, suffering from insomnia, eczema, and the extreme heat.

Suddenly the war came to an end. On June 5, 1946 my grandmother wrote a long reflective letter in German to the Schnitzers in Wiener Neustadt:

The world seems darker to me now than before. – I hope at least something good comes out of it for our grandchildren, but I have my doubts.

[…]

We are fine, working hard, and are often very tired because of the exhausting climate. After five years of work in the hospital job, I gave it up two years ago because it was too much for me, and in order to help my husband afternoons in his clinic […]. He is happy when I am in his company. He has remained a fine old man who works his fingers to the bone for others. Mornings I go three times a week to an English school where I study with mostly young girls. Once a week, a young girl comes to me to learn German, so that I have something to do.

Fritz [Felix Strauss] was really in Germany and the greetings for Klemi [Schnitzer] are from him. He had a good post there, but is very happy to go home because he has been separated from his beloved wife for three years. He tried to get a leave to visit Franz, but was turned down. […]

You ask whether we wish to return!? My husband has no wish to return because he cannot imagine how he could communicate with those people. There were very few like you or the Mohrs or Paz [Fritz Pazaurek]. It was an awful shock for him. He is often homesick for the mountains but he can't imagine building there and doesn't believe that the brown seed has been stifled. So we continue to work here,

oft Heimweh nach den Bergen, aber er kann sich einen Aufbau dort nicht mehr vorstellen, er glaubt nicht daran, dass die braune Saat erstickt ist. So arbeiten wir hier weiter, wo er sich jetzt doch einen Namen gemacht hat, und sparen so gut wir können, dass wir einmal in Amerika, wohin wir dann auch Franzl bringen wollen, anfangen können. […]

Wir freuen uns sehr, dass man [in Wiener Neustadt] an uns denkt und dass man meinem Mann die Kinderarztstelle frei halten wollte. […]

Von der Familie meines Mannes sind nur die älteste Schwester mit ihren 3 Enkelsöhnen übrig geblieben. Eine Schwiegertochter wurde halb tot aus dem Belsenkamp gerettet und hat sich jetzt Gott sei Dank nach aussen wenigstens erholt, innerlich ist sie noch ganz gebrochen. Schwiegersohn, Söhne und Töchter sind umgekommen, auch Onkel Isi und Isa, die Schwägerin aus Prag, sind tot und viele viele Freunde und weitere Verwandte.

Das lange Exil in Bagdad war fast vorüber. Am 20. November 1948 erhielten die Schnitzers einen Brief von meinem Großvater, der zu diesem Zeitpunkt bereits in Lausanne in der Schweiz gewesen war: „Wir sind auf dem Weg in die USA und werden Anfang November mit dem Flugzeug dort ankommen. Ich habe hier [in Lausanne] zwei Wochen mit meiner Schwester [Martha Laszlo] und Verwandten verbracht, und wir hatten auch Franz [Strauß] und Loisl [Morgenstötter, ein Tiroler Cousin] für vier Tage bei uns." Ein späterer Brief erläuterte, dass die rechtlichen Hindernisse in Bagdad plötzlich und unerklärlicherweise verschwunden und meine Großeltern in der Lage gewesen seien, Bagdad zwei Monate früher als erwartet zu verlassen. Der gleiche Brief spricht ihrer Schwiegertochter Isabelle Strauss, die mich in sechs Wochen zur Welt bringen sollte, Mut zu.

where he has made a name for himself, and continue to save as best we can, so that we can one day go to America and bring Franz with us. […]

We are very happy that people still think of us [in Wiener Neustadt] and that the pediatrician position has been held open for him. […]

Of my husband's family, only the eldest sister and her three grandchildren remained. A daughter-in-law was rescued half dead from the Belsen camp, and has outwardly recovered although she is spiritually devastated. Son-in-law, sons, and daughters are dead as well as Uncle Isi and Isa, the Prague sister-in-law, and many, many friends of the family and other relatives.

The long exile in Baghdad was almost over. On November 20, 1948 the Schnitzers received a letter from my grandfather, already then in Lausanne, Switzerland: "We are on the way to the USA and will arrive there by airplane at the beginning of November. I spent two weeks here with my sister [Martha Laszlo] and relatives, and we had Franz [Strauss] and Loisl [Morgenstötter, a Tyrolean cousin] with us for four days." A later letter explained that legal obstacles in Baghdad had suddenly and inexplicably disappeared, and that my grandparents had been able to leave Baghdad two months earlier than anticipated. The same letter offers encouragement to their daughter-in-law Isabelle Strauss, who was due to give birth to me in six weeks.

وزارة الداخلية

MINISTRY OF INTERIOR.

مديرية الصحة العامة

PUBLIC HEALTH DIRECTORATE.

احازة التسجيل

CERTIFICATE OF REGISTRATION.

بموجب قانون ممارسة الطب في العراق الصادر عام ١٩٢٥

Under the Law of Medical Practice in 'Iraq, 1925.

No. ٢١٧ العدد

This is to certify that :—

Name _____ الدكتور وليم شتراوس _____ الاسم

Age and place of birth _____ ١٨٨٥/٩/٥ _____ العمر ومحل الولادة

Address _____ للبعوثية الكرخ _____ العنوان

Nationality _____ ٢٢٩/١٦٩ _____ الجنسية

is permitted to practise medicine in _____ العراق _____ ممارسة الطب في

Branch of Medicine _____ عام _____ الفرع الطبي

Speciality (if any) _____ اخصائي في امراض الاطفال _____ الاختصاص

Diploma _____ طبية _____ الشهادة

(No., date and issuing Authority) ____ رقم ٤٤ ١٩٠٩ ____ عدده وتاريخه والسلطة التي منحتها

جامعة براغ في المانيا

Date ٢٩/١/٥٢ التاريخ

_____
Director of Public Health.

مدير الصحة العامة

Registration Fee Paid of Rupee _____ دنانير دفعت فعلا ـ ١٠٠ _____ وقد دفع رسم التسجيل وقدره

Revenue Stamp

Dr. Wilhelm Strauß' irakische Zulassungsbescheinigung für die Ausübung des Arztberufs, ausgestellt 1939

Iraqi Certificate of Registration for Dr. Wilhelm Strauss to practice medicine, issued in 1939

162

DR. W. STRAUSS

SPECIALIST FOR DISEASES OF CHILDREN

RASHID STREET, BAGHDAD.

Tel : | Clinic   7066
| Residence   3852
| Meir Elias Hospital 7480

الدكتور وليم شتراوس

اختصاصي بأمراض الاطفال

شارع الرشيد ــ بغداد

٧٠٦٦   العيادة

٣٨٥٢   المسكن

٧٤٨٠   مستشفى مئير الياس

رقم
التلفون

Bagdader Büro-Notizblock von Dr. Wilhelm Strauß
Baghdad office pad of Dr. Wilhelm Strauss

Personal des Meir Elias Hospital, Bagdad; Dr. Strauß links in der vorderen Reihe (1940)
Staff of the Meir Elias Hospital, Baghdad; Dr. Strauss in the front row left (1940)

Garten des Meir Elias Hospital (undatiert)
Garden of the Meir Elias Hospital (undated)

Schwester Therese Strauß und Dr. Wilhelm Strauß in ihrer medizinischen Arbeitskleidung auf dem Gelände des Meir Elias Hospital (undatiert)

Nurse Therese Strauss and Dr. Wilhelm Strauss in their medical uniforms on the campus of the Meir Elias Hospital (undated)

Therese Strauß in einem Bagdader Innenhof (Herbst 1939)
Therese Strauss in a Baghdad courtyard (autumn 1939)

IRAQ GOVERNMENT
Department of Posts and Telegraphs.

حكومة العراق
ادارة البريد والبرق

```
lausanne      k225      28      3      1703      mci
nlt doctor strauss meierelias hospital baghdad
marta with three grandsons and geöas wife safe budapest irenke
tibor uncertain eva safe in belsen geöa and siklos dead love
                          glass
```

Telegramm an Dr. Strauß in Bagdad von Guido Glass in Lausanne (5. Juli 1945)
Telegram to Dr. Strauss in Baghdad from Guido Glass in Lausanne (July 5, 1945)

Irakischer Reisepass von Dr. Wilhelm Strauß, ausgestellt am 3. Oktober 1948 (Seite 1 und Einband)

Iraqi passport of Dr. Wilhelm Strauss, issued on October 3, 1948 (page 1 and cover)

Irakischer Reisepass von Dr. Wilhelm Strauß (Seiten 3 und 2)
Iraqi passport of Dr. Wilhelm Strauss (pages 3 and 2)

Irakischer Reisepass von Dr. Wilhelm Strauß (Seiten 5 und 4)
Iraqi passport of Dr. Wilhelm Strauss (pages 5 and 4)

Irakischer Reisepass von Dr. Wilhelm Strauß (Seiten 7 und 6)
Iraqi passport of Dr. Wilhelm Strauss (pages 7 and 6)

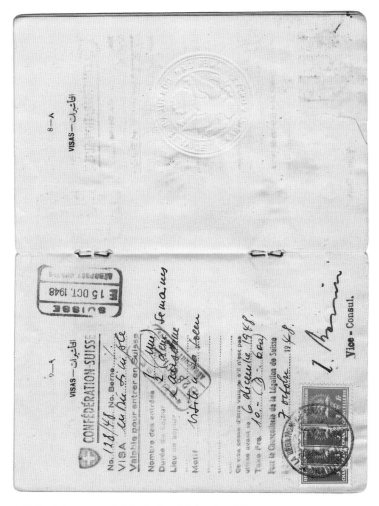

Irakischer Reisepass von Dr. Wilhelm Strauß (Seiten 9 und 8)
Iraqi passport of Dr. Wilhelm Strauss (pages 9 and 8)

Irakischer Reisepass von Dr. Wilhelm Strauß (Seiten 11 und 10)
Iraqi passport of Dr. Wilhelm Strauss (pages 11 and 10)

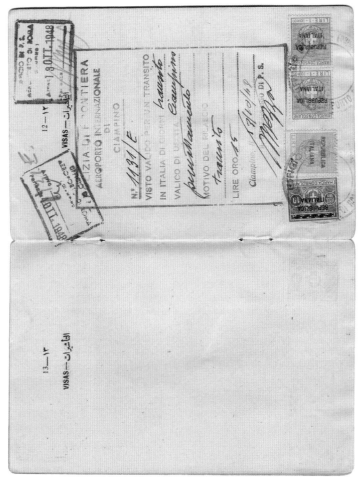

Irakischer Reisepass von Dr. Wilhelm Strauß (Seiten 13 und 12)
Iraqi passport of Dr. Wilhelm Strauss (pages 13 and 12)

Dr. Wilhelm Strauß und Therese Strauß in Lausanne auf dem Weg zu einem neuen Leben in New York; zu Willis Linken seine Schwester Martha, flankiert von Guido Glass und dessen Frau Marika, und zu seiner Rechten seine Großneffen Robert Munteanu (stehend) und Josef Siklos (November 1948)

Dr. Wilhelm Strauss and Therese Strauss in Lausanne en route to a new life in New York; to Willi's left are his sister Martha, flanked by Guido Glass and his wife Marika, and to his right are his grandnephews Robert Munteanu (standing) and Josef Siklos (November 1948)

Rome, New York

Wenig später kamen meine Großeltern in New York City an, wo sie für kurze Zeit zusammen mit meinen Eltern in deren kleinem Haus in Levittown lebten. Mein Großvater allerdings gönnte sich keine Ruhe und war eifrig darauf bedacht, seinen Beruf so schnell wie möglich wieder aufzunehmen. Unverzüglich legte er vor der zuständigen Kommission des Bundesstaates New York in seiner sechsten Sprache, Englisch, die medizinische und psychiatrische Prüfung ab und bestand sie ohne Schwierigkeiten. Überdies wurde sein Prager Medizinabschluss von der staatlichen Kommission anerkannt, sodass er sich auf eine medizinische Position bewerben konnte. Seit nahezu vierzig Jahren war mein Großvater stets nicht allein als Arzt, sondern auch als Klinikverwalter tätig gewesen. Zwischen 1949 und 1959 würde er erneut als Arzt und Klinikverwalter tätig sein, diesmal als Leiter der 200-Betten-Klinik für körperlich oder geistig beeinträchtigte Kinder der New York State School in Rome, New York. Darüber hinaus würde er bis zu seinem Tod als beratender Arzt für die staatlichen Schulen in Rome arbeiten. In der Zwischenzeit bestand meine Großmutter im Alter von sechzig Jahren die Prüfung zur Zulassung als Krankenpflegerin des Bundesstaates New York und trat ebenfalls wieder in das Berufsleben ein. Sie verlängerte ihre Zulassung bis in ihr achtzigstes Lebensjahr.

Obwohl meine Großeltern stolz auf den Erfolg ihres Sohnes (meines Vaters) Felix Strauß, eines jungen Geschichtsprofessors zuerst am Hofstra College und später dann am Polytechnic Institute of Brooklyn, waren und sich sehr über die Geburt von zwei amerikanischen Enkeln (meine Schwester Elizabeth und ich) freuten, konnten sie sich nie völlig an Amerika anpassen. Am 28. August 1949 schrieben sie an ihre alte Freundin Dr. Adrienne Schnitzer: „Es ist, als würden wir einen neuen Auftritt auf einer ausländischen Bühne machen." Die meisten ihrer Freunde waren tot oder lebten in anderen Ländern, und die amerikanischen Gebräuche waren ihnen auf beunruhigende Weise unvertraut. Sie würden sich nie an

Rome, New York

Shortly thereafter, my grandparents arrived in New York City, where they lived briefly with my parents in their tiny Levittown house. My grandfather, however, was restless and eager to resume his career as soon as possible. He immediately took the State of New York medical and psychiatric board exam in his sixth language, English, and passed without difficulty. His Prague medical degree was also certified by the state board, allowing him to apply for a medical position. For nearly forty years my grandfather had always served not only as a medical doctor, but also as a hospital administrator. Between 1949 and 1959, he would again serve as both doctor and administrator, this time as head of the 200-bed Children's Hospital for physically or mentally impaired children of the New York State School in Rome, New York. He would also work as consulting doctor for the Rome public schools until his death. Meanwhile, my grandmother passed the New York State nursing licensure exam at the age of sixty, and also re-entered the work force. She continued to renew her license until the age of eighty.

Although my grandparents took pride in the success of their son (my father) Felix Strauss, a young history professor first at Hofstra College and then later at Brooklyn Polytechnic Institute, and great pleasure in the birth of two American grandchildren (my sister Elizabeth and me), they never fully adjusted to America. They wrote to their old friend Dr. Adrienne Schnitzer on August 28, 1949: "It is as if we are making a new entrance on a foreign stage." Most of their friends were dead or living in other countries and American customs were disturbingly unfamiliar. They would never get used to the capitalist model for dispensing medicine and providing medical treatment. Why were people expected to commute to work in the absence of public transportation? My grandparents

das kapitalistische Modell der Medikamentenabgabe und der medizinischen Versorgung gewöhnen. Warum wurde von den Menschen erwartet, dass sie ohne öffentliche Verkehrsmittel zur Arbeit pendelten? Meine Großeltern waren erstaunt. Schließlich kauften sie ein Auto, als mein Großvater fast siebzig Jahre alt war, und lernten beide, es zu fahren, was sie aber nie sehr gut konnten. Kleine Dinge, etwa Teenager, die Händchen hielten, oder junge Frauen, die, wie meine Großmutter an Dr. Adrienne Schnitzer schrieb, „wie malmende Kühe" Kaugummi kauten, ließen sie sich unwohl und fehl am Platze fühlen. Darüber hinaus klang das amerikanische Englisch für Ohren, die sich an das britische Englisch in Bagdad gewöhnt hatten, seltsam und grob. Kein Wunder, dass sie zu Hause weiterhin Deutsch sprachen.

Dennoch wurden meine Großeltern am 11. November 1954 Bürger der Vereinigten Staaten von Amerika. Mein Großvater, der zweimal seine Staatsbürgerschaft verloren und ein ganzes Jahrzehnt als staatenloser Flüchtling verbracht hatte, war glücklich, sich als amerikanischen Staatsbürger bezeichnen zu können. Er praktizierte weiterhin in der Klinik in Rome, so lange er konnte, nämlich bis er das obligatorische Rentenalter von vierundsiebzig Jahren erreichte. Selbst nach seiner Pensionierung hielt er sich über Entwicklungen der medizinischen Forschung auf dem Laufenden, nahm Facharztprüfungen ab und fuhr fort, im Sommer als Arzt im Camp Sequoia bei Monticello in den Catskill Mountains zu praktizieren. 1959 wurde er von der Medical Society des Bundesstaates New York für seine fünfzig Jahre während Dienstzeit als Arzt geehrt. Seine lange Odyssee war fast zu Ende.

Kurz vor seinem Tod am 7. November 1970 suchte er ein örtliches Bestattungsinstitut auf, bestellte mit der strikten Anweisung, dass dies von seiner Frau nicht aufgewertet werden dürfe, einen schlichten Kiefernholzsarg und arrangierte seine eigene Einäscherung. Er verbrannte alle seine persönlichen Papiere, was bedauerlicherweise auch seine Korrespondenz mit Max Brod einschloss, erlitt einen leichten Herzinfarkt und weigerte sich, die Anordnung

were astonished. Eventually they did purchase an automobile when my grandfather was nearly seventy years old, and both learned to drive it, but never very well. Small matters like teenagers holding hands or young women chewing gum "like masticating cows," as my grandmother wrote to Dr. Adrienne Schnitzer, made them feel uncomfortable and out of place. In addition, American English sounded strange and rough to ears that had become accustomed to British English in Baghdad. Not surprisingly, they continued to speak German at home.

Nonetheless, on November 11, 1954, my grandparents became citizens of the United States of America. My grandfather, who had twice lost his citizenship and who had spent a decade as a stateless refugee, was pleased to call himself an American citizen. He continued to practice medicine at the hospital in Rome as long as he could, until he reached the mandatory retirement age of seventy-four. Even after retirement, he kept up with developments in medical research, took medical board exams and, in summers, continued to practice as a doctor at Camp Sequoia near Monticello in the Catskill Mountains. In 1959 the Medical Society of the State of New York recognized him for fifty years of service to the medical profession. His long odyssey was almost at an end.

Shortly before his death on November 7, 1970, he walked to a local mortuary and ordered a plain pine box with strict instructions that it was not to be upgraded by his wife, and arranged for his own cremation. He burned all of his personal papers, including, unfortunately, his correspondence with Max Brod, suffered a mild heart attack, and refused the hospital doctor's orders to rest. He had clearly decided that it was time to go.

My grandmother, always strong in spirit and willful to the end (she had become a Christian Scientist by this time, and had all but renounced the medical profession), moved back

des Krankenhausarztes, dass er sich schonen solle, zu befolgen. Er hatte klar entschieden, dass es Zeit war zu gehen.

Meine Großmutter, die bis zuletzt stets geistesstark und eigenwillig blieb (sie war zu diesem Zeitpunkt Anhängerin der Christian Science geworden und hatte ihren medizinischen Beruf fast vollständig aufgegeben), kehrte nach dem Tod ihres Mannes nach Österreich zurück, um sich um ihren körperlich und geistig beeinträchtigten Sohn Franz zu kümmern. Bis zu ihrem Tod im sechsundachtzigsten Lebensjahr in Schwaz, Tirol, trug sie dort (manchmal zu seiner Verzweiflung) Sorge dafür, dass er seine Diät einhielt und jeden Tag seine gymnastischen Übungen verrichtete. Franz' finanzielles und körperliches Wohlergehen sicherzustellen, war eine Aufgabe, die in der Folge auf meinen Vater Felix in New York und schließlich auf mich überging.

to Austria after her husband's death in order to care for her impaired son Franz. There she presided over his daily diet and exercise routine (sometimes to his despair) until her death in Schwaz, Tyrol at the age of eighty-six. Custodial responsibility for Franz's financial and physical well-being subsequently passed to my father Felix in New York, and ultimately to me.

Dr. Wilhelm Strauß' Approbationsurkunde für Medizin und Chirurgie, ausgestellt am 15. August 1949

Dr. Wilhelm Strauss' License to Practice Medicine and Surgery, issued on August 15, 1949

Therese Strauß' Krankenpflegelizenz, ausgestellt am 28. Oktober 1949

Therese Strauss' Nursing License, issued on October 28, 1949

Willi und Therese Strauß auf der Vortreppe ihrer Wohnung auf dem Gelände der New York State School in Rome (frühe 1950er Jahre)

Willi and Therese Strauss on the steps of their apartment on the campus of the New York State School, Rome (early 1950s)

Einbürgerungsurkunden der Vereinigten Staaten für Wilhelm und Therese Strauß, ausgestellt am 11. November 1954

Certificates of United States Naturalization for William and Therese Strauss, issued on November 11, 1954

Willi und Therese Strauß mit ihrem ersten Auto in Rome, New York (Juni 1952)

Willi and Therese Strauss with their first car in Rome, New York (June 1952)

1. Weihnachtstag in Levittown, New York; Willi und Therese mit ihrem Sohn Felix, dessen Frau Isabelle mit ihren Kindern Elizabeth und John (1956)

Christmas Day in Levittown, New York; Willi and Therese with their son Felix, his wife Isabelle, and their children Elizabeth and John (1956)

Dr. Wilhelm Strauß und Therese Strauß auf dem Gelände des Rome State Hospital (März 1958)

Dr. Wilhelm Strauss and Therese Strauss on the campus of the Rome State School Hospital (March 1958)

Personal des Camp Sequoia; Dr. Strauß in der hinteren Reihe, Zweiter von links (Sommer 1959)

Camp Sequoia staff; Dr. Strauss is in the back row, second from left (summer 1959)

Wilhelm Strauß kurz vor seinem Tod (1970)
Wilhelm Strauss shortly before his death (1970)

„Fast zu ernst".
Der Kinderarzt von Wiener Neustadt und sein Beitrag zur Sozialmedizin

Am 5. Oktober 1903 schrieb sich Wilhelm Strauß an der Medizinischen Fakultät der Deutschen Universität Prag ein. Dort sollte er eine moderne, sowohl theoretische als auch klinische medizinische Ausbildung erhalten. Als Sekundararzt in Wien, wo er unter anderem mit dem renommierten Kinderarzt Wilhelm Knöpfelmacher zusammenarbeitete, begann er sich auf die Kinderheilkunde zu spezialisieren. 1919 gründete er selbst eine Kinderarztpraxis in der Industriestadt Wiener Neustadt, wo er sofort in engste Berührung mit den harten sozialen und wirtschaftlichen Lebensbedingungen in der Ersten Österreichischen Republik kam.

Leben und Werk von Dr. Strauß lassen sich am besten als Zusammenfluss einer vielseitigen und zukunftsweisenden medizinischen Ausbildung in der späten Habsburgermonarchie mit den einsetzenden sozialdemokratischen Reformen im Roten Wien der Nachkriegszeit verstehen. Wie diese beiden Ströme sich vereinigten und wie sie sich sodann auf den Abgrund von 1938 zubewegten, ist das Thema dieses Kapitels.

Die Bedeutung der Deutschen Universität Prag

Die Universität Prag, gegründet am 7. April 1348 von Karl IV., König von Böhmen, war die erste deutschsprachige Einrichtung ihrer Art. Gestaltet nach dem Vorbild der mittelalterlichen Universitäten von Paris und Bologna, war sie in die vier Fakultäten Freie Künste, Theologie, Jurisprudenz und Medizin gegliedert. Nach der Revolution von 1848 spaltete sie sich in zwei voneinander getrennte

"Almost too Serious:" The Pediatrician of Wiener Neustadt and his Contribution to Social Medicine

On October 5, 1903, Wilhelm Strauss enrolled in the medical school of the German University in Prague, where he would soon receive a modern theoretical and clinical education. As an intern in Vienna, working with, among others, the renowned pediatrician Wilhelm Knöpfelmacher, he began to specialize in pediatric medicine. In 1919 he himself established a pediatric practice in the industrial town of Wiener Neustadt where he was immediately plunged into the harsh social and economic realities of the First Austrian Republic.

The life and work of Dr. Strauss can be best understood as the confluence of a rich and forward-thinking, late Hapsburg Monarchy medical education, with the nascent Social Democratic reforms of the post-war Red Vienna period. How these two streams merged and hastened toward the precipice of 1938 is the topic of this chapter.

The Importance of the German University in Prague

The University of Prague, founded on April 7, 1348, by Charles IV, King of Bohemia, was the first German-speaking institution of its kind. Modeled on the medieval Universities of Paris and Bologna, it included the four faculties of liberal arts, theology, law, and medicine. After the Revolution of 1848 it split into two distinct schools, one Czech and one German.

Institutionen auf, eine tschechische und eine deutsche. Wilhelm Strauß besuchte die sogenannte Deutsche Universität Prag, zu deren renommiertem Kollegium unter anderem der Physiker Albert Einstein, der Musikwissenschaftler Guido Adler und der Philosoph Tomáš Masaryk gehörten, der später der erste Präsident der Tschechoslowakischen Republik werden sollte.

Während der ersten Hälfte des 19. Jahrhunderts stammte der überwiegende Teil der medizinischen Forscher und Dozenten der Deutschen Universität Prag von der Universität Wien, aber seit der Mitte dieses Jahrhunderts wurden umgekehrt auch Prager Absolventen an der Wiener Universität angestellt. Auch Medizinstudenten aus dem Ausland entschieden sich für ein Studium in Prag, ein Umstand, auf den Adolf Kußmaul (1822–1902), Professor für Innere Medizin in Freiburg und Autor von *Jugenderinnerungen eines alten Arztes*, verweist, wenn er schreibt: „Wir waren nicht wenig überrascht, Prag weit mehr als Wien von jungen Aerzten besucht zu finden, die aus allen Teilen Deutschlands, aus der deutschen Schweiz und Holland zu ihrer weiteren praktischen Ausbildung dahin gekommen waren."[35]

1903 wurde der deutschsprachige Wilhelm Strauß aus Prag Student eines der letzten international zusammengesetzten Jahrgänge, dessen Studenten vor dem Ausbruch des Ersten Weltkriegs eine medizinische Ausbildung absolvierten. Sein Meldungsbuch enthält die Titel aller Vorlesungen und Laborkurse, die er zwischen 1903 und 1909 besuchte, sowie die Namen und Unterschriften aller seiner Professoren. Es gewährt damit einen faszinierenden Einblick in die mitteleuropäische medizinische Ausbildung während des ersten Jahrzehnts des 20. Jahrhunderts. Zu seinen prominentesten Universitätslehrern in Prag, im Folgenden mit kurzen biographischen Angaben gewürdigt, gehörten Carl Rabl, Hans Chiari, Anton Wölfler, Alois Epstein und Robert W. Raudnitz.

---

35 Adolf Kußmaul, *Jugenderinnerungen eines alten Arztes*, Stuttgart: Verlag von Adolf Bonz & Comp. [7]1906, S. 389.

Wilhelm Strauss attended the so-called German University in Prague, which included among its famous faculty, physicist Albert Einstein, musicologist Guido Adler, and philosopher Tomáš Masaryk, who would later become the first President of the Czechoslovak Republic.

During the first half of the nineteenth century, the University of Vienna provided the German University in Prague with most of its research scientists and medical faculty, but by mid-century graduates of Prague were also being appointed in Vienna. Medical students from abroad were also choosing to study in Prague. As Adolf Kussmaul (1822–1902), Professor of Internal Medicine in Freiburg and author of *An Old Doctor's Recollections of his Youth* (*Jugenderinnerungen eines alten Arztes*), pointed out: "We were more than a little surprised to find that Prague was more frequented than Vienna by young doctors from Germany, German-speaking Switzerland, and Holland, who were seeking to further their practical knowledge of medicine."[38]

Wilhelm Strauss, a German speaker from Prague, joined one of the last classes of international students destined to complete medical training before the onset of World War I. Because his Course Record Book (*Meldungsbuch*) includes the titles of all of the lectures and laboratory courses that he attended between 1903 and 1909, as well as the names and signatures of all his professors, it provides a fascinating glimpse of medical education in central Europe during the first decade of the twentieth century. Among his most eminent teachers in Prague, acknowledged with brief biographies below, were Carl Rabl, Hans Chiari, Anton Wölfler, Alois Epstein and Robert W. Raudnitz.

Carl Rabl (1853–1917) was born in Wels, Upper Austria, studied medicine in Vienna, Leipzig and Jena, and received

---

38 Adolf Kussmaul, *Jugenderinnerungen eines alten Arztes,* 7th ed. (Stuttgart: Verlag von Adolf Bonz & Comp., 1906), p. 389 (translated by M. S.).

Carl Rabl (1853–1917) wurde in Wels, Oberösterreich, geboren und studierte in Wien, Leipzig und Jena Medizin, bevor er 1882 an der Universität Wien seinen medizinischen Abschluss machte. 1885 publizierte er eine einflussreiche Abhandlung zur Zellforschung mit dem Titel „Über Zelltheilung". Seit 1886 war er Professor an der Deutschen Universität Prag,[36] wo Wilhelm Strauß und seine Kommilitonen an einem von ihm gehaltenen Laborkurs in anatomischer Sektion teilnahmen und seine Vorlesung „Systematische Anatomie des Menschen" besuchten.

Hans Chiari (1851–1916) wurde in Wien geboren, schloss 1875 an der Universität Wien sein Medizinstudium ab und wurde 1883 Professor für Pathologische Anatomie an der Deutschen Universität Prag. Strauß besuchte seine Vorlesung über „Pathologische Anatomie und Histologie". „Chiaris Persönlichkeit lockte Studenten aus vielen fremden Ländern an sein Institut. Anfang der 1890er Jahre führte er für das Medizinstudium ein neues Curriculum ein, das einen Studiengang von zehn Semestern vorschrieb und der praktischen Ausbildung in den ersten Semestern eine wichtige Bedeutung zumaß. Chiaris *Pathologisch-anatomische Sektionstechnik* war für viele Jahre das maßgebliche Lehrbuch."[37]

Anton Wölfler (1850–1917), geboren in Kopetzen, Böhmen, schloss 1874 an der Universität Wien sein Medizinstudium ab und wurde innerhalb kürzester Zeit Assistent des renommierten Chirurgen Theodor Billroth am Wiener Allgemeinen Krankenhaus. Billroth schickte Wölfler nach Edinburgh, damit er sich bei Joseph Lister (1827–1912) über die antiseptische Wundbehandlung kundig mache. Obwohl zunächst skeptisch gegenüber dieser Praxis, konnte Billroth schließlich davon überzeugt werden, Listers Ideen zu akzeptieren, und Wölfler benutzte die Behandlungsmethode erstmals 1878 in Billroths Klinikabteilung, nachdem er daran eine

---

36 Vgl. Walther Koerting, *Die Deutsche Universität in Prag. Die letzten hundert Jahre ihrer Medizinischen Fakultät*, München: Bayer. Landesärztekammer 1968, S. 102f.

37 Ebd., S. 143f.

his medical degree at the University of Vienna in 1882. He authored an influential treatise on cell research in 1885 titled "Concerning Cell Division" *("Über Zelltheilung")*. By 1886 he was Professor at the German University in Prague[39] where he taught Strauss and his classmates a laboratory course in anatomical dissection, and lectured on the "Systematic Anatomy of the Human Being."

Hans Chiari (1851–1916) was born in Vienna, earned his medical degree from the University of Vienna in 1875, and became Professor of Pathological Anatomy at the German University in Prague in 1883. Strauss attended his lectures on "Pathological Anatomy and Histology." "Chiari's personality drew students from many foreign countries to his institute. He took the lead in setting up a new curriculum at the beginning of the 1890's which prescribed a course of studies of ten semesters, and stressed the importance of practical training in the early semesters. Chiari's *Pathological Anatomical Dissecting Techniques (Pathologisch-anatomische Sektionstechnik)* was the authoritative textbook for many years."[40]

Anton Wölfler (1850–1917) was born in Kopetzen, Bohemia, received his medical degree at the University of Vienna in 1874, and quickly became an assistant to the renowned surgeon Theodor Billroth at the Vienna General Hospital. Billroth sent Wölfler to Edinburgh to study antiseptic wound treatment with Joseph Lister (1827–1912). Although initially skeptical of the practice, Billroth was eventually persuaded to accept Lister's ideas, and Wölfler first used the treatment in Billroth's clinic in 1878 after introducing several modifications.[41] In 1880, Wölfler was appointed Professor at the

39   Cf. Walther Koerting, *Die deutsche Universität in Prag. Die letzten hundert Jahre ihrer Medizinischen Fakultät* (München: Bayer. Landesärztekammer, 1968), pp. 102–103.

40   Ibid., pp. 143–144.

41   Cf. Erna Lesky, *The Vienna Medical School in the Nineteenth Century* (Baltimore: The Johns Hopkins University Press, 1976), p. 396.

Reihe von Modifikationen vorgenommen hatte.[38] 1880 wurde Wölfler zum Professor an der Deutschen Universität Prag ernannt, wo Strauß seine Vorlesung über „Spezielle chirurgische Pathologie, Therapie und klinische Methoden" besuchte. Er war „de[r] unerreichte[] Meister in der Darstellung der Pathologie und Therapie des Kropfes"[39] und führte innovative chirurgische Eingriffe in einer Reihe von Spezialgebieten durch, darunter hernienchirurgische Operationen, Transplantationen von Schleimhäuten und Operationen des oberen Magen-Darm-Traktes. Er entwickelte vereinfachte Verfahren für die Behandlung von komplizierten Knochenbrüchen und war überdies einer der ersten Ärzte, die bei chirurgischen Eingriffen Kokain als Betäubungsmittel einsetzten.[40]

Auf die spätere Entscheidung Willi Strauß', Kinderarzt zu werden, hatten zweifellos Alois Epstein und Robert W. Raudnitz einen wesentlichen Einfluss. Epstein (1849–1918), geboren in Kamenitz in Böhmen, machte 1873 seinen medizinischen Abschluss an der Deutschen Universität Prag und erhielt dort 1880 die Venia Legendi für Kinderheilkunde. 1881 wurde er Chefarzt am Prager Findelhaus, 1884 ernannte man ihn zum Professor und zum Direktor der Kinderklinik. Epstein trug maßgeblich zur Entwicklung der modernen Pädiatrie bei, indem er ein systematisches Studienprogramm für das Gebiet der Säuglingspflege entwickelte. Strauß besuchte seine Lehrveranstaltung mit dem Titel „Die klinische Untersuchung von Kinderkrankheiten".

Der in Prag geborene Robert W. Raudnitz (1856–1921) studierte in Tübingen und in Prag, wo er 1881 sein Medizinstudium abschloss. Wie Epstein war er am Prager Findelhaus tätig, später wurde er außerordentlicher Professor für Kinderheilkunde an der Deutschen Universität Prag. Überdies richtete er ein Kinderambulatorium ein, an dem er und seine Studenten wissenschaftliche Untersuchungen durchführten. Raudnitz, der Autor einer wichtigen

---

38 Vgl. Erna Lesky, *Die Wiener Medizinische Schule im 19. Jahrhundert*, Graz, Köln: Verlag Hermann Böhlaus Nachf. 1965, S. 439.
39 Koerting, *Die Deutsche Universität in Prag* (Anm. 36), S. 198.
40 Vgl. ebd., S. 197f.

German University in Prague where Strauss attended his lectures on "Special Surgical Pathology, Therapy and Clinical Methods." He was "unparalleled in his mastery of the pathology and therapy of goiter,"[42] and also performed innovative surgical procedures in a range of specialty fields, including hernia surgery, mucous membrane transplantation, and upper gastrointestinal surgery. He developed simplified procedures for treating complicated bone fractures, and was also one of the first physicians to use cocaine as an anesthetic in surgery.[43]

Alois Epstein and Robert W. Raudnitz greatly influenced Wilhelm Strauss' later decision to become a pediatrician. Epstein (1849–1918) was born in Kamenitz, Bohemia, finished his medical studies at the German University in Prague in 1873, and received an appointment to lecture in Pediatrics in 1880. In 1881, he became Head Physician at Prague's Foundling Home (*Findelhaus*) and in 1884 he was appointed Professor and Director of the Children's Clinic (*Kinderklinik*). Epstein contributed significantly to the development of modern pediatrics, developing a systematic course of study for infant care. He instructed Strauss in "The Clinical Study of Childhood Diseases."

Robert W. Raudnitz (1856–1921) was born in Prague and pursued his studies in Tübingen and Prague, where he earned his medical degree in 1881. Like Epstein, Raudnitz was active in Prague's Foundling Home and was later appointed Professor of Pediatrics at the University. He also established an outpatient clinic for children where he and his students conducted scientific research. The author of an important 1903 treatise, "General Chemistry of Milk,"[44] he taught Strauss a course in "Childhood Diseases."

---

42 Koerting, *Die deutsche Universität in Prag* (Fn. 39), p. 198 (translated by M. S.).
43 Cf. ibid., pp. 197–198.
44 Cf. ibid., p. 182.

Abhandlung mit dem Titel „Allgemeine Chemie der Milch" (1903) war,[41] unterrichtete Strauß auf dem Gebiet der Kinderkrankheiten.

Am 24. Mai 1909 schloss Wilhelm Strauß sein Studium ab und erhielt sein medizinisches Diplom. Einen Monat später begann er seine Assistenzarztzeit in der gynäkologischen Abteilung des Allgemeinen Krankenhauses in Prag. Zwischen Oktober 1909 und April 1910 war er als Arzt am Militärhospital Theresienstadt tätig und kehrte im Mai 1910 an das Prager Allgemeine Krankenhaus zurück, wo er bis zum März 1911 als Sekundararzt arbeitete. Wie viele seiner Prager Kommilitonen entschied er sich, seine praktische Ausbildung in Wien fortzusetzen, zunächst als Externarzt in der Chirurgischen Abteilung des Krankenhauses auf der Wieden (März bis Juni 1911) und später in der Chirurgischen Abteilung des Wilhelminenspitals (Juli bis Dezember 1911). Ab Januar 1912 arbeitete er als Sekundararzt in der Abteilung für Kinder-Infektionskrankheiten und setzte seine Tätigkeit am Wilhelminenspital bis Februar 1913 fort. Seine letzte Stelle als Sekundararzt (Mai 1913 bis Juli 1914) hatte er am Karolinen-Kinderspital inne, und zwar unter der Leitung von Dr. Wilhelm Knöpfelmacher. Dies zeigte zugleich seinen Wechsel in den Bereich der Kindermedizin an, in dem er sein gesamtes weiteres Leben lang tätig sein sollte.[42]

In der gleichen Zeit, in der der junge Dr. Strauß als Sekundararzt in Wien arbeitete, machte Therese Morgenstötter, seine zukünftige Frau, eine Ausbildung am Rudolfinerhaus, der ersten und damals einzigen Krankenpflegeschule Österreichs. Das Rudolfinerhaus war, unter der Schirmherrschaft von Kronprinz Rudolf, von Theodor Billroth zur „Heranbildung von Pflegerinnen für Kranke und Verwundete" gegründet worden, wie es in der Widmung anlässlich seiner Eröffnung im Jahr 1882 hieß. Billroth hoffte, die Schülerinnen der Schule mit einer soliden medizinischen Grund-

---

41 Vgl. ebd., S. 182.
42 Die Informationen stammen aus einem Lebenslauf, den Dr. Strauß mit der Schreibmaschine geschrieben hat, kurz nachdem er am 7. Januar 1949 in New York City seine auf Englisch abgenommene medizinische Prüfung bestanden hatte.

On May 24, 1909 Wilhelm Strauss completed his studies and was awarded his medical diploma. A month later, he began as an intern in the Department of Gynecology of the General Hospital in Prague. Beginning in October 1909 and continuing until April 1910 he served as a physician in the military hospital of Theresienstadt, returning to the Prague General Hospital as an intern from May 1910 through March 1911. Like many of his Prague classmates, he decided to continue his practical training in Vienna, serving first as an intern in the Department of Surgery of the Wieden Hospital (*Krankenhaus auf der Wieden*) (March-June 1911), and continuing later at the Department of Surgery of the Wilhelmina Hospital (*Wilhelminenspital*) (July-December 1911). Beginning in January he worked as an intern in the Section for Infectious Diseases of Children, continuing at the Wilhemina Hospital in the Medical Section until February 1913. His final internship, from May 1913-July 1914, was at the Caroline Children's Hospital (*Karolinen-Kinderspital*) under the direction of Dr. Wilhelm Knöpfelmacher, signaling his life-long shift to the field of pediatric medicine.[45]

During the same time that the young Dr. Strauss served as an intern in Vienna, Therese Morgenstötter, his future wife, trained at the *Rudolfinerhaus,* the first and at that time the only nursing school in Austria. The *Rudolfinerhaus* had been founded by Theodor Billroth under the patronage of Crown Prince Rudolf in order "to educate nurses for the sick and wounded," as the dedication read when it opened in 1882. Billroth hoped to provide students with a solid medical foundation in order to more effectively support physicians. During an intensive training program which normally lasted three years, nursing students were presented with theoretical knowledge and practical training concurrently. For example,

---

45 Information drawn from a *curriculum vitae* typed by Dr. Strauss shortly after passing his professional English examination in New York City on January 7, 1949.

lage auszustatten, um sie so zu befähigen, die Ärzte effektiver unterstützen zu können. In einem intensiven Ausbildungsprogramm, das in der Regel drei Jahre dauerte, wurden den Pflegeschülerinnen gleichermaßen theoretische Kenntnisse und praktische Fertigkeiten vermittelt. So forderte Billroth beispielsweise den für die Vorbereitungskurse zuständigen Arzt auf, „eine Notiz einzutragen, wenn es jeder Schülerin mindestens einmal gelungen ist, den erforderlichen chirurgischen Verband anzulegen‘“.[43] Eine Schwester Oberin war damit beauftragt, ebenso für das Wohlergehen wie für die Disziplin der Frauen des Rudolfinerhauses zu sorgen, die wie Novizinnen in einem Kloster behandelt wurden. Sie war es, die beispielsweise die seltenen Urlaube genehmigte, die Schülerinnen zum Dienst in einem bestimmten Krankenhaus oder, wie auch im Falle Morgenstötters, zum Einsatz an der Front des Ersten Balkankrieges (1912/13) schickte.

---

43 Zitiert nach Ilsemarie Walter, „Die Krankenpflegeschule am Rudolfinerhaus“, in: *Rudolfinerhaus 1882–1982. Festschrift zum 100jährigen Bestehen*, Wien: Selbstverlag 1982, S. 26–37, S. 34.

Billroth urged the doctor in charge of the preparation courses "'to enter a note when each student had succeeded in making the appropriate surgical bandage at least once.'"[46] A Mother Superior (*Schwester Oberin*) was charged with the welfare and discipline of the *Rudolfinerhaus* women, who were treated like novices in a convent. It was the Mother Superior, for example, who approved rare vacations, sent novices to serve in a particular hospital, or in Morgenstötter's case, sent her to serve on the front of the First Balkan War (1912/13).

<hr>

46 As quoted in Ilsemarie Walter, "Die Krankenpflegeschule am Rudolfinerhaus," in: *Rudolfinerhaus 1882–1982. Festschrift zum 100jährigen Bestehen* (Wien: Selbstverlag, 1982), pp. 26–37, p. 34 (translated by M. S.).

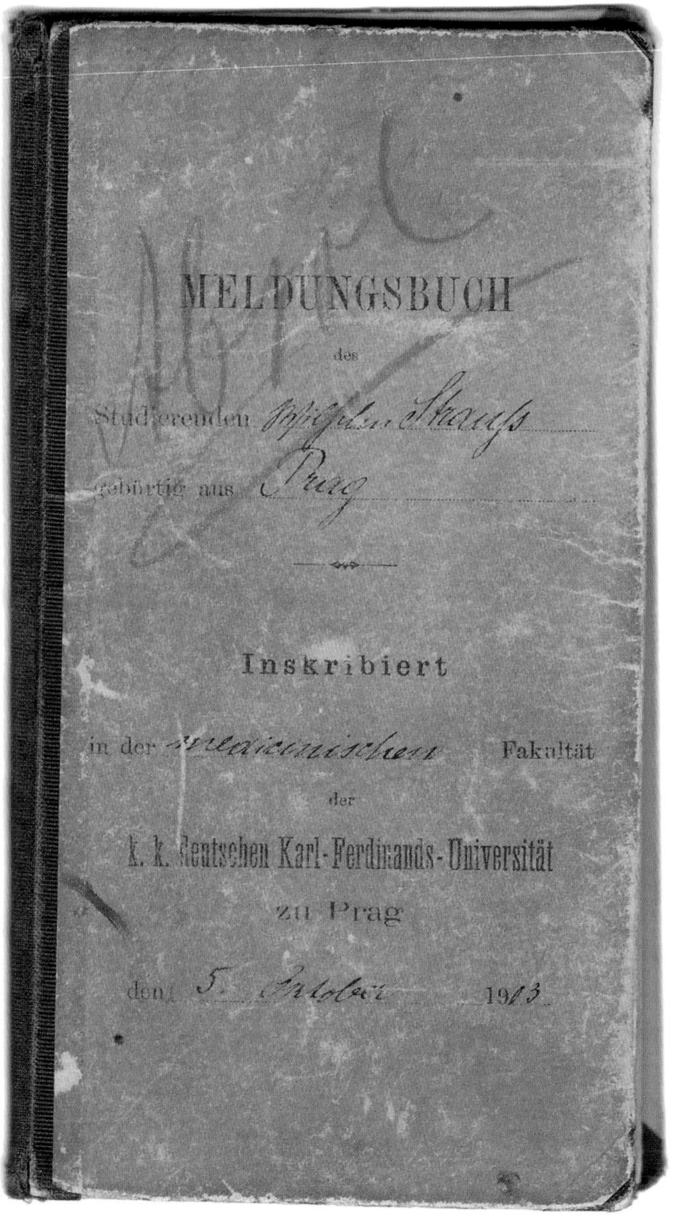

MELDUNGSBUCH

des

Studierenden *Wilhelm Strauß*

gebürtig aus *Prag*

Inskribiert

in der *medizinischen* Fakultät

der

k. k. deutschen Karl-Ferdinands-Universität

zu Prag

den *5. Oktober* 19*13*

Wilhelm Strauß' Meldungsbuch (Vorderseite des Einbands)
Wilhelm Strauss' Course Record Book (front of the cover)

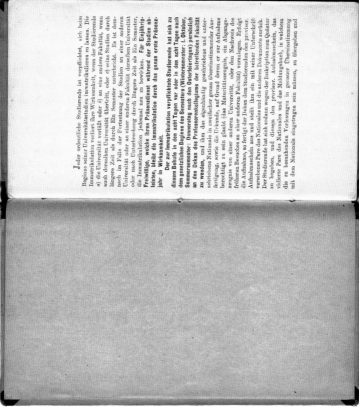

Wilhelm Strauß' Meldungsbuch (Instruktionen für Studenten)
Wilhelm Strauss' Course Record Book (instructions for students)

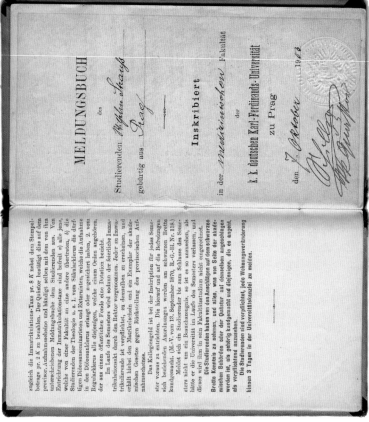

Wilhelm Strauß' Meldungsbuch (Fortsetzung der Instruktionen für Studenten und personalisierte Titelseite)

Wilhelm Strauss' Course Record Book (instructions for students and personalized title page)

Wilhelm Strauß' Meldungsbuch (Doppelseite 1)
Wilhelm Strauss' Course Record Book (double page 1)

Wilhelm Strauß' Meldungsbuch (Doppelseite 2)
Wilhelm Strauss' Course Record Book (double page 2)

Wilhelm Strauß' Meldungsbuch (Doppelseite 3)
Wilhelm Strauss' Course Record Book (double page 3)

Wilhelm Strauß' Meldungsbuch (Doppelseite 4)
Wilhelm Strauss' Course Record Book (double page 4)

Wilhelm Strauß' Meldungsbuch (Doppelseite 5)
Wilhelm Strauss' Course Record Book (double page 5)

Wilhelm Strauß' Meldungsbuch (Doppelseite 6)

Wilhelm Strauss' Course Record Book (double page 6)

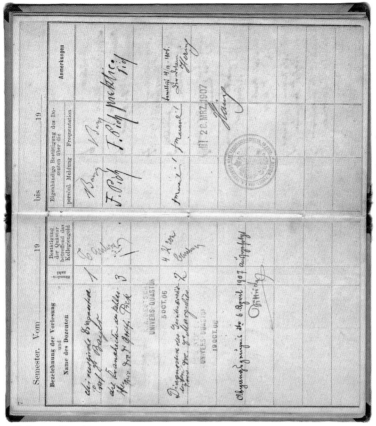

Wilhelm Strauß' Meldungsbuch (Doppelseite 7)
Wilhelm Strauss' Course Record Book (double page 7)

Wilhelm Strauß' Meldungsbuch (Doppelseite 8)
Wilhelm Strauss' Course Record Book (double page 8)

Wilhelm Strauß' Meldungsbuch (Doppelseite 9)
Wilhelm Strauss' Course Record Book (double page 9)

Wilhelm Strauß' Meldungsbuch (Doppelseite 10)
Wilhelm Strauss' Course Record Book (double page 10)

Wilhelm Strauß' Meldungsbuch (Doppelseite 11)
Wilhelm Strauss' Course Record Book (double page 11)

Wilhelm Strauß' Meldungsbuch (Doppelseite 12)
Wilhelm Strauss' Course Record Book (double page 12)

214

Wilhelm Strauß' Meldungsbuch (Doppelseite 13)
Wilhelm Strauss' Course Record Book (double page 13)

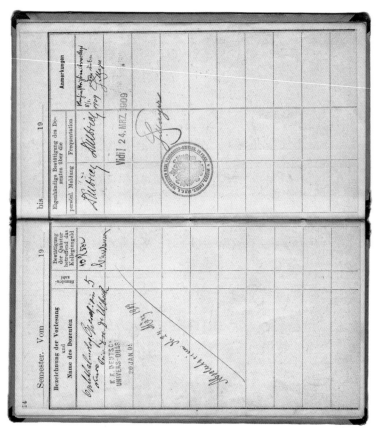

Wilhelm Strauß' Meldungsbuch (Doppelseite 14)
Wilhelm Strauss' Course Record Book (double page 14)

Semester, Vom 19 .... 19 .... bis

Bezeichnung der Vorlesung und Name des Dozenten	Stunden-zahl	Bestätigung der Quästur betreffend das Kollegiengeld	Eigenhändige Bestätigung des Dozenten über die persönl. Meldung	Frequentation	Anmerkungen

Wilhelm Strauß' Meldungsbuch (Doppelseite 15)
Wilhelm Strauss' Course Record Book (double page 15)

Die Anfänge der Kinderheilkunde im Wien des 19. und frühen 20. Jahrhunderts

Als Therese Morgenstötter später ins Karolinen-Kinderspital entsendet wurde, um in der Station für Neugeborene zu assistieren, war die Kindermedizin noch ein vergleichsweise neues Fachgebiet. Noch 1784, dem Jahr der Eröffnung des Allgemeinen Krankenhauses Josephs II., gab es in Wien weder eine Kinderklinik noch eine Abteilung für Kinderkrankheiten. Zwar wurde noch im selben Jahr das Findelhaus eingerichtet, doch war dieses lediglich für Neugeborene gedacht: als deren provisorische Unterbringung bis zur Adoption. In ihm brachen häufig Krankheiten aus, was zu extrem hohen Morbiditäts- und Mortalitätsraten führte.

Drei Jahre später wurde von Joseph Johann Mastalier (1757–1793) zur Behandlung von Kindern aus mittellosen Familien in Eigeninitiative das Kinder-Krankeninstitut gegründet. Das Institut wurde in deutschsprachigen Städten wie Breslau, Brünn und München sehr bewundert und auch nachgeahmt. Leopold Anton Gölis (1764–1827) wurde 1794 dessen Leiter und veröffentlichte kurz darauf sein wegweisendes Buch *Vorschläge zur Verbesserung der körperlichen Kinder-Erziehung in den ersten Lebens-Perioden*. Das Institut wurde im selben Jahr staatlich anerkannt, deckte es doch einen wichtigen medizinischen und sozialen Bedarf.[44]

Zu Beginn des 19. Jahrhundert wurde Pädiatrie an der Universität Wien noch als Ergänzungsfach der Gynäkologie gelehrt. Heinrich Xaver Boer (1764–1821) qualifizierte sich 1808 als erster Arzt zum akademischen Dozenten für „Frauenzimmer- und Kinderkrankheiten". Er veröffentlichte 1813 mit seinem Buch *Versuch einer Darstellung des kindlichen Organismus in physiologisch-, pathologisch- und therapeutischer Hinsicht* die erste Monographie, die

---

44   Vgl. Helmut Gröger, „Der Entwicklungsstand der Kinderheilkunde in Wien am Beginn des 20. Jahrhunderts", in: Kurt Widhalm, Arnold Pollak (Hg.), *90 Jahre Universitäts-Kinderklinik in Wien*, Wien: Literas-Universitätsverlag 2005, S. 53–68, S. 53f.

The Origins of Pediatric Medicine in 19ᵗʰ and Early 20ᵗʰ Century Vienna

When Therese Morgenstötter was sent to the *Karolinen-Kinderspital* to assist in the ward for newborns, pediatric medicine was still a relatively new field of specialization. As late as 1784, the year that Joseph II's General Hospital (*Allgemeines Krankenhaus*) opened, Vienna had neither a children's hospital nor even a department dedicated to children's diseases. Although the Foundling Home had been established in the same year, its sole purpose was to provide a temporary accommodation for newborns until they could be adopted. Diseases broke out frequently at the Foundling Home, leading to extremely high morbidity and mortality rates.

Three years later an Institute for Sick Children (*Kinder-Krankeninstitut*) was founded by Joseph Johann Mastalier (1757–1793) as a private initiative to provide treatment for the children of destitute families. The Institute was widely admired and emulated in German-speaking cities like Breslau, Brno, and Munich. Leopold Anton Gölis (1764–1827) became head of the Institute in 1794, and shortly thereafter published his landmark *Suggestions for Improving the Physical Upbringing of Children during Early Childhood* (*Vorschläge zur Verbesserung der körperlichen Kinder-Erziehung in den ersten Lebens-Perioden*). The Institute was licensed publicly in the same year, meeting an important medical and social need at that time.[47]

At the beginning of the nineteenth century, at the University of Vienna pediatrics was still taught as a supplementary field of gynecology. Heinrich Xaver Boer (1764–1821) became the first doctor to qualify as an academic "Lecturer in Wom-

---

47 Cf. Helmut Gröger, "Der Entwicklungsstand der Kinderheilkunde in Wien am Beginn des 20. Jahrhunderts," in: Kurt Widhalm, Arnold Pollak (Eds.), *90 Jahre Universitäts-Kinderklinik in Wien* (Wien: Literas-Universitätsverlag, 2005), pp. 53–68, pp. 53–54.

ausschließlich dem Feld der Pädiatrie gewidmet war. Zwar gab es 1819 erste Überlegungen, im Findelhaus eine eigenständige Kinderklinik einzurichten und mit Boer als Chefarzt zu besetzen, doch kam es dazu nicht.[45]

Die erste ausschließlich für Kinder bestimmte Klinik Wiens wurde 1837 von Ludwig Wilhelm Mauthner (1806–1858) gegründet. Wie zuvor im Falle des Kinder-Krankeninstituts verdankte sich dies einer Privatinitiative. Als einzige derartige Klinik im deutschsprachigen Raum verfügte sie zunächst über lediglich zwölf Betten. Aufgrund ihrer zunehmenden Größe und Bedeutung wurde sie 1848 staatlich anerkannt, erhielt von diesem Jahr an staatliche Unterstützung und trug nunmehr den Namen St. Anna-Kinderspital. 1850 wurde sie darüber hinaus zur Universitäts-Kinderklinik erhoben und genoss bald einen ausgezeichneten Ruf als Lehrkrankenhaus. Ein Jahr später wurde Mauthner an der Universität Wien zum außerordentlichen Professor ernannt, was für Österreich den Beginn der Pädiatrie als eigenständiges Gebiet der Medizin markierte.[46]

Als Max Kassowitz (1842–1913) 1882 Direktor des Kinder-Krankeninstituts wurde, begann er, neue Maßstäbe in der Pädiatrie zu setzen, indem er die Abteilungen für Kinderchirurgie, Kinderneurologie und Kinderdermatologie einrichtete. Die Leiter dieser neuartigen Abteilungen waren sehr ambitionierte junge Ärzte. Zu ihnen gehörte auch Sigmund Freud (1856–1939), der die Leitung der Abteilung für Kinderneurologie innehatte. Kassowitz selbst konzentrierte sich auf die Bildung von Knochengewebe und auf Knochenerkrankungen und führte die Behandlung von Rachitis (der ‚Englischen Krankheit‘) mit Phosphor enthaltendem Lebertran ein.[47]

---

45 Vgl. ebd., S. 55.
46 Vgl. Paul Krepler, *Das Kind und sein Arzt. 150 Jahre St. Anna-Kinderspital*, Wien: Facultas-Universitätsverlag 1988, S. 30.
47 Vgl. Béla Schick, „Pediatrics in Vienna at the Beginning of the Century“, in: *The Journal of Pediatrics* 50 (1957), H. 1, S. 114–124, S. 118f. Obwohl Kassowitz dabei den Phosphor als das entscheidende Heilmittel ansah, zeigte

en's and Children's Diseases" ("*Dozent für Frauenzimmer- und Kinderkrankheiten*") in 1808, later publishing the first monograph devoted exclusively to the field of pediatrics, titled *An Attempt at Describing the Organism of the Child in regard to its Physiology, Pathology and Therapy* (*Versuch einer Darstellung des kindlichen Organismus in physiologisch-, pathologisch- und therapeutischer Hinsicht*). Although discussions to establish a separate children's clinic in the Foundling Home with Boer as its Head Physician took place in 1819, it never came to pass.[48]

Vienna's first dedicated children's hospital, a privately funded institution like the Institute for Sick Children, was founded in 1837 by Ludwig Wilhelm Mauthner (1806–1858). The only hospital of its kind in the German-speaking world, it initially consisted of only twelve beds. As the hospital grew in size and importance, it was recognized with a government subsidy in 1848 and renamed the St. Anna Children's Hospital (*St. Anna-Kinderspital*). In 1850 it was also designated as the first University Children's Clinic (*Universitäts-Kinderklinik*), and soon became an important teaching hospital. One year later, Mauthner was awarded the title of Associate Professor at the University of Vienna, marking the beginning of pediatrics as a distinct field of medicine in Austria.[49]

When Max Kassowitz (1842–1913) became director of the Institute for Sick Children in 1882, he began to set new benchmarks in pediatrics, establishing the Departments of Pediatric Surgery, Pediatric Neurology, and Pediatric Dermatology. The new heads of departments were highly ambitious young physicians, like Sigmund Freud (1856–1939), who headed the Department of Pediatric Neurology. Kassowitz himself focused on the formation of bone tissue and diseases

---

48   Cf. ibid., p. 55.
49   Cf. Paul Krepler, *Das Kind und sein Arzt, 150 Jahre St. Anna-Kinderspital* (Wien: Facultas-Universitätsverlag), 1988, p. 30.

1910 veröffentlichte Kassowitz das Buch *Praktische Kinder-heilkunde*, eine Schrift, die seine reiche kinderärztliche Erfahrung zusammenfasste und die Wilhelm Strauß sicherlich kannte. Als prominenter Vertreter der zeitgenössischen Abstinenzbewegung protestierte Kassowitz in einer Reihe von Publikationen und Vorträgen gegen Alkoholmissbrauch bei Kindern. Ebenso bekämpfte er die sogenannte ‚Zahnkrankheit‘, indem er sie als Aberglauben entlarvte.[48]

Eine neue Ära der Kindermedizin begann mit Hermann von Widerhofer (1832–1901), dem Inhaber des ersten Lehrstuhls für Pädiatrie an der Universität Wien, und seinem Schüler Theodor Escherich (1857–1911), der das *bacterium coli commune* entdeckte, das später ihm zu Ehren in *Escherichia coli* umbenannt wurde. Escherich war ein Pionier der ätiologischen Forschung, aber ebenso ein entschiedener Befürworter staatlicher Kinderfürsorge, womit er die Ideen von Julius Tandler (1869–1936) und Wilhelm Strauß vorwegnahm. Zu Escherichs Schülern gehörten Paul Moser (1865–1924), der sich mit immunologischen Forschungsfragen befasste und das Scharlachserum entwickelte, und Clemens von Pirquet (1874–1929), der den Tuberkulin-Hauttest entwickelte und zusammen mit Béla Schick (1877–1967) zur Beschreibung von hypersensitiven Immunreaktionen den Begriff ‚Allergie‘ prägte.[49]

Pirquet wurde 1911 Leiter der Universitäts-Kinderklinik und drückte ihr mit seinen fortschrittlichen Ideen zur Kinderfürsorge und zur Sozialmedizin seinen Stempel auf. Beispielsweise gab es für die erkrankten Kinder in der Klinik eine eigene Schule, damit sie

---

sich ironischerweise, dass vielmehr dem Lebertran als solchem, wie er in Wien bereits seit Jahrzehnten leicht erhältlich war, diese heilende Wirkung zukam. Vgl. zur Behandlung der Rachitis auch Wilhelm Strauß' Abhandlung *Kinderkrankheiten und ihre Verhütung* (in diesem Band S. 246, 252 und 280).

48   Vgl. Lesky, *Die Wiener Medizinische Schule im 19. Jahrhundert* (Anm. 38), S. 371f.; vgl. dazu auch Wilhelm Strauß' Abhandlung *Kinderkrankheiten und ihre Verhütung* (in diesem Band S. 278 und 280).

49   Vgl. Schick, „Pediatrics in Vienna at the Beginning of the Century" (Anm. 47), S. 120.

of the bone, introducing the treatment of rickets ("the English disease") with phosphorous cod liver oil.[50]

In 1910 Kassowitz published *Practical Pediatrics* (*Praktische Kinderheilkunde*), a book which Wilhelm Strauss surely knew, summarizing his rich pediatric experience. A prominent exponent of the contemporary abstinence movement, Kassowitz inveighed against alcohol abuse in children in a series of publications and lectures. He also fought against the so-called "diseases of dentition," exposing them as superstitions.[51]

A new era of pediatric medicine began with Hermann von Widerhofer (1832–1901), first Chair of Pediatrics at the University of Vienna, and his student Theodor Escherich (1857–1911) who discovered the *bacterium coli commune*, later named *Escherichia coli*. Escherich was a pioneer in etiological research, but also an outspoken advocate for the social welfare of children, anticipating the ideas of Julius Tandler (1869–1936) and Wilhelm Strauss. Among Escherich's students were Paul Moser (1865–1924), who worked with problems of immunity and developed the scarlet fever serum, and Clemens von Pirquet (1874–1929), who developed the tuberculin skin test, and who with Béla Schick (1877–1967) coined the term "allergy" to describe hypersensitive immune reactions.[52]

Pirquet became head of the University Children's Clinic in 1911, imbuing it with his own advanced ideas of child welfare and social medicine. Sick children, for example, had

---

50 Cf. Béla Schick, "Pediatrics in Vienna at the Beginning of the Century," in: *The Journal of Pediatrics* 50 (1957), No. 1, pp. 114–124, pp. 118–119. Although Kassowitz considered phosphorus to be the decisive remedy, ironically it turned out that it was more the cod liver oil as such, which had been readily available in Vienna for decades, that provided the cure. On the treatment of rickets, see also Wilhelm Strauss' treatise *Childhood Diseases and their Prevention* (in this volume pp. 247, 253 and 281).

51 Cf. Lesky, *The Vienna Medical School in the Nineteenth Century* (Fn. 41), pp. 332–333; cf. also Wilhelm Strauss' treatise Childhood *Diseases and their Prevention* (in this volume pp. 279 and 281).

52 Cf. Schick, "Pediatrics in Vienna at the Beginning of the Century" (Fn. 50), p. 120.

nicht hinter ihren Altersgenossen zurückblieben. Freizeit zur Erholung war ein wichtiger Bestandteil des Schullehrplans, der auch Geburtstags- und Weihnachtsfeiern vorsah, bei denen die Kinder Theaterstücke aufführten. Richard Wagner, Pirquets letzter Protegé, schrieb später voller Stolz, dass die Klinik weithin als „eines der berühmtesten pädiatrischen Lehrzentren der Welt" betrachtet worden sei.[50]

Pirquets Vorstellungen von Kinderfürsorge und -erziehung wurden von dem großen österreichischen Anatomen und späteren Sozialpolitiker Julius Tandler geteilt, der 1920 Amtsführender Stadtrat für das Wohlfahrtswesen der Stadt Wien wurde. „Unser Volk"', schrieb Tandler, „war bereit, unserer Führung zu folgen, weil es die Überzeugung hatte, dass nur ein kollektiver Gesichtspunkt gegenseitiger Verpflichtung – eine gesetzliche und obligatorische Beziehung, frei von sogenannten benevolenten und karitativen Einflüssen – die Basis sein könne für alle sozialen Wohlfahrtseinrichtungen. Ein dauerhaftes soziales Wohlfahrtssystem kann nicht durch Erlasse oder durch Quadratmeter beschriebenen Papieres errichtet werden, sondern nur durch den bestimmten und direkten Kontakt mit dem Volke.""[51] Sehr schnell schuf Tandler in Wien die Mutterberatungsstellen, das Jugendamt und die Kinderübernahmestelle, die allesamt zu Vorbildern für ähnliche Einrichtungen in Wiener Neustadt, St. Pölten und Neunkirchen wurden.

---

50 Richard Wagner, *Clemens von Pirquet. His Life and Work*, Baltimore: The Johns Hopkins University Press 1968, S. 118 (Übers. von U. H.).
51 Zitiert nach Goetzl, Reynolds, *Julius Tandler* (Anm. 25), S. 20 (Rückübers. ins Dt. von U. H.).

their own school at the clinic, so that they would not fall behind their classmates. Recreation was an important part of the curriculum, which also provided for birthday parties and Christmas celebrations at which the children presented plays. Richard Wagner, Pirquet's last protégé, later wrote with great pride that the clinic was widely recognized as "one of the most famous pediatric teaching centers in the world."[53]

Pirquet's ideas about child welfare and education were shared by the great Austrian anatomist turned social organizer, Julius Tandler, who would later become City Welfare Counselor (*Amtsführender Stadtrat für das Wohlfahrtswesen*) of Vienna in 1920. "'The people were prepared to follow our leadership,'" wrote Tandler, "'because they had the conviction that only a collective viewpoint of mutual obligation – a legal and obligatory relationship, free from so-called benevolent and charitable influences – could be the basis of all social welfare institutions. A lasting social welfare system could not be established by decrees, nor by square yards of written paper, but solely by definite and direct contact with the people.'"[54] Once in office, Tandler quickly established the Mother's Advisory Bureaus (*Mutterberatungsstellen*), the Child Welfare Office (*Jugendamt*), and the Children's Reception Office (*Kinderübernahmestelle*) in Vienna, all of which became models for similar institutions in Wiener Neustadt, St. Pölten, and Neunkirchen.

---

53 Richard Wagner, *Clemens von Pirquet. His Life and Work* (Baltimore: The Johns Hopkins University Press, 1968), p. 118.
54 As quoted in Goetzl, Reynolds, *Julius Tandler* (Fn. 27), p. 20.

Der junge Dr. Strauß in Wien

Für einen jungen und ernsthaft bemühten Sekundararzt muss Wien ein stimulierendes Umfeld geboten haben. Wilhelm Strauß hatte nicht nur in Prag eine hervorragende medizinische Ausbildung erhalten, sondern er genoss nun auch das Privileg, in einer Stadt zu leben, in der die neuesten medizinischen Entdeckungen von tiefgründigen, sozial orientierten Denkern wie Escherich, Pirquet und Tandler gemacht wurden. Er bewies, wie er es auch in der Vergangenheit stets getan hatte, eine große Offenheit für neue Ideen und eine ausgeprägte Fähigkeit, Neues hinzuzulernen. Wie Dr. Friedrich Wechsberg, Chefarzt der internistischen Abteilung für Erwachsene am kaiserlich-königlichen Wilhelminenspital in Wien, am 14. Mai 1913 in einem Dienstzeugnis schrieb:

> Herr Dr. Strauß war in der Zeit vom 1. August 1912 bis 28. Februar 1913 an der unter meiner Leitung stehenden internen Abtheilung thätig. – Ausgerüstet mit ausgezeichneten Vorkenntnissen in theoretischer und praktischer Beziehung hat Herr Dr. Strauß die sich bietende Gelegenheit zu weiterer Ausbildung mit großem Eifer genutzt und sich gründliche Kenntnisse in der Diagnostik und Therapie innerer Krankheiten einschließlich der nötigen Untersuchungsmethoden physikalischer und chemischer Natur erworben. Herr Dr. Strauß hat die ihm übertragenen Pflichten mit einem seltenen Eifer, grosser Gewissenhaftigkeit und Liebe zum Beruf erfüllt und war auch stets bemüht, über das unbedingte Maß hinaus sich auf der Höhe moderner medizinischer Forschung zu halten. Ich habe Herrn Dr. Strauß mit Bedauern von der Abtheilung scheiden gesehen.

Ganz Ähnliches schrieb auch Dr. Dionys Pospischill, Leiter der Abteilung für Kinderinfektionskrankheiten am Wilhelminenspital:

Young Dr. Strauss in Vienna

Vienna must have provided a stimulating environment for a young and serious intern. Not only had Wilhelm Strauss received an outstanding medical education in Prague, he was now also privileged to live in a city where the most recent medical discoveries were being made by profound social thinkers like Escherich, Pirquet and Tandler. He proved, as he always had in the past, to be receptive to new ideas and to be a quick learner. As Dr. Friedrich Wechsberg, Physician-in-Chief of the Department of Internal Medicine at the Imperial and Royal *Wilhelminenspital* in Vienna, wrote in a testimonial on May 14, 1913:

> Dr. Strauss worked at the internal [medicine] department, directed by me, in the time from August 1ˢᵗ 1912 till February 28ᵗʰ 1913. – Provided with an excellent preliminary knowledge in theoretical and practical respects, Dr. Strauss exploited with great zeal the opportunities offered to him to continue his learning and obtained thorough knowledge in the diagnostics and therapy of internal diseases, including the methods required for examinations both physically and chemically. Dr. Strauss fulfilled the services entrusted to him with uncommon zeal, marked conscientiousness and devotion to his calling, taking efforts always far beyond the indispensable wants [minimal requirements], to keep abreast of the modern state of medical research. It is to my regret that I saw Dr. Strauss leaving the department.[55]

Likewise, Dr. Dionys Pospischill, Head of the Department of Childhood Infectious Diseases at the *Wilhelminenspital*, wrote:

---

55   A 1938 English language translation of Dr. Wechsberg's testimonial.

Herr Dr. Strauß war in der Zeit vom 1. November bis 30. November 1911 und vom 1. Jänner bis 31. Juli 1912 meiner Abteilung für infektionskranke Kinder als Aspirant und Sekundararzt zugeteilt.

Herr Dr. Strauß trat schon mit vorzüglichen Kenntnissen in meine Abteilung ein und fand hier die reichste Gelegenheit, sich in der Diagnostik und Therapie der Infektionskrankheiten des Kindesalters weiter auszubilden. Er hatte die Krankengeschichten einer grossen Anzahl der infektionskranken Kinder zu führen, sämtliche notwendigen diagnostischen Untersuchungen und alle therapeutischen Eingriffe vorzunehmen.

Eine grosse Anzahl infektionskranker Kinder verschiedener Art hat Herr Dr Strauß auf diese Weise intensiv beobachtet und studiert, und er hat sich dabei eine bedeutende Gewandtheit in der Erkennung und ganzen Beurteilung dieser Krankheitsbilder angeeignet.

Herr Dr. Strauß bewies in seinem Dienst stets größte Pflichttreue, bei allen Eingriffen manuelle Geschicklichkeit. Er war stets liebevoll und geduldig mit den seiner Behandlung anvertrauten Kindern, korrekt im Umgang mit Vorgesetzten, Kollegen und Untergebenen.

Auch Strauß' Mentor Dr. Wilhelm Knöpfelmacher, von 1901–1934 Direktor des Karolinen-Kinderspitals und Privatdozent bzw. außerordentlicher Professor für Kinderheilkunde an der Medizinischen Fakultät der Universität Wien, bescheinigte dem jungen Arzt eine exzellente Ausbildung, eine herausragende Kompetenz und eine große Freundlichkeit:

Herr Dr. Strauß war vom 1. Mai 1913 bis 1. Oktober 1913 als Hospitant und vom 1. Oktober 1913 bis 1. August 1914 als Sekundararzt im Karolinen-Kinderspital in Wien tätig. In dieser Zeit hatte er reichlich Gelegenheit, an der Säuglings-Abteilung und an der Abteilung für Interne Krankheiten sowie an den Infektions-Abteilungen gründliche Kenntnis in der Diagnostik und Behandlung auf allen diesen Gebieten zu erwerben, von

Dr. Wilhelm Strauss was assigned to my department for infectious diseases in children as an aspirant and junior doctor in the time from November 1st till November 30th 1911 and from January 1st till July 31st 1912.

Dr. Strauss, provided with excellent knowledge when entering my department, found here most ample opportunities to get a training in the diagnostics and therapy of infectious diseases in childhood. He had to keep the medical records of a large number of children with infections and to perform all diagnostic examinations needed and therapeutic operative measures.

A large number of children affected with infectious diseases, of most various types, were intensively controlled and studied in that way by Dr. Strauss who thus gained a considerable skill in the diagnosis and entire judgment of the sight of such a disease.

Dr. Strauss always showed utmost dutifulness in his service and manual skill with all treatments. He always behaved kindly and patiently towards the children entrusted to his control and correctly in dealing with principals, colleagues and subordinates.[56]

Strauss' mentor Dr. Wilhelm Knöpfelmacher, Director of the *Karolinen-Kinderspital* from 1901–1934 and private lecturer and Associate Professor of Pediatrics at the Medical Faculty of the University of Vienna, also attested to the young doctor's excellent education, extraordinary competence, and great kindness:

Dr. Wilhelm Strauss worked as a hospitant [intern] from May 1st 1913 till October 1st 1913 and as a junior doctor from October 1st 1913 till August 1st 1914 at the Caroline Children's Hospital. During that time he had ample opportunities at the infants department and department for internal diseases, as well as at the department of infectious diseases, to get a thorough knowledge in the diagnostics and

---

56   A 1938 English language translation of Dr. Pospischill's testimonial.

welchen Gelegenheiten er jederzeit auf das Fleissigste und Gewissenhafteste Gebrauch machte.

Herr Dr. Strauß hat sich ausserdem im Umgang mit Patienten jederzeit besonders liebevoll benommen und auch im Umgang mit dem Personal stets taktvoll Ordnung gehalten.

Wir bedauern, dass Herr Dr. Strauß durch seine Kriegsdienstleistung gezwungen wurde, vorzeitig aus dem Spitale zu scheiden.

Die Beiträge von Dr. Wilhelm Strauß zur Kinderfürsorge in Wiener Neustadt

Nach vier Jahren Kriegsdienst an der Ostfront wurde Dr. Strauß von der vor Kurzem gewählten sozialdemokratischen Verwaltung von Wiener Neustadt als Kinderarzt eingestellt. Bei seiner Ankunft wurde er sofort mit Hyperinflation, Überbevölkerung, die sich durch einen Mangel an Wohnraum noch verschärfte, Arbeitslosigkeit, Armut und Volkskrankheiten konfrontiert, und zwar in einem Ausmaß, wie er es noch nie zuvor erlebt hatte.

Wiener Neustadt, eine Industriestadt rund 50 Kilometer südöstlich von Wien, war während des Ersten Weltkriegs, in dem sich die Einwohnerzahl der Stadt verdoppelt hatte, einer der wichtigsten Standorte der Schwerindustrie und der Kriegsmaterialproduktion Österreich-Ungarns gewesen. Nach dem Krieg forderte der Vertrag von St. Germain, dass Produktionsstätten wie die Daimler Motorenwerke und die Wöllersdorfer Munitionsfabrik geschlossen oder auf Friedensproduktion umgestellt werden sollten. Letzteres erwies sich als fast unmöglich, und plötzlich fanden sich drei Viertel der Arbeitskräfte ohne Lebensgrundlage wieder. Die massive Industriearbeitslosigkeit wurde noch verschärft durch die Rückkehr Tausender kranker, besiegter und nunmehr beschäftigungsloser Soldaten in die maroden Armeekasernen und das Theresianum, Österreichs einst berühmte Militärakademie. In Spitzenzeiten machte der An-

treatment within all those domains, which opportunities he always exploited most zealously and conscientiously.

Furthermore Dr. Strauss always behaved with particular kindness in the intercourse [conversations] with patients, while in dealing with the staff he kept order with great judgement.

We regret that by his military service in the war Dr. Strauss was forced to take untimely leave from the hospital.[57]

The Contributions of Dr. Wilhelm Strauss to Child Welfare in Wiener Neustadt

After four years of military service on the Eastern Front, Dr. Strauss was contracted as a pediatrician by the recently elected Social Democratic administration of Wiener Neustadt. Upon his arrival, he was immediately confronted by hyperinflation, over-population exacerbated by inadequate housing, unemployment, poverty, and widespread disease on a scale that he had never witnessed before.

Wiener Neustadt, an industrial city about 50 kilometers southeast of Vienna, had been one of the most important seats of Austria-Hungary's heavy industry and war materiel production during the First World War, a period during which its population had doubled in size. After the war, the Treaty of St. Germain demanded that industries like the Daimler Motor Works and the Wöllersdorfer munitions factory be closed, or redirected to peacetime production. The latter proved to be almost impossible, and suddenly three quarters of the work force found themselves without a means of support. Massive industrial unemployment was exacerbated by the return of thousands of sick and defeated soldiers to ramshackle army

---

57   A 1938 English language translation of Dr. Knöpfelmacher's testimonial.

teil von Wiener Neustadt an der gesamten Arbeitslosigkeit in Österreich fast 12 % aus.[52]

Hinzu kam, dass das Land noch immer unter einem in der Kriegszeit verhängten Embargo stand, das den Zugang zu internationalen Märkten einschränkte. Im ganzen Land war der Transport lahmgelegt, und Grundstoffe (insbesondere Benzin), Medikamente und Lebensmittel waren knapp. Die Menschen begannen zu hungern, und Krankheiten breiteten sich aus, besonders bei Kindern.

„Zur sozialen Situation der Stadtgemeinde Wiener Neustadt ist zu sagen, daß in der Zeit vor 1918 die Bemühungen zur Einrichtung von entsprechenden sozialen Institutionen für die ärmeren oder fürsorgebedürftigen Stadtbewohner immer wieder auf den Widerstand der Stadtgemeinde gestoßen [sind]."[53] Nach dem Krieg wurde dieser politische Widerstand jedoch schnell überwunden. Ab dem 4. Mai 1919 erlangten die Sozialdemokraten, getragen von Arbeitern, die durch das soziale und wirtschaftliche Unglück radikalisiert worden waren, bei Wahlen in Wien und Niederösterreich die absolute Mehrheit. In den folgenden Jahren entwickelte sich die Stadt Wiener Neustadt „zu einer roten Hochburg [...], die sich in ihren kommunal- und sozialpolitischen Bestrebungen an Wien orientierte. Das sozialistische Motto ‚Mit uns zieht die neue Zeit' sollte in Wiener Neustadt so weit als möglich in die Tat umgesetzt werden. [...] Ganz bezeichnend für die Politik der sozialdemokratischen Stadtgemeinde war eine großzügige Kommunalpolitik im Gesundheits- und Fürsorgewesen."[54]

Am 10. März 1919 wurde Dr. Wilhelm Strauß vom Verband der Krankenkassen für Wien und Niederösterreich zum Leiter des Kinderambulatoriums in Wiener Neustadt ernannt. Er würde diese Position bis zum ‚Anschluss' im Jahr 1938 innehaben. Zudem war

---

52 Vgl. dazu Gundula Zeisky, *Die soziale Tätigkeit der Stadtgemeinde Wiener Neustadt in den Jahren 1918–34* (Diplomarbeit zur Erlangung des akademischen Grades Magister der Philosophie eingereicht an der Geisteswissenschaftlichen Fakultät der Universität Wien), Wien 1988, S. 3–10.

53 Ebd., S. 8f.

54 Ebd., S. 7f.

barracks and the *Theresianum*, Austria's once famous military academy, with nothing to occupy their time. At its peak, Wiener Neustadt accounted for nearly 12 % of the total unemployment in Austria.[58]

In addition, the country was still under a wartime trade embargo which restricted access to international markets. Transportation was crippled throughout the country, and raw materials, especially fuel, medicine, and food, were scarce. People were beginning to starve, and disease, especially among children, was rampant.

"One might say that in the period before 1918, as far as the social situation of Wiener Neustadt was concerned, all efforts toward the establishment of social institutions for the poor or needy city residents, had been met with resistance from the city administration."[59] In the aftermath of the war, however, political resistance was quickly overcome. Beginning on May 4, 1919, the Social Democrats, supported by workers who had become radicalized by social and economic misfortune, achieved an absolute majority in elections in Vienna and Lower Austria. During the next few years, the city of Wiener Neustadt "transformed itself into a red stronghold which modeled its communal and social-political efforts after Vienna. In Wiener Neustadt the socialist motto 'As we move, so will the new times' was expected to be realized to the highest possible degree. [...] Especially characteristic of the Social Democratic city administration was its generous health and welfare policy."[60]

On March 10, 1919 Dr. of Medicine Wilhelm Strauss was appointed Head of the Out-patient Clinic for Sick Children (*Leiter des Kinderambulatoriums*) by the Association of the Health Insurance Companies for Vienna and Lower Austria

---

58   Cf. Gundula Zeisky, *Die soziale Tätigkeit der Stadtgemeinde Wiener Neustadt in den Jahren 1918–34* (master's thesis, University of Vienna, 1988), pp. 3–10.

59   Ibid., pp. 8–9 (translated by M. S.).

60   Ibid., pp. 7–8 (translated by M. S.).

er direkt verantwortlich für die Mutterberatung und für die Betreuung von Säuglingen und Kleinstkindern in den städtischen Kinderkrippen. Die Stadt erstellte einen detaillierten zweieinhalbseitigen Vertrag mit den Zuständigkeiten Dr. Strauß', in dem Erfüllungsort und Frequenz seiner regelmäßigen Aufgaben bestimmt wurden und in dem auch Pläne für die Einrichtung von zwei weiteren Jugendfürsorgeeinrichtungen erwähnt wurden. Überdies wurde Dr. Strauß darin dazu verpflichtet, bei Bedarf Notfalldienst zu leisten.

Der Vertrag von Dr. Strauß liefert einen deutlichen Beleg dafür, dass Wiener Neustadt, nicht zuletzt aufgrund des unermüdlichen Einsatzes seines Vizebürgermeisters Josef Püchler, dem von Julius Tandler für Wien entwickelten Modell folgte.[55] Der Nachdruck und die Schnelligkeit, mit denen Wiener Neustadt nach dem Krieg handelte, lässt sich beispielsweise aus dem plötzlichen Anstieg der Anzahl der Ärzte erschließen, die die Kinder in den öffentlichen Schulen der Stadt betreuten: von einem im Jahr 1919 auf fünf im Jahr 1920.[56] Ab 1924 organisierte die Stadt auch klinikinternen Nachhilfeunterricht für Kinder, die Langzeitpatienten waren, womit sie dem Wiener Vorbild Pirquets folgte.[57] Im Geiste der öffentlichen Gesundheitspflege und der proaktiven Medizin, wie sie Tandler propagierte, suchte Strauß junge Mütter und kranke Kinder in ihren Wohnungen auf, wenn sie die städtischen Einrichtungen nicht erreichen konnten, wobei er stets auf seinem Fahrrad zu seinen dankbaren Patientinnen und Patienten kam.[58] In einer Hin-

---

55 Das Fürsorgeprogramm Tandlers lässt sich in zwei Bestandteile untergliedern: präventive Maßnahmen zum Schutz gegenwärtiger und zukünftiger Generationen einerseits, spezielle Maßnahmen zur Bekämpfung bestehender Krankheiten andererseits. Die präventiven Maßnahmen umfassten die Einrichtung der Eheberatungsstellen, der Mutterberatungsstellen, des Jugendamts und der Kinderübernahmestelle. Vgl. dazu Goetzl, Reynolds, *Julius Tandler* (Anm. 25), S. 24.

56 Vgl. Zeisky, *Die soziale Tätigkeit der Stadtgemeinde Wiener Neustadt in den Jahren 1918–34* (Anm. 52), S. 26.

57 Vgl. ebd., S. 19.

58 Vgl. Sulzgruber, *Lebenslinien* (Anm. 4), S. 460.

in Wiener Neustadt. He would continue in this position until the *"Anschluss"* in 1938. Strauss was also directly responsible for counseling mothers (*Mutterberatung*), and for ministering to infants and children in city nurseries (*städtische Kinderkrippen*). The city provided a detailed two-and-a-half-page contract of responsibilities, mentioning plans for the construction of two additional juvenile welfare centers, and detailing the location and frequency of Dr. Strauss' regular duties. He was also required to provide emergency service upon demand.

Dr. Strauss' contract provided clear evidence that Wiener Neustadt, with the tireless prodding of its Vice-Mayor Josef Püchler, was following the model established by Julius Tandler in Vienna.[61] The urgency and speed with which the city acted after the war can be inferred from the sudden increase of medical doctors providing service to children in public schools, from one in 1919, to five in 1920.[62] By 1924 the city had also provided in-house schooling (*Nachhilfeunterricht*) for long-term child patients, following the model established by Pirquet in Vienna.[63] In the spirit of public health and proactive medicine preached by Tandler, Strauss visited young mothers and sick children in their homes when they were unable to travel to city facilities, invariably arriving to appreciative patients on his bicycle.[64] But in one respect, Wiener Neustadt seemed to have anticipated Vienna in the social sphere: as early as 1921 mothers received complete layette packages for

---

61 Tandler's welfare program can be divided into two parts: preventative measures designed for the protection of present and future generations, and special measures designed to cope with existing diseases. The preventative measures led to the creation of the Marriage Advisory Bureaus (*Eheberatungsstellen*), the Mother's Advisory Bureaus (*Mutterberatungsstellen*), the Child Welfare Office (*Jugendamt*), and the Children's Reception Office (*Kinderübernahmestelle*). Cf. Goetzl, Reynolds, *Julius Tandler* (Fn. 27), p. 24.

62 Cf. Zeisky, *Die soziale Tätigkeit der Stadtgemeinde Wiener Neustadt in den Jahren 1918–34* (Fn. 58), p. 26.

63 Cf. ibid., p. 19.

64 Cf. Sulzgruber, *Lebenslinien* (Fn. 5), p. 460.

sicht schien Wiener Neustadt in der Sozialfürsorge Wien jedoch voraus gewesen zu sein: Bereits 1921 erhielten Mütter in Wiener Neustadt kostenlos komplette Säuglingsausstattungen für ihre Neugeborenen, während Tandler erst viel später, nämlich 1927, für Wien darüber berichten konnte.

Während seiner zwanzigjährigen Tätigkeit in Wiener Neustadt übernahm Dr. Strauß immer mehr Aufgaben. Zwischen 1920 und 1934 war er Leitender Arzt der Fürsorgeeinrichtungen für Säuglinge und Kinder und von 1927 bis 1938 Konsultierender Facharzt für Säuglinge und Kinder am Allgemeinen Krankenhaus. Ab 1934 war er darüber hinaus für vier Jahre Kinderarzt an den Mutterberatungsstellen, fand aber gleichwohl immer noch Zeit, an der Fachschule für Kinderpflege zu unterrichten und eine florierende Privatpraxis zu unterhalten. Werner Sulzgruber, Verfasser des Buches *Lebenslinien. Jüdische Familien und ihre Schicksale. Eine biografische Reise in die Vergangenheit von Wiener Neustadt*, versieht denn auch seinen Abschnitt über diese Phase des Lebens meines Großvaters mit dem Titel: „Der Kinderarzt der Stadt".[59]

In einem Dienstzeugnis, das von Dr. Paul Habetin, dem Direktor des Allgemeinen öffentlichen Krankenhauses Wiener Neustadt, stammt und das am 3. Juni 1938, also kurz vor der erzwungenen Abreise Dr. Strauß' nach Bagdad ausgestellt wurde, heißt es:

Herr Dr. Wilhelm Strauß, Facharzt für Kinderheilkunde in Wiener Neustadt, wurde seit dem Jahre 1927 von den einzelnen Abteilungen des a. ö. Krankenhauses Wr.-Neustadt fallweise bei Erkrankungen von Säuglingen und Kleinkindern als fachärztlicher Konsiliarius zugezogen. Ferner war er regelmässig an der geburtshilflich-gynäkologischen Abteilung tätig, wo er die Neugeborenen untersuchte und die Mütter auf der Wöchnerinnenstation beraten hat. Durch diese geburtshilflich-kinderärztliche Zusammenarbeit war es möglich, die gesundheitliche Ueberwachung der Säuglinge von der Geburt an aufzunehmen und nach der Entlassung von Mutter und Kind aus dem Krankenhause

59   Ebd., S. 459.

their newborns free of charge in Wiener Neustadt, while Tandler reported doing so much later, in 1927, in Vienna.

During his twenty years of service in Wiener Neustadt, Dr. Strauss assumed an ever increasing number of duties. Between 1920 and 1934 he was Directing Physician of the Welfare Institutions for Infants and Children (*Leitender Arzt der Fürsorgeeinrichtungen für Säuglinge und Kinder*), and from 1927 to 1938, Consulting Physician for Infants and Children at the General Hospital (*Konsultierender Facharzt für Säuglinge und Kinder am Allgemeinen Krankenhaus*). Beginning in 1934 he also served as pediatrician at the Mother's Advisory Bureaus (*Mutterberatungsstellen*) for four years, while still finding time to lecture in the nursing school (*Fachschule für Kinderpflege*), and to maintain a thriving private practice. For these reasons Werner Sulzgruber, author of *Lebenslinien. Jüdische Familien und ihre Schicksale. Eine biografische Reise in die Vergangenheit von Wiener Neustadt,* titles his chapter on this period of my grandfather's life "The Pediatrician of the City" ("*Der Kinderarzt der Stadt*").[65]

A testimonial provided by Dr. Paul Habetin, Director of the General Public Hospital of Wiener Neustadt, on June 3, 1938, shortly before his forced departure for Baghdad, reads:

> Dr. Wilhelm Strauss, specialist for pediatrics at Wiener Neustadt, was consulted since 1927 as a specialist by several departments of the General Public Hospital of Wiener Neustadt in cases concerning infants' and small children's diseases. In addition to that he rendered regular services at the obstetric-gynecologic department in examining the newborn and giving advice to the mothers in childbed. By means of such obstetric-pediatric cooperation, watching over the infants' health was possible right from birth, and if necessity arose, after the mother and child had left the hospital, the infants with hardly any exception, could be taken

---

65   Ibid., p. 459.

in den notwendigen Fällen Säuglinge fast lückenlos in die entsprechende Fürsorge zu überführen. Ausserdem war es möglich, Erbkrankheiten frühzeitig zu erfassen und der Behandlung zuzuführen. Durch all diese Tätigkeit wurde wertvolle, erfolgreiche sozialhygienische Arbeit geleistet.

Herr Dr. Strauß ist all diesen Aufgaben mit grosser Sachkenntnis und grösster Gewissenhaftigkeit nachgekommen.

Weitere Beurteilungen stammten vom Landeshauptmann und von Berufskollegen, und sie alle bescheinigtem meinem Großvater großen medizinischen Sachverstand und eine unermüdliche Arbeitsmoral. Wie Sulzgruber dazu hervorhebt: „Dr. Strauß bekam von seinen Kollegen und Vorgesetzten im Juni und Juli 1938 hervorragende Zeugnisse und Empfehlungen ausgestellt, obgleich eine solche breite Unterstützung für jüdische Ärzte sicherlich nicht üblich war".[60]

---

60   Ebd., S. 460.

under proper care. We were likewise enabled in this way to recognize hereditary diseases at an early stage and to start treating them. Valuable successful work in social hygiene was achieved by such activities.

Dr. Strauss performed all these responsibilities with marked competence and utmost conscientiousness.[66]

Additional testimonials were provided by the regional governor and professional colleagues, all attesting to my grandfather's great medical acumen and tireless work ethic. As Sulzgruber pointed out: "In June and July 1938, Dr. Strauss received testimonials and letters of recommendation from his colleagues and administrative superiors, even though such broad support for Jewish doctors was decidedly not common."[67]

---

66   A 1938 English language translation of Dr. Habetin's testimonial.
67   Sulzgruber, *Lebenslinien* (Fn. 5), p. 460 (translated by the author).

„Kleine Studie".
Dr. Wilhelm Strauß in seinen eigenen Worten

Es gibt vielleicht keinen besseren Weg, sich ein angemessenes Bild von dem Menschen Dr. Wilhelm Strauß und von der Zeit, in der er lebte, zu machen, als die Worte zu lesen, die er selbst vor fast hundert Jahren geschrieben hat. Unmittelbar erkennbar sind in ihnen seine moderne Ausbildung und sein soziales Gewissen sowie das Aufeinanderprallen der Ideen, der ‚alte Zöpfe' und des Aberglaubens des späten neunzehnten Jahrhunderts mit den Wirklichkeiten der Zeit nach dem Ersten Weltkrieg: Armut, Mangel an den nötigsten Nahrungsmitteln und Krankheit. Einrichtungen wie die Waldschule und die Mutterberatungsstellen springen aus diesen Seiten hervor und erinnern daran, dass es in Wiener Neustadt noch kein Kinderkrankenhaus oder wenigstens eine pädiatrische Klinikabteilung gab. Greifbar werden auch die dezente Kompetenz und die beständige Bescheidenheit Dr. Strauß'. In seinen Ausführungen zur Säuglingssterblichkeit beispielsweise erwähnt er nie, dass er selbst der Hauptverantwortliche für den Wandel war, der die Sterblichkeitsrate in den 1920er Jahren um bis zu 12 % senkte.

Die beiden folgenden ‚kleinen Studien', die erste eine Broschüre, die 1923 veröffentlicht wurde, die zweite ein maschinengeschriebener Bericht, der 1924 den Wiener Neustädter Behörden vorgelegt wurde, sind lebendige Erinnerungen an Turbulenzen und Umbrüche in der nicht allzu fernen Vergangenheit.

"Little Study:"
Dr. Wilhelm Strauss in His Own Words

There is perhaps no better way to get an accurate measure of the man Dr. Wilhelm Strauss and the times in which he lived, than to read the words he himself wrote nearly one hundred years ago. Immediately evident are his modern education and social conscience, as well as the clash of late nineteenth-century ideas, shibboleths, and superstition with the realities of post-war poverty, starvation and disease. Institutions like the School in the Woods (*Waldschule*) and the Mother's Advisory Bureaus (*Mutterberatungsstellen*) leap from the pages, reminding one that there was not yet a children's hospital or even a pediatrics department in Wiener Neustadt. Also visible are Dr. Strauss' quiet competence and enduring modesty. In his remarks on infant mortality, for example, he never mentions that he himself was the primary agent of change, which brought down the mortality rate by as much as 12% in the 1920's.

The two following "little studies," the first a brochure, published in 1923, and the second a typewritten report, presented to Wiener Neustadt authorities in 1924, are vivid reminders of turbulence and change in the not-very-distant past.

Kinderkrankheiten
und ihre Verhütung

Von Dr. med. Wilhelm Strauß
Wiener-Neustadt

Nach einem Vortrag, gehalten für die Mitglieder
der Kreiskrankenkasse Wiener-Neustadt

Verlag Kreiskrankenkasse Wiener-Neustadt
Für den Inhalt verantwortlich Franz Rohowetz

Childhood Diseases
and Their Prevention

By Wilhelm Strauss, M.D.
Wiener Neustadt

Based on a lecture held for the members of
the District Health Insurance of Wiener Neustadt

**Publishing House of the District Health Insurance
of Wiener Neustadt**
Franz Rohowetz responsible for contents

Ich bitte Sie, mir auf einem kurzen Streifzug durch das Gebiet der *Kinderheilkunde* zu folgen. Die Weitläufigkeit des Gebietes wird uns freilich nur an den wichtigsten Stationen einen Aufenthalt gestatten. Nur das soll besprochen werden, was für jeden, der Kinder aufzieht, wissenswert ist. Vieles wird Ihnen bereits bekannt sein, und mancher wird sich vielleicht enttäuscht fragen: Wozu wird uns dies alles erzählt? Das habe ich ja schon längst gewußt! Die Antwort darauf lautet: Wir alle wissen gar vieles, sind vielleicht auch von dessen Bedeutung überzeugt; wenn aber der Augenblick zum Handeln gekommen ist, verhalten wir uns nicht diesem Wissen gemäß, sondern folgen Augenblickseingebungen und Antrieben, die meist in der Richtung unserer Bequemlichkeit oder Begierden gelegen sind. Wir wissen zum Beispiel, daß ein Übermaß von Alkohol- oder Nikotingenuß schwere Gesundheitsstörungen herbeiführen kann, wir kennen die Gefahren, die uns drohen, wenn wir schlecht ausgerüstet eine schwierige Bergbesteigung unternehmen usw.; die Erfahrungen des täglichen Lebens belehren uns aber darüber, wie häufig gegen dieses bessere Wissen gesündigt wird. Nun, ebenso geht es auch bei der Pflege und Erziehung unserer Kinder zu. Wir kennen wohl eine Reihe von Regeln, an die wir uns halten sollten, um sie gesundheitsgemäß zu erziehen. Leider aber ist unser Wissen darüber häufig nicht fest genug verankert, nicht lebendig genug, um uns vor Verstößen zu bewahren, unter deren Folgen unsere Kinder dann zu leiden haben. Dieses schlummernde Wissen zu beleben, indem zusammenhängend die *Beziehungen zwischen unzweckmäßiger Pflege und Entstehung von Krankheiten* beleuchtet werden, soll im wesentlichen die Aufgabe unserer heutigen Besprechung sein. Auf die Krankheitsäußerungen selbst gehe ich nur so weit ein, als es für das rechtzeitige Erkennen von Krankheiten von Bedeutung ist.

Je jünger das Kind, desto schwieriger ist seine Pflege, desto zahlreicher sind auch die Fehler der Pflege. Daher ist der Abschnitt über das Säuglingsalter auch am ausführlichsten behandelt worden.

Wenn wir uns über die Krankheiten des Kindesalters auseinandersetzen wollen, müssen wir zunächst feststellen, was wir denn unter dem Schlagwort

I ask you to follow me on a short excursion through the realm of *pediatrics*. The extent of the area to be covered will only allow us a brief stop in the most important areas. Only those things will be discussed which are of interest to those of you who are bringing up children. Much of it you will already know, and some of you may perhaps ask yourselves in disappointment: "Why are you telling us this? I have known all of this for ages!" The answer is: "We all know a lot, and are perhaps even convinced of its importance. But when the time comes, we often do not act on our knowledge, but rather give in to momentary impulses which are more determined by our immediate wishes, or by convenience." For example, we know that excessive consumption of alcohol or tobacco can cause serious health problems; we also know the dangers which threaten us when we try to climb a mountain poorly equipped, and so forth. However, our experience in daily life also shows us how often we transgress against our own better judgment. The same happens in the care and upbringing of our children. We are aware of a wealth of rules we ought to follow in order to bring them up in a healthy manner. Unfortunately, our knowledge is not always securely anchored, nor does it come quickly enough to mind, to prevent us from violating these rules, sometimes to the great detriment of our children. It is the essential task of our discussion today to strengthen this knowledge by shedding light on the *connection between the unsuitable care of children and the origin of their diseases*. I will describe the course of these diseases only as far as is necessary to recognize their symptoms as early as possible.

The younger the child, the more difficult is his care and the more numerous the mistakes that can be made. Therefore, the section on infancy will be handled most extensively.

In order to discuss the diseases of children we must first define what

„Kinderkrankheiten"

zu verstehen haben und nach welchen Gesichtspunkten wir sie einteilen sollen. Wir wollen versuchen, uns die Beantwortung dieser Frage durch praktische Beispiele zu erleichtern.

Jeder denkt wohl zunächst an gewisse, von Fieber begleitete, übertragbare, sogenannte *akute Infektionskrankheiten*, wie Masern, Scharlach, Diphtherie usw. Sind das nun Kinderkrankheiten? Die Erfahrung lehrt uns, daß von diesen Krankheiten der Mensch auf jeder Altersstufe, also auch der erwachsene, befallen werden kann. Und doch pflegen wir sie Kinderkrankheiten zu nennen, weil sie in der erdrückenden Überzahl im Kindesalter auftreten. Warum ist denn dies der Fall? Die Antwort lautet: Der ganze menschliche Körper ist derart abgestimmt, daß er auf das Eindringen gewisser kleinwinziger Lebewesen, der *Bazillen*, auf eine ganz bestimmte Art antworten muß. Diese Antwort ist die Krankheit, die je nach der Art des eindringenden Bazillus beschaffen ist und die wir dann mit dem geläufigen Krankheitsnamen bezeichnen. Da diese kleinen Lebewesen nun von Mensch zu Mensch übertragen werden können, wodurch die Möglichkeit zur Ansteckung gegeben ist, so ist es begreiflich, daß schon der kleine Mensch, das Kind, bei erster Gelegenheit zu erkranken pflegt.

Ein anderes Beispiel: die *Tuberkulose*; auch von ihr werden, wie bekannt, alle Altersstufen befallen. Doch hat diese Krankheit im Kindesalter häufig einen anderen Verlauf als beim Erwachsenen. Sie bleibt meistens auf die Eingangspforten und ihre Filter, das sind die Lymphdrüsen, beschränkt und zeigt meist einen gutartigen zur Ausheilung neigenden Charakter.

Ein drittes Beispiel bietet die unter dem Namen „*Englische Krankheit*" oder „*Rachitis*" bekannte Knochenerkrankung, die uns allen als eine ausgesprochene Kinderkrankheit geläufig ist. Nur ganz ausnahmsweise, wie unter den ungewöhnlich schlechten Ernährungsverhältnissen der jüngsten Vergangenheit, werden Erwachsene von ihr befallen.

Wenn wir nun an der Hand unserer drei Beispiele (akute Infektionskrankheiten, Tuberkulose, Rachitis) eine Einteilung der Kinderkrankheiten vornehmen wollen, so können wir sie etwa so fassen:

actually are, and then determine how they should best be categorized. We will attempt to make this easier by looking at practical examples.

Each of us thinks first of certain communicable, *acute infectious diseases* accompanied by fever, such as measles, scarlet fever, diphtheria, and so forth. Are they childhood diseases? We know from experience that people of all ages – including adults – can be afflicted with these illnesses. Yet we tend to call them childhood diseases because statistics overwhelmingly show they occur during childhood. Why is this the case? The answer is: the entire human body is so constituted that it must react in a particular way to the invasion of tiny creatures called *bacilli*. This characteristic reaction is the disease, which depends on the nature of the invading bacillus, and which we then call by the common name of the disease. Because these tiny creatures can be passed from person to person, creating the possibility of infection, it follows that the smallest of people, the child, usually gets sick first.

Another example: *tuberculosis*. It is commonly known that people of all ages can come down with this illness. But it often follows a different course in children than in adults. Tuberculosis in children most often stays in the body's gateways and its filters – the lymph nodes – offering good chances for a cure.

A third example is the bone disease often called *"the English disease"* or *"rickets,"* that is familiar to us as an exclusively childhood malady. However, in the recent past when nutritional conditions were unusually poor, adults were also stricken.

If we wish to make a classification of childhood diseases according to our three examples (acute infectious diseases, tuberculosis, and rickets) we can visualize them in the following way: there are two large groups of diseases prevalent during

Es gibt zwei große Krankheitsgruppen des Kindesalters: Die erste Gruppe von Krankheiten, als deren Vertreter die Infektionskrankheiten genannt wurden, sind jene, welche das Kind deshalb befallen, weil es als *„Mensch"* dazu neigt, während etwa die verschiedenen Tierarten verschont bleiben, also, weil es die menschliche *„Artdisposition"* dazu besitzt. Die zweite Gruppe, als deren Vertreter Tuberkulose und Rachitis angeführt wurden, umfaßt jene Krankheiten, welche infolge der *Eigenart* ihres Verlaufes im Kindesalter, beziehungsweise dessen Vorliebe für sie, als Kinderkrankheiten angesprochen werden. Es besteht für sie demnach beim Kind eine *„Altersdisposition"*.

Nur in diesem Sinne sind wir also berechtigt, von Kinderkrankheiten zu sprechen.

Warum antwortet der Kindeskörper auf *Krankheitsreizung* anders als der des Erwachsenen? Die wichtigste und für unsere kurze Besprechung allein in Betracht kommende Begründung gibt uns die Tatsache, daß sich die kindlichen Organe *in einem noch unfertigen Zustand* befinden und dies um so mehr, je jünger das Kind ist. Der Krankheitsreiz trifft einen wachsenden, noch unentwickelten Organismus. Der unmittelbar entstehende Schaden ist viel gewaltiger als beim Erwachsenen (ich erinnere an die Fraisen und gewisse Darmkatarrhe des Säuglings); aber glücklicherweise ist es eben der *Wachstumstrieb*, der bei der Wiedergutmachung der Schäden ungeahnte Heilkräfte entfaltet und auch schwere Schäden ohne nachteilige Folgen verschwinden läßt.

Diese Eigentümlichkeit des Krankheitsverlaufes im Kindesalter gibt uns nun auch die Richtlinien für unsere *Hilfe und Vorkehrungen*.

Um Ihnen dies wieder an Beispielen klarer zu machen: Wenn ich weiß, daß hohes Fieber im Säuglingsalter leicht allgemeine Krämpfe, Fraisen genannt, erzeugt, so werde ich diese zu verhüten trachten, indem ich das Fieber rechtzeitig bekämpfe. Oder: Wenn mir bekannt ist, daß Säuglinge, besonders bei künstlicher Ernährung, gegen die Sommerhitze sehr empfindlich sind und an einer Form des Hitzschlages, welcher mit einem bösartigen Brechdurchfall einhergeht, erkranken können, werde ich rechtzeitig alle Maßnahmen treffen, um sie vor dieser Katastrophe zu bewahren. Die Beispiele ließen sich natürlich beliebig vermehren.

248

childhood. The first group, called infectious diseases, consists of those that afflict the child because he is a *"human being."* While various species of animals are spared these infections, the child possesses a *"disposition based on his species."* The second group, such as tuberculosis and rickets, consists of those diseases that we describe by the *uniqueness* of their clinical course, or their frequent appearance during childhood. We can say the child possesses a *"disposition based on his age."*

Only with this understanding are we justified in speaking of childhood diseases.

Why does the body of a child respond to *infection* differently from that of an adult? The most important reason – and the only plausible one for our short discussion – is the fact that the organs of the child, in direct proportion to his age, are *not yet fully developed.* Because the infection encounters a growing, undeveloped organism, the immediate harm is much more potent than in an adult. (I call to mind convulsions and gastroenteritis in infants.) Fortunately, the *growth process* unleashes unanticipated healing powers, preventing damage and long-lasting consequences.

This characteristic course of childhood disease provides us with guidelines for both *cures* and for *preventive measures.*

Let us use examples to clarify this. Since I know that a high fever in infants easily causes general cramps, called convulsions, I will try to prevent this by combating the fever in a timely manner. Or, since I know that infants, especially those that are nourished artificially, are very susceptible to summer heat which can cause a form of heatstroke accompanied by vomiting and diarrhea, I will take all preventive measures to avert this catastrophe. Many other such examples abound.

Wir wollen uns nun der Besprechung dieser

Abwehr- und Vorbeugungsmaßnahmen

im einzelnen zuwenden. Zunächst einige allgemeine Gesundheitsregeln: Einige Worte über *die Hygiene der Wohnung*. Das ist freilich bei der heutigen Wohnungsnot eine oft schwer zu lösende Frage. Viele Familien müssen froh sein, überhaupt ein Dach über dem Kopf zu haben und können nicht wählen. Wer eine nach Norden liegende Kleinwohnung hat, womöglich mit indirektem Tageslicht, dem wird man vergeblich predigen, er möge viel Sonne in seine Wohnung hineinlassen. Ebenso wird es heute wenige geben, die in der Lage sind, die Kosten für die Trockenlegung einer feuchten Wohnung zu tragen. Aber auch innerhalb der enggezogenen Grenzen läßt sich vieles besser machen, als ich und unsere Fürsorgerinnen es häufig antreffen. *Es kann und muß fleißig gelüftet werden.* Während die größeren Kinder in der Schule oder im Kindergarten sind, wird das kleine Kind in den zweiten Raum gestellt und inzwischen gründlich ausgekehrt, feucht aufgewischt, abgestaubt und das Fenster wenigstens eine Stunde lang, womöglich mit Gegenzug, offengehalten; gleichzeitig wird das Bettzeug täglich gelüftet.

Dann erst wird geheizt. Bei reiner Zimmerluft hat der Ofen oder Herd einen viel besseren Zug und erwärmt sich rascher. Bei den zumeist in Verwendung stehenden Eisenöfen wird die Luft zu trocken; deshalb sollen flache Gefäße mit Wasser, natürlich offen, aufgestellt werden; daran darf man besonders bei *Hustenkatarrhen* der Kinder nicht vergessen. Nach dem Kochen wird wiederum zur Entfernung des Küchendunstes kurz gelüftet. Wo nur ein Raum zur Verfügung steht, soll aus Rücksicht für das kleine Kind das *Tabakrauchen* unterlassen werden, wohl ein hartes Opfer, das aber jeder Vater, der sein Kind lieb hat, diesem gern bringen wird. *Das Verbot des freien Ausspuckens* gilt natürlich nicht nur für Eisenbahnwagen, sondern noch viel mehr für das eigene Heim. Im Sommer ist den *Fliegen* unbarmherzig der Krieg zu erklären, da sie als Überträger ansteckender Darmkrankheiten, zum Beispiel der

We now want to turn to the discussion of specific

measures to avert or prevent illnesses.

First a few words about general matters of health, such as *hygiene in living quarters*. With today's lack of places to live, this is often a problem that is difficult to solve. Many families must be content to have a roof over their heads, and have no choice in housing. It does no good for someone who dwells in a small flat facing north with only indirect sunlight, to hear sermons about letting as much sunshine into his place as possible. Similarly, not many people are in a position to shoulder the cost of fixing a flat that has a damp foundation or walls. But even with limited resources, there is room for improvement in the conditions that our welfare workers and I often encounter. *We can and must ventilate our dwellings more diligently.* While the older children are in school or kindergarten, the younger ones must be put in the other room. During that time, the vacant room must be thoroughly swept, the floors washed, the room dusted, and the windows kept open for at least an hour, preferably with cross-circulation. At the same time, the bedding must be aired.

Only then should the room be heated. When the air is clean, the oven or furnace can work much more quickly and efficiently. Since ordinary iron stoves make the air too dry, flat, open vessels filled with water should be placed around the room. This is especially important when children suffer from *coughing spells*. A short period of ventilation should follow cooking, to remove the smoke and vapors. In one-room dwellings, *smoking tobacco* should be avoided out of consideration for a small child. This is a severe sacrifice, but one that every father who loves his child will be willing to make. *A ban on spitting* is not confined just to train cars, but certainly applies even more so to the home. War must be declared on all *flies* during summer months, because they are dangerous

Ruhr, gefährlich werden können. Überhaupt ist auf die *Vertilgung von Ungeziefer* alle Energie aufzuwenden. Manche der Mutter unverständliche Schlaflosigkeit ihres Lieblings findet ihre Aufklärung in der nächtlichen Tätigkeit der häuslichen Wanzen.

Dunkle Vorhänge sind unpraktisch, da sie das Licht abhalten; Teppiche müssen oft geklopft werden und alles, was als *Staubfänger* dienen kann, wie zum Beispiel künstliche Blumen, soll nicht zu Zimmerschmuck verwendet werden. Die *Zimmertemperatur* soll 15 Grad Reaumur nicht überschreiten. Zur *Beleuchtung* ist das elektrische Licht das gesündeste, weil es die Luft nicht verdirbt. Urin und Stuhl des kleinen Kindes sind möglichst schnell zu beseitigen, beschmutzte Windeln dürfen nicht im Wohnraum aufbewahrt werden.

Wie wenig überflüssig es ist, diese, vielen von Ihnen selbstverständlich erscheinenden Regeln zu besprechen, geht daraus hervor, daß sie, speziell was die *Lüftung* anlangt, aus falscher Sparsamkeit oder Unkenntnis häufig nicht sorgfältig genug eingehalten werden. Ihre Wichtigkeit aber werden sie verstehen, wenn ich Ihnen sage, daß *Mangel an Luft und Licht* eine Hauptursache der *englischen Krankheit* und der *Tuberkulose* ist, weiter, daß im trockenen Staub sich die Erreger der Tuberkulose besonders gut halten und schließlich beim Säugling eine dumpfe Luft das Entstehen von Erkältungs- und Darmkrankheiten äußerst begünstigt.

Jedes Kind soll seine eigene Schlafstätte haben.

Ein vielverbreiteter aber schlechter Brauch ist es, daß die Mutter ihr Jüngstes bei sich im Bette schlafen läßt. Wiederholt schon wurden Säuglinge im Schlafe erdrückt; auch Krankheiten, wie zum Beispiel der Tripper, werden nicht selten auf diesem Wege übertragen. Die *Bettunterlage* soll hart sein, das *Kopfkissen* niedrig, besonders bei Kindern, die zur englischen Krankheit neigen. Zum Zudecken sind *Wolldecken* besser als Federbetten, da sie luftiger und leichter zu reinigen sind.

transmitters of infectious intestinal diseases like dysentery. All one's energy must be employed to *exterminate insects and vermin of all kinds*. For many mothers the solution to the mystery of their sleepless children can be found in the nocturnal activity of bed bugs.

Dark drapes are impractical because they block out sunlight. Carpets must be beaten regularly and anything that *gathers dust*, such as artificial flowers, should be avoided in room decoration. *Room temperature* should be kept below 15 degrees Reaumur [approximately 65 degrees Fahrenheit]. *Electric lighting* is the healthiest, since it does not spoil air quality. The urine and feces of a small child must be removed as quickly as possible, and soiled diapers must not be kept in living quarters.

However unnecessary it may seem to discuss these rules of good hygiene with you, it truly is not. Many of you do not *ventilate* well enough, whether from a false sense of thrift, or from a lack of knowledge. You will fully understand its importance when I tell you that the *lack of air and light* is one of the chief causes of both the *English disease* and *tuberculosis*. Furthermore, the germs of tuberculosis are especially well sustained in dry dust, and stuffy, close air is extremely favorable for the development of colds and intestinal diseases in infants.

Every child should have his own bed.

It is a widespread but bad habit when a mother allows her youngest child to sleep in bed with her. Repeatedly, infants have been crushed to death, and diseases, including syphilis, have often been transmitted in this way. The *mattress* should be firm and the *pillow* low, especially with children who have a tendency to suffer from the English disease. *Wool blankets* make better covers than feather beds because they are airier and easier to clean.

Das *Spielzeug* des Kindes soll glatt und waschbar sein, am besten aus Zelluloid oder Gummi. Schädlich sind mit Farben angestrichene Spielsachen, da kleine Kinder die Gewohnheit haben, alles in den Mund zu nehmen, und viele Farben Giftstoffe enthalten.

Ich kann natürlich nicht auf jede Einzelheit eingehen; das Wesentliche ist, daß alles, was zur Umgebung des Kindes gehört, rein und leicht zu reinigen sein soll.

Einiges über die *Körperpflege*. Das Kind ist möglichst bald daran zu gewöhnen, den Mund nach den Hauptmahlzeiten auszuspülen. Damit kann man schon am Ende des zweiten Lebensjahres beginnen; später wird die Zahnbürste verwendet. Jedes Kind muß natürlich eine eigene Bürste besitzen.

Der Säugling muß *täglich* gebadet werden, wenn ärztliche Einsicht es nicht anders verlangt. Es ist ein Aberglaube, daß häufige Bäder schwächen. Die Haut ist ein lebenswichtiges Organ, das zahlreiche Drüsen enthält, deren Ausführungsgänge durch den Schmutz verstopft werden. So können Hauteiterungen und in deren Folge Lymphdrüsenentzündungen entstehen, die den Allgemeinzustand schwer schädigen und die Entwicklung hemmen. Es gilt also, den Säugling täglich, die größeren Kinder mehrmals in der Woche unter Verwendung einer milden Seife zu baden. Bei den größeren müssen Kopf und Oberkörper täglich, die *Hände* unbedingt vor jeder Mahlzeit gewaschen werden. Die *Nägel* sind immer kurz geschnitten zu halten und dürfen keine „Trauerränder" haben. Im Nagelschmutz nisten mit Vorliebe die Eiter- und Tuberkuloseerreger. Auch kleine Wurmeier bleiben dort haften und werden bei der Nahrungsaufnahme verschluckt. Aus diesen Eiern entwickeln sich im Darm die bekannten Spring- oder Madenwürmer, welche für alt und jung eine weitverbreitete Plage bilden. Daß auch ein jeder *Erwachsene*, der Kinder, insbesondere Säuglinge pflegt, der Sauberhaltung seines Körpers, ganz besonders der Hände, die größte Sorgfalt zuwenden muß, ist wohl selbstverständlich. So muß beispielsweise die Mutter nach jeder Hantierung mit beschmutzten Windeln die Hände gründlich mit Seife und Bürste reinigen. Was die *beschmutzten Windeln* anlangt, so sind diese un-

Toys for small children should be smooth and washable, preferably made of celluloid or rubber. Playthings that are painted are harmful, because tiny children like to put everything in their mouths, and paints contain toxins.

I cannot mention every detail, but the most essential thing is that everything in a child's immediate surroundings should be clean and easy to wash.

As early as possible, a child should make a habit of rinsing out his mouth after meals. This can begin when a child is two years of age. Later a toothbrush will be used, and of course each child must have his own toothbrush.

The infant must be bathed *daily* unless a doctor instructs otherwise. It is a superstition that frequent bathing makes the organism weaker. Skin is a vitally important organ that contains numerous glands that can be clogged by dirt and grime. Skin abscesses and inflammation of the lymph nodes can result, which can seriously affect a child's general health, and may hinder his development. The rule is to bathe infants every day, and older children several times a week, using mild soap. Older children's scalp and torso should be washed daily, and *hands* must be washed before meals without fail. *Fingernails* should be kept short and any filth under the nails must be removed. The bacteria and mites which cause abscesses and tuberculosis love to breed here. Minute worm eggs also flourish, which can be swallowed at mealtime. These eggs develop into various kinds of intestinal worms that can torment both young and old. It is therefore also obvious that any *adult* who cares for children – especially infants – must devote utmost attention to keeping his body and hands as clean as possible. As an example, after a mother touches a *soiled diaper* she must always wash her hands thoroughly with soap and a hand brush. As to diapers, they must be washed in boiling water to kill the germs and prevent them from spreading.

In connection with skin care, I would like to mention a very widespread and bothersome disease which can lead to se-

bedingt auszukochen, da sich sonst in ihnen Eiterreger ansammeln und vermehren.

Im Zusammenhang mit der Hautpflege will ich gleich hier eine häufig auftretende, sehr lästige, in ihren Folgen durchaus nicht gleichgültige Hautkrankheit besprechen: die *„Krätze", „Skabies"*, im Volksmund auch die „beißende oder juckende Krankheit" genannt. Diese Krankheit, die durch kleine in der Haut sich festsetzende Lebewesen hervorgerufen wird, hat sich gegenwärtig zu einer wahren Landplage entwickelt. Sie besteht in einem, besonders zur Nachtzeit stark juckenden Ausschlag, der unwiderstehlich zum Kratzen zwingt. Durch das Kratzen wird die Haut verletzt und es entstehen in der Folge Eiterpusteln und -beulen, die oft operiert werden müssen. Außerdem ist die Nachtruhe gestört und damit das Wohlbefinden des Befallenen. Erkranken kann der eintägige Säugling so gut wie der älteste Greis. Übertragen wird die Krankheit von Mensch zu Mensch durch Berührung und durch gemeinsam benützte Kleidungs- und Wäschestücke. Die Krankheit ist leicht zu beseitigen, nur müssen – das kann nicht stark genug betont werden – *alle Befallenen gleichzeitig behandelt und die infizierten Kleidungsstücke desinfiziert werden*. Nur weil immer wieder gegen dieses Gebot der gründlichen, gleichzeitigen Behandlungen verstoßen wird, scheint die Krankheit in den Augen vieler Menschen unausrottbar zu sein. Bemerkt man also an sich oder seinem Kinde die ersten Anzeichen der Krätze, so soll sofort *ärztliche Hilfe* in Anspruch genommen werden.

Was die *Bekleidung* anlangt, so gilt der Satz, sie sei so warm als notwendig und so luftig als möglich. Meist wird gegen diese Forderung in dem Sinne verstoßen, daß die Kinder zu warm angezogen und somit verweichlicht werden. Werden sie dann größeren Temperaturschwankungen ausgesetzt, so entsteht leicht eine Erkältungskrankheit. Enganliegende Bekleidungsstücke sind, da sie die Entwicklung der Organe behindern und zu Blutstauungen Anlaß geben, zu verwerfen. Auf die Säuglingsbekleidung kommen wir noch zu sprechen.

rious consequences: *scabies*, commonly called "the itch." This contagious disease, caused by tiny mites that burrow under the skin and deposit their eggs, has recently become a public scourge. It consists of a rash that itches, particularly at night, and scratching is practically irresistible. Scratching irritates the skin and produces pus and abscesses which often require surgery. In addition, scabies makes a good night's sleep virtually impossible, influencing a person's general health. Scabies can infect a one-day-old newborn as well as the oldest man or woman. It is transmitted from person to person by touch, and by commonly shared items such as clothing and underwear. The disease is easy to eliminate but – and this cannot be emphasized strongly enough – *everyone infected must be treated simultaneously and their contaminated clothing must be disinfected at the same time.* Only because this golden rule of thorough and simultaneous treatment is so often not observed, does the disease appear to be ineradicable in the eyes of so many people. At the first signs of scabies on yourself or your child, a *doctor should immediately be called.*

As far as *clothing* is concerned, the rule is that it should be as warm as necessary but as loose as possible. Often children are dressed too warmly, which weakens their immune system. This coddling can lead to catching colds when outdoor temperatures fluctuate. Tightly fitting clothes should consistently be shunned because they restrict organ growth and blood circulation. We will mention clothing for infants later.

Wir wenden uns nun im einzelnen der *Betrachtung der verschiedenen*

Altersstufen

zu.

Wir haben schon eingangs darauf hingewiesen, wie groß der Unterschied im Lebensablauf und demgemäß in den Lebensbedürfnissen des Kindes, insbesondere aber

des Säuglings

im Verhältnis zu denen des Erwachsenen ist. Die Anforderungen, welche an die Einsicht, Geduld und Genauigkeit der Pflegepersonen gestellt werden, sind daher sehr große. Wieviel da noch die Menschen zu lernen haben, wird Ihnen einleuchten, wenn ich darauf hinweise, daß die *Gesamtsäuglingssterblichkeit* in den Kulturstaaten ungefähr 15 Prozent beträgt; das heißt, von 100 Lebendgeborenen sterben im ersten Lebensjahr 15 Kinder und davon entfällt fast die Hälfte auf die zwei ersten Lebensmonate. Wenn wir aber die Sterbeziffer der natürlich Genährten von der der künstlich Genährten trennen, so erfahren wir, daß von 100 *Brustkindern* nur 7, von 100 *Flaschenkindern* aber 18 im ersten Lebensjahr sterben. Die Zahl der Todesfälle bei den künstlich Genährten ist also mehr als zweieinhalbmal so groß wie bei den Brustkindern. Die Statistik zeigt uns ferner, daß, je schlechter die soziale Lage, desto schlechter das Los der Flaschenkinder ist, während die Sterbeziffer der Brustkinder in allen gesellschaftlichen Schichten ungefähr die gleiche bleibt. Auf die interessanten Einzelheiten kann ich leider wegen der Knappheit der Zeit nicht eingehen. Nur soviel: *Die Pflege des künstlich Genährten ist viel, viel schwieriger als die des Brustkindes,* zumal in den Städten, wo es heute leider an einer einwandfreien Säuglingsmilch gebricht. Demgegenüber wird die Mutter, die ihr Kind selbst stillt, reichlich belohnt durch ein stetes Gedeihen ihres Kindes, das gegen Krankheiten viel widerstandsfähiger ist und sie viel leichter übersteht als das künstlich Genährte.

Let us now turn our attention to

the stages of a child's life.

We previously referred to the huge differences between children

– especially infants –

and adults, regarding the course of their lives and their ensuing needs. The demands placed on their caregivers' insight, patience and exactness are very high. Just how much we still have to learn can be illuminated by a few statistics. The *total infant mortality rate* in so-called "developed countries" is roughly 15 percent; that means that of 100 live births 15 children die in their first year, half of those within their first two months of life. If we separate those nourished naturally (breast-fed), from those nourished artificially (bottle-fed), we learn that of 100 *breast-fed* infants 7, and of *bottle-fed* 18, die in their first year. The number of deaths among artificially nourished babies is more than two-and-a-half times higher than among naturally nourished ones. The statistics further show us that the lower the social class, the worse the fate of a bottle-fed baby, whereas the number of deaths of breast-fed babies remains about the same in all social strata. I cannot go into more interesting detail at this point. Suffice it to say that *caring for artificially nourished children is much, much more difficult than caring for those who are naturally fed*, all the more so because in cities there is unfortunately no hygienically reliable source of milk for infants. In contrast, a mother who nurses her child is richly rewarded by his overall healthy development. These children are more resistant to, and better able to overcome, diseases, than those who are artificially nourished.

Moving on from issues of nutrition to discuss other medical dangers of *infancy*, we encounter two that are especially

Sehen wir vorläufig von der Ernährungsfrage ab und besprechen wir die übrigen Gefahren, welche dem *Säuglingsalter* drohen, so haben wir für das Neugeborene auf zwei besonders hinzuweisen: auf die *Augeneiterung*, die zur Erblindung, auf die *Infektion der Nabelwunde*, welche zu tödlicher Blutvergiftung führen kann. Da das Neugeborene wohl immer unter der Obsorge der Hebamme steht, welche die nötigen Vorkehrungen trifft, kann ich die eingehende Besprechung dieser Krankheiten unterlassen. Nur soviel: Bis zur Heilung ist die Nabelwunde stets sauber verbunden zu halten! Später ist der *Nabelverband* (das sogenannte Fatschen) völlig überflüssig, da er keinen Schutz gegen eine etwaige Bruchbildung gewährt, wie vielfach irrig angenommen wird. Ist aber der Nabel nach etwa 14 Tagen nicht geheilt, so muß unbedingt der Arzt befragt werden. Das Neugeborene soll in der Regel *täglich gebadet* werden, nur muß sowohl das Wasser (am besten gekochtes) als auch die Wanne peinlichst sauber sein. Die Badewanne des Säuglings darf *niemals* anderen Zwecken als denen des Kindesbades dienen. Die Badetemperatur soll 35 Grad Celsius, das ist 28 Grad Reaumur betragen und mit dem Thermometer gemessen werden. Die Dauer des Bades beträgt drei bis fünf Minuten. Das Kind darf durch das Baden nie erschöpft oder gar blau und kalt werden.

Häufig kommt bei Neugeborenen ein *eitriger Bläschenausschlag* der Haut vor, der ärztliche Behandlung erfordert. Eine andere häufige Erkrankung ist der durch den Soorpilz hervorgerufene sogenannte „*Mehlmund*", ein weißer Belag der Zungen- und Wangenschleimhaut, der die Kinder am Trinken behindert und daher behandelt werden muß. Fast immer kann er verhütet werden, wenn man von der Unsitte abläßt, den Kindern den Mund auszuwaschen. Der Mund des Säuglings ist für nicht Sachverständige ein *Rührmichnichtan*! Sehr leicht kann der Mehlmund auch durch einen unreinen Gummisauger übertragen werden. Ich muß daher an dieser Stelle einige Worte über den *Sauger* oder *Lutscher* verlieren. Ein typisches Bild, wie ich es selbst oft beobachten muß, ist folgendes: Der Säugling schreit; die Mutter greift in die Tasche, aus der sie ihr gebrauchtes Taschentuch, einige schmutzige Banknoten und anderen Taschenkram herauszieht. Endlich kommt der „Lutscher" ans Tageslicht; eilfertig, aber gründlich

detrimental to a newborns' health: *eye infections* can lead to blindness, and the *infections of the navel wound* can lead to fatal blood poisoning. Since a newborn is always in the hands of a midwife, who is knowledgeable and takes necessary measures, I can omit some details. But only to a certain extent: until the navel wound is fully healed it must always be kept clean and bandaged! Afterwards, *navel bandaging* is completely superfluous, since it in no way prevents a hernia, as is often erroneously believed. If, however, the navel has not healed within 14 days, a physician must be consulted. *A newborn should, as a rule, be bathed daily*, but the water (it is best to boil it), as well as the tub, must be immaculately clean. A baby's small tub must *never* be used for any purpose other than the baby's bath. The water should be 35 degrees centigrade (28 degrees Reaumur) [approximately 95 degrees Fahrenheit] and measured using a thermometer. Three to five minutes suffice for a bath. A child must never become either exhausted or turn blue from cold.

Frequently, newborns develop a *blistering skin rash*, which requires a physician's attention. Another common illness is caused by a fungus in the mouth, leading to the colorful description *"mealy mouth"* [oral thrush]. A white coating of the tongue and mucous membrane of the cheeks makes drinking difficult for a baby, and must be treated. It can almost always be avoided by refraining from the terrible habit of washing out a child's mouth. An infant's mouth is a *"Do not touch!"* zone for non-professional caregivers. "Mealy mouth" can easily be transmitted by an unclean rubber pacifier. In this connection, I must say a few words about the *use of pacifiers*. A typical scene that I often observe goes something like this: an infant cries and a mother reaches into her handbag from which she pulls out her used handkerchief, a few filthy paper bills, and various other items. Finally, the pacifier comes to light. Hurriedly but thoroughly, the mother twirls it around between her own lips several times, slathering it with saliva before stuffing it into

dreht ihn die Mutter mehrmals zwischen den eigenen Lippen, speichelt ihn gut ein, um ihn dann dem wehrlosen Kleinen, mit Millionen Krankheitskeimen beladen, in den Mund zu praktizieren. Aber nicht genug daran, wenn man entsetzt herbeistürzt, um das Kind von seiner Infektionsquelle zu befreien, findet man den Sauger an der Spitze durchbohrt und in seinem Innern Zucker oder gezuckerten Mehlstaub, damit die Bazillen in der Mundhöhle auf den sich zersetzenden Stärkeprodukten nur ja einen glänzenden Nährboden finden. Nicht nur der Mehlmund, sondern auch *Tuberkulose* und *Darmkrankheiten* werden so dem hilflosen Kinde beigebracht. Darf der Lutscher also nicht verwendet werden? Die Antwort lautet: Bei ruhigen Kindern ist er überflüssig, bei unruhigen und kränklichen ist seine Verwendung im Interesse des häuslichen Friedens und der Nachtruhe oft nicht zu umgehen. Dann aber muß er *peinlich sauber* und *trocken* entweder unter einem Glassturz oder in einem frischgewaschenen Tüchlein aufbewahrt werden; *niemals* darf er in einen anderen Mund kommen als in den des Säuglings, für den er bestimmt ist, *niemals* mit Nährstoffen angefüllt oder in solche hineingetaucht werden. Daß mit *Mohnabkochungen* (dem sogenannten „Schlafsafterl") gefüllte Leinensäckchen als Lutscher geradezu *lebensgefährlich* wirken, ist klar, ihre Verwendung geradezu ein Verbrechen zu nennen.

Nicht eben eine Erkrankung im engeren Sinne, aber doch ein *abnormaler Zustand*, der größte Aufmerksamkeit verlangt, ist der des vorzeitig, das heißt vor Ablauf von neun Monaten geborenen Kindes. Je jünger die *Frühgeburt*, desto schwieriger die Aufgabe der Pflege. Auf drei Dinge ist da besonders zu achten: 1. Daß das Kind stets warm genug gehalten wird, da Frühgeborene leicht auskühlen. 2. Daß die Ernährung – selbstverständlich nur mit Brustmilch – richtig funktioniert. Das macht oft sehr große Schwierigkeiten, da Frühgeborene meist schwach und schlafsüchtig sind. Man muß ihnen die Nahrung oft durch Tage mühsam einspritzen und sie zur Nahrungsaufnahme wecken. 3. Bei Frühgeborenen treten oft Anfälle von Atmungsstillstand auf, die durch kräftige Hautreize, wie etwa kalte und warme Übergießungen, bekämpft werden müssen. *Frühgeborene sollen stets ärztlich überwacht werden.*

the defenseless baby's mouth, loaded with millions of bacteria. As if this were not enough, if you race over disgustedly to save the child from this source of infection by pulling it out of his mouth, you find that the tip has a hole in it allowing powdered sugar to escape, transforming the baby's mouth into a glorious breeding ground of dissolving starch particles for germs. Not only "mealy mouth," but also *tuberculosis* and *intestinal diseases*, are introduced to the helpless child in this fashion. Should a pacifier not be used then? The answer is that for quiet children it is unnecessary, but for restless or sick ones, its use to preserve peace and quiet especially at night may be unavoidable. In that case it must be *kept immaculately clean and dry*, under glass or a freshly washed cloth. *Never* may it enter any other mouth except the baby's for whom it is intended, and *never* should it be filled with sugar or dunked into food or sweets of any kind. It should also be clear that the use of little linen sacks (so-called "sleeping potions") filled with *poppy concoctions* is nothing less than *life-threatening*, and practically criminal.

The *premature birth* of a baby before its full nine-month gestation period, although not exactly an illness in the strictest sense, is nevertheless an *abnormal condition* which requires close scrutiny. The earlier the premature birth, the more difficult is the task of caring for a baby. These three things must be especially heeded: 1. A premature infant must be kept warm. 2. Providing nutrition – of course using only breast milk – must proceed properly. This is often quite difficult because premature infants are usually weak and sleepy. The nourishment must often be tediously "force-fed" for days and a baby roused from his sleep for this purpose. 3. Premature babies often stop breathing. One can combat this by stimulating the skin, for example, with warm or cold water. *Premature infants must be constantly monitored by doctors.*

Nun die Erkrankungen, die auch

im späteren Säuglingsalter

auftreten; zunächst die der Haut:

Da ist vor allem die *nässende Flechte* – das *Ekzem* zu erwähnen, das mit Vorliebe an den Beugestellen, besonders zwischen den Beinen sich zeigt. Die Mutter meint oft, die Schärfe des Urins sei die Ursache. Das ist aber nur ein frommer Selbstbetrug. Wenn das Kind häufig und sorgfältig trockengelegt und leicht, nicht dick, eingepudert wird, ist es beim gesunden Kind zu verhüten. Nur bei der krankhaften Anlage zum sogenannten *„Vierziger"* ist es schwieriger zu beseitigen. Ist es einmal da, so muß der Arzt befragt werden. Wesentlich zur *Verhütung der Flechte* oder des Wundseins trägt auch die *Bekleidung* bei. Ein bis zwei Windeln richtig gelegt, eine kleine Unterlage aus undurchlässigem Stoff, der nach oben die Nabelhöhe nicht überschreiten darf und vorne einen daumenbreiten Spalt zur Lüftung haben muß, darüber wieder eine Windel oder Flanell genügen im Bettchen. Zum Ausgang kommt noch ein warmes Wolltuch oder eine Wolldecke, die mit Sicherheitsnadeln oder zwischen Brust und Nabel mit einem Band befestigt wird, hinzu. Der *Wickelpolster* mit den krampfhaft gestreckt eingebundenen Beinchen ist eine *mittelalterliche Unsitte*, auch das Steckkissen nicht sehr empfehlenswert. Jeder Erwachsene soll sich nur einmal eine Stunde lang mit gestreckten Beinen einbinden lassen, bevor er dies seinem Kind zumutet. Der Säugling muß *Strampelfreiheit* haben, um seine Muskeln üben und entwickeln zu können.

Im späteren Säuglingsalter kommen für die *Bekleidung* noch am Leibchen zu befestigende Windelhosen, Strümpfe und gestrickte Schuhe in Betracht, als Oberkleid ein langes Tragkleidchen. Auf dieser Altersstufe wird im Gegensatz zur Wickelperiode das Kind häufig zu leicht bekleidet gehalten; Beine und Unterleib sind oft ungenügend geschützt und Erkältungen werden so begünstigt.

Eine gelegentlich die Haut in Mitleidenschaft ziehende Erkrankung ist die *Erbsyphilis*, die meist mit chronischem Schnup-

Now to the diseases which occur in

older infants,

first beginning with those of the skin:

Eczema shows itself primarily at joints, for example, between the legs. Mothers often suppose that its presence is due to the acidity of urine, but this is only self-deception. If a baby is frequently and carefully changed and dried and not powdered too heavily, eczema can be avoided in a healthy child. Only in children with a disposition to cradle cap, is it more difficult to treat. If it appears, the baby needs medical attention. *Clothing* plays an essential role in *preventing eczema*. One to two diapers correctly swaddled, a small water-proof pad that must not cover the navel, but that provides a one-inch opening in front for ventilation, and one more diaper or flannel on top, are sufficient for the crib. When going outside, a warm wool blanket secured with safety pins, or a ribbon between the chest and the navel, should be used as a cover. Using a *swaddling pillow,* in which a little baby's legs are wrapped and stretched straight, is *medieval nonsense*; a baby binder cannot be recommended either. Every adult should let himself be wrapped like this for one hour, before putting a child through this torture. An infant must always be *free to kick his legs,* which trains his muscles and supports his development.

For *older infants,* shirts can be fastened to diapers; leggings and knitted shoes can be worn; and the body can be covered with a long and loose-fitting jumper. At this age in contrast to the swaddling months, children are often not dressed warmly enough. Legs and the abdominal area are often not sufficiently protected, leading to chills and upper respiratory infections.

fen einhergeht. In solchen Fällen ist der Allgemeinzustand meist so schlecht, daß der Arzt ohnehin aufgesucht wird.

Was ist zur *Vorbeugung* von *Erkältungskrankheiten* beim Säugling zu tun? Durch kühle Waschungen, wie wir es bei größeren Kindern und Erwachsenen zu tun pflegen, kann man den Säugling nicht abhärten, da er Kälte schlecht verträgt und wir das Gegenteil damit erzielen würden. Wir müssen daher dafür sorgen, daß alle die Maßnahmen, die bei der *Hygiene der Wohnung* erwähnt wurden, strenge eingehalten werden, ferner daß sich niemand, der *erkältet* ist, möge er auch nur einen *Schnupfen* haben, dem Säugling nähert. (Selbstverständlich darf das dem Kind bestimmte Taschentuch *nur* für dieses verwendet werden.) Denn ein Schnupfen des Erwachsenen kann beim Säugling *Lungenentzündung* mit allen ihren Gefahren erzeugen. Aber auch die bloße *Schnupfenerkrankung* geht beim Säugling meist mit hohem Fieber einher und bedeutet eine schwere Störung; sie kann auch leicht zur *Mittelohrentzündung* führen und bleibende *Schwerhörigkeit* verursachen. Die stillende Mutter, die mit dem Kind in nähere Berührung kommen muß, kann sich derart helfen, daß sie sich vor Mund und Nase ein *Schutztuch*, etwa eine Windel, befestigt. Es ist das wohl unbequem, aber durchführbar, und wird in allen Säuglingsheimen und -krankenhäusern so geübt. Bei windstillem und sonnigem Wetter soll der Säugling – auch der neugeborene – entsprechend bekleidet ohneweiters ins Freie gebracht werden. Bei rauher Witterung stellt man ihn wie zum Ausgang angekleidet eine Zeitlang zum geöffneten Fenster. Das ist die richtige Art, den Säugling gegen Witterungseinflüsse *abzuhärten*.

Nun zu den

Verdauungskrankheiten

des Säuglings: Das Brustkind erkrankt in der Regel *viel seltener* als das künstlich genährte. Die Gründe liegen auf der Hand. Es bekommt die Nahrung frisch, körperwarm, roh und keimfrei in der Zusammensetzung, wie es sie braucht. *Niemals kann die Qualität*

Genetic syphilis can also have an influence on skin, and is often accompanied by a chronic cold. In these cases, the infant's general condition is so poor that a doctor is consulted anyway.

What can be done to *prevent chills and upper respiratory infections* in infants? Cool baths, often used for older children and adults, cannot be used with infants, because their bodies do not manage cold well, and may in fact only make matters worse. We must therefore take the utmost care to practice *hygiene in the home*, taking all of the measures previously mentioned. Furthermore, no one with a *cold*, even if it is only a *runny nose*, may be anywhere near an infant. (It goes without saying that a child's handkerchief can *only* be used by that child.) For what is merely a common cold in an adult, can easily develop into *pneumonia* with all of its dangers in an infant. Even an *infectious runny nose* in a small child may be accompanied by high fever and lead to more serious disorders, like an *inflammation of the middle ear* or persistent *hardness of hearing*. A mother who is nursing, and who necessarily has close contact with her child, should place a *protective cloth* (like a clean diaper) over her nose and mouth. This may be uncomfortable, but it can be done, as it is in fact in all nurseries and hospitals. When the weather is sunny but not windy, infants – including newborns – should be clothed accordingly and taken outdoors. In inclement weather, a bundled-up infant may be placed near an open window for a while. This is the proper way to *acclimate a child to the elements*.

Now to

diseases of the intestinal tract.

Generally speaking, a breast-fed infant suffers from these diseases *much less frequently* than a bottle-fed baby. The reasons are obvious. The nourishment comes fresh at body temperature, raw and germ-free, and whenever the baby needs it. *The*

der Brustmilch Schaden bringen. Es ist eine irrige Annahme, daß die eine Mutter abstillen mußte, weil ihre Milch zu fett, die andere, weil ihre Milch zu wässerig sei, wie man das oft zu hören bekommt; dieselbe Milch bei derselben Mahlzeit ist in den ersten Minuten des Trinkens wässerig, am Schluß rahmig und fett. Hat also ein Brustkind schlechte Stühle, so soll man *nie in der Beschaffenheit der Milch*, sondern in anderen *Störungen* die Ursache suchen. Meist sind es anderweitige Erkrankungen, etwa ein Schnupfen, ein Hautabszeß, die indirekt durch ihr Krankheitsgift die Verdauungsstörung verursachen. Es muß dann das Grundleiden behandelt werden. Eine andere Ursache der Ernährungsstörung beim Brustkind ist im *Überfüttern* durch zu häufiges Trinkenlassen gegeben. So oft das Kind schreit, wird es an die Brust gelegt, anstatt daß man nach der wahren Ursache des Unbehagens sucht. Man vergißt, daß nicht nur das hungrige, sondern auch das überfütterte Kind schreit, weil es Leibschmerzen hat. Natürlich wird seine Aufmerksamkeit vorübergehend abgelenkt, wenn ihm die Brust gereicht wird, nachher aber erwacht der Schmerz durch die Verdoppelung des Schadens auch mit verdoppelter Kraft. *Der Magen braucht wenigstens drei Stunden zur Entleerung nach jeder Mahlzeit*; demgemäß müssen auch die *Nahrungspausen* wenigstens drei, besser vier Stunden betragen. Keinesfalls darf die *Zahl der Brustmahlzeiten* beim gesunden Säugling in 24 Stunden *sechs* überschreiten, insbesondere ist bei Nacht eine sechs- bis achtstündige Pause einzuschalten, eine Zeiteinteilung, welche einzuführen eine bloße *Erziehungssache* ist. Ist die Brust, wie es ja gelegentlich vorkommt, wirklich nicht ergiebig genug, was mit Sicherheit nur durch die *Gewichtskontrolle* feststellbar ist, so hilft auch noch so häufiges Anlegen nichts. In solchen Fällen darf man „*zufüttern*". Was man zufüttern soll, darüber soll man sich stets mit dem Arzt beraten. Zu diesem Zweck sind in den letzten Jahren in vielen Orten ärztlich geleitete *Mutterberatungsstellen* geschaffen worden. In Wiener Neustadt hat sich diese Einrichtung bereits derart eingebürgert, daß gegenwärtig mehr als 400 Kinder unter zwei Jahren unter ärztlicher Aufsicht stehen.

quality of the breast milk can never cause harm. It is a false assumption that one mother must stop breastfeeding because her milk contains too much fat, and another because her milk is too watery. The same milk at the same feeding is watery in the first minutes, and creamy and fatty near the end. If a nursing baby has poor stools the cause should *never* be sought in the *consistency of the breast milk*, but rather in other *disorders*. For the most part it is illness, such as a cold or skin abscess that indirectly affects the digestive system through toxins. The real ailment must be treated. Another source of trouble in a breast-fed infant may be *overfeeding, caused by too frequent nursing.* As soon as a baby cries he is nursed, instead of searching for the real cause of his discomfort. One forgets that not only a hungry child, but also an overfed one cries, if he is suffering from pain. Of course his attention may be temporarily distracted by feeding, but afterwards the pain will be worse and comes with double force. *The stomach needs at least three hours to empty after every meal.* Accordingly, the time between meals should be at least three, but preferably four hours. In no case should *the number of breast-feedings* in a 24-hour period exceed *six*. At night, a six-to-eight-hour period without nursing should be maintained *as a matter of upbringing.* As is sometimes the case, if the breast is really not productive enough – which can only be determined with certainty *by weighing the baby* – nursing more frequently will still not alleviate the problem. In such a case, a baby's diet may be supplemented, and a physician should be consulted. For this purpose, physician-led *Mother's Advisory Bureaus* have been recently established in many towns. In Wiener Neustadt these institutions have become so popular, that at present more than 400 children under the age of two are being monitored by physicians.

Einzelne, den verschiedenen Altersstufen gemäße Nahrungsmischungen, die zugefüttert werden können, sollen noch bei Besprechung der künstlichen Ernährung erwähnt werden. Jedenfalls soll das Kind *bis gegen Ende des neunten Monats* die Brust bekommen und *nie plötzlich*, sondern nur allmählich abgestillt werden. Außer Tuberkulose, Nierenentzündung oder neuer Schwangerschaft der Mutter gibt es kaum Zustände, welche zum beschleunigten Abstillen zwingen müßten. Niemals aber soll dieser schwerwiegende Schritt ohne Einvernehmen mit dem Arzt unternommen werden. Das *monatliche Unwohlsein* – die Periode – der Frau ist *kein Stillhindernis*; sie führt nicht zu einer Verschlechterung der Milch, höchstens zu einer vorübergehenden Verminderung der Milchmenge. Ein Stillen über das erste Jahr hinaus ist in der Regel nicht zweckmäßig, da dann die Brustmilch nicht mehr alle notwendigen Nahrungsbausteine für das Kind enthält.

Was darf die stillende Frau essen?

Diese Frage hat der Arzt oft zu beantworten. Die Antwort ist einfach: Außer stark blähenden und übermäßig gewürzten Speisen alles, was sie sonst zu essen pflegt und ihr Magen verträgt. Außerdem soll sie ihren vermehrten Flüssigkeitsbedarf entsprechend – am besten mit Milch – decken. Gegen kleine Biermengen ist nichts einzuwenden, doch spielt deren Genuß gar keine Rolle bei der Milchbildung.

Eine bei Brust- und Flaschenkindern häufig vorkommende Störung ist die *Stuhlverstopfung*, deren Ursache der Arzt meist aufdecken wird. *Niemals* darf man dem Säugling ohne ärztliche Verordnung ein Abführmittel geben, da sich der Darm sehr schnell daran gewöhnt und nach dessen Aussetzen erst recht Stuhlträgheit eintritt. Erlaubt sind gelegentlich kleine Wasserklystiere. Zum Einführen in den Mastdarm darf nur ein eingefetteter Weichgummiansatz verwendet werden, der das Kind nicht verletzen kann.

Several possible food mixtures, that can be added to fresh milk for variously-aged infants, will be mentioned in our discussion about supplemental, artificial nourishment. In any case, an infant should be breast-fed *until the end of the ninth month* and should *never be suddenly,* but only gradually, weaned. Aside from tuberculosis, inflammation of the kidneys, or another pregnancy of the mother, there are hardly any circumstances that justify accelerated weaning. Such a serious step should never be taken without consulting a physician. *Monthly menstruation, or the mother's period, is not an obstacle to nursing.* It does not lead to a lesser quality of milk, but perhaps only to a temporary reduction in its quantity. Nursing for longer than the first year is usually not appropriate, because the breast milk no longer contains all of the nutritional building blocks a child needs for his development.

What should a nursing mother eat?

Doctors are frequently asked this question. The answer is simple: "aside from foods that cause bloating or are strongly spiced, whatever she usually eats and her digestion tolerates." In addition, she should increase her intake of liquids, especially milk. Small amounts of beer are acceptable, but this will have no effect on milk production.

A disorder that appears frequently in both breast- and bottle-fed infants is *constipation,* whose cause must be determined by a physician. One must *never* give a baby a laxative without a doctor's prescription. The intestines become rapidly accustomed to laxatives, and in their absence constipation remains a problem. An acceptable treatment is a water enema, administered with an oiled, rubber tipped syringe that cannot injure the child.

Nun zu den

Erkrankungen der Flaschenkinder.

Abgesehen davon, daß sie, wie bereits erwähnt, jeder Krankheit schlechter gerüstet gegenüberstehen, neigen sie besonders zu Erkrankungen des Darms. Sowohl eine schlechte oder für ihre Altersstufe nicht zweckmäßige *Qualität* der Nahrung als auch die Überfütterung mit einer zu großen *Quantität* können jeden Augenblick einen Darmkatarrh hervorrufen.

Es ist unmöglich, im Rahmen unseres heutigen Übersichtsvortrages die oft auch für den Arzt *schwierige Technik der künstlichen Ernährung* des Säuglings zu besprechen. Ich wiederhole nochmals: Die Mutter, welche nicht dazu gezwungen ist, soll diesen dornenvollen Weg im Interesse des Kindes und ihrer selbst nicht betreten. Es bleibt ihr viel Kummer und Sorge erspart.

Ich will nur einige wenige *Richtlinien* geben, die unter allen Umständen eingehalten werden müssen. Zunächst ist peinlichste Sauberkeit bei der Nahrungsbereitung notwendig. Die Gefäße, in welchen die Milch geholt und gekocht wird, müssen blitzblank sein und dürfen keine alten Milchreste enthalten. Die Milch wird nicht lange – etwa eine bis zwei Minuten – gekocht, abgekühlt und auch kühl aufbewahrt. Eine säuerlich schmeckende Milch darf unter keiner Bedingung verwendet werden. Die Flaschen, in welche man sich zweckmäßig gleich nach der Zubereitung die vorgeschriebene 24-Stundenmenge in fünf bis sechs Portionen verteilt, müssen leicht zu reinigen sein. Am besten, freilich jetzt ziemlich kostspielig, sind Soxhletflaschen. Als Saugvorrichtung ganz ungeeignet ist der durch einen durchbohrten Kork gezogene Gummischlauch. Er ist nie völlig von Milchresten zu befreien. Einzig geeignet ist der bekannte kappenförmig über die Flasche gestülpte Gummisauger mit seinem Bohrloch.

Now to the

diseases of bottle-fed infants.

In addition to the previously stated fact that they are generally less resistant to disease, they also have a tendency to suffer from intestinal infections. A diet that is poor in *quality*, or presented in a *quantity* inappropriate for their age, can lead to an intestinal disorder at any moment.

It is not possible, in the scope of this short lecture today, to fully discuss the *difficult techniques of artificially nourishing* an infant, often difficult even for a physician himself. I therefore repeat: a mother who is not forced to go down this thorny path, should avoid it in the best interests of both her child and herself. She will be saving herself many trials and tribulations.

I will mention only a few *guidelines* that should be followed under all circumstances. First, it is necessary to prepare the foods with utmost cleanliness. The vessels used to fetch and boil milk must be spic and span, and contain no remnants of previously used milk. The milk should be boiled for a short time only – one to two minutes – then cooled and kept in a cool place. Milk that tastes sour must never be used. After boiling the milk, it should be divided into five or six bottles for the following 24-hour feeding period. The best bottles to use, although expensive, are the "Soxhlet" bottles, which are created for this purpose. A rubber tube pulled through a drilled cork is completely unsuitable as a suction device. It can never be completely free of the remains of the milk. Exclusively suitable is a rubber nipple with a hole in it that closes like a cap over the bottle.

Woraus soll die künstliche Säuglingsnahrung bestehen?

Bis zum Ende des dritten Monats aus nach bestimmten Vorschriften mit Wasser oder mit Schleimabkochungen verdünnter, entsprechend gezuckerter Kuh- oder Ziegenmilch. Alle Zutaten müssen jetzt wie auch späterhin *genau gemessen* oder *gewogen* werden. In der Tat werden sie leider meist nur beiläufig geschätzt; selten nur weiß die Mutter dem Arzt Auskunft zu geben über die Menge der täglich gebrauchten Nahrungsbestandteile. Mehlzusätze, wie sie hier zu Lande als „Papperl" häufig gegeben werden, sind vor dem vierten Monat nicht zweckmäßig. Der Säuglingsdarm produziert in den ersten Lebensmonaten die zur Stärke- und Mehlverdauung nötigen Verdauungssäfte noch nicht oder nicht in genügendem Maße. Nach dem sechsten Lebensmonat ist schon eine Art „gemischter Kost" unter Heranziehung dickerer Breie von Grieß oder Mehl, von Fleischsuppen, passierten Gemüsen und Fruchtsäften notwendig. Stets aber bleibt es ein Unfug, Säuglingen, „weil sie danach langen" – wonach langt denn ein gesunder Säugling nicht? –, von den Speisen Erwachsener kosten zu lassen.

Gegen Ende des ersten Jahres wird die Speisekarte wieder erweitert. Leichtverdauliche, feste Speisen, wie Weißbrot, gekochte Mehlspeisen sind dann gestattet.

Was die *Nahrungsmenge* anlangt, so gilt der Satz: Die 24stündige Gesamtmenge darf nicht mehr als einen Liter betragen. In den ersten drei Monaten ist die Menge entsprechend geringer. Die drei- bis vierstündigen Nahrungspausen sind beim künstlich genährten Säugling noch viel strenger einzuhalten als beim Brustkind, die Nahrungsmenge ist *so knapp als möglich* zu halten. Ein „Zuwenig" läßt sich stets leichter verbessern als die Folgen eines „Zuviel". Wenn das Kind bei einer bestimmten Nahrungsmenge und Zusammensetzung gedeiht, wäre es unvernünftig, sie zu ändern nur deshalb etwa, weil das Kind „Abwechslung" haben müsse oder „weil eine andere Mutter mit einem anderen Nahrungsgemisch Erfolg hatte". Es gibt nicht zwei gleiche Kinder, demgemäß keine Schablone, die eine Mutter der anderen ablernen kann.

What should artificial nourishment for infants consist of?

Until the end of the first three months of age, a child may be fed lightly sugared cow or goat milk which has been diluted with a prescribed amount of water or boiled gruel. All ingredients, both now and later on, must be *measured or weighed exactly*. In reality, unfortunately, they are for the most part only estimated; it is rare that a mother can report the exact quantity and content of her child's daily diet to a physician. Adding a flour supplement to the mixture ("pap"), as is often done here, is not recommended before the fourth month. Newborn babies' intestines do not produce the acids necessary to break down starch or flour, and to digest them. After the sixth month, it is important to introduce a "mixed diet" of thicker porridge made from grits or flour, meat broths, sieved or mashed vegetables and fruit juices. It is always a bad idea to allow a small child to taste from his parents' food, just because he "reaches for it." What will a healthy child not reach for?

Near the end of the first year, the menu can be expanded to include easily digestible solid foods like white bread and cooked desserts.

As far as quantity is concerned, remember that the *amount of food* consumed in a 24-hour period should not exceed one liter. In the first three months, the amount is correspondingly less. The three-to-four-hour time periods between feeding must be more strictly maintained for bottle-fed children than for breast-fed ones, and the *quantity should be kept as meager as possible*. A "too little" is always easier to correct than the consequences of a "too much". If a child is doing well with a particular quantity and kind of diet, it would be unreasonable to alter it, only for the sake of "variety." Since no two children are alike, there is no model for a mother to copy.

Die Mutter, die ihr Kind künstlich nährt, wird, um Ernährungsstörungen vorzubeugen, stets gut daran tun, von Zeit zu Zeit den Arzt, gegebenenfalls die Säuglingsfürsorgerin um Rat zu fragen, ob und welche Nahrungsänderungen angezeigt seien.

Wie äußern sich Darmerkrankungen?

Wenn einmal Fieber und Durchfall vorhanden ist, handelt es sich meist schon um ein vorgeschritteneres Stadium. Je später aber ärztliche Hilfe in Anspruch genommen wird, desto schwieriger ist die Hilfeleistung und desto länger die Heilungsdauer; es muß also auf die ersten Anzeichen geachtet werden. Wenn beispielsweise das Kind seine Flasche nur mit Widerwillen austrinkt oder gar stehen läßt, unruhig schläft, so muß dies die Aufmerksamkeit der Mutter erwecken. Häufig ist am Beginne auch Verstopfung und ein Schlafferwerden des sonst prallen Fleisches zu beobachten. Schon in diesem Stadium soll ärztlicher Rat in Anspruch genommen werden. Statt dessen aber wird leider meist herumexperimentiert und werden der Reihe nach alle möglichen Vorschläge hilfsbereiter Bekannter ausprobiert, und das wehrlose Kind muß stillhalten, bis die Katastrophe eintritt. Ich will als Beispiel nur eine der gefährlichsten Darmerkrankungen der künstlich genährten Kinder anführen: den *Brechdurchfall* oder die *Sommerdiarrhöe*, welche mit Vorliebe in der heißen Jahreszeit auftritt. Ihre Ursachen liegen einerseits in der Zufuhr zersetzter oder unzweckmäßig bereiteter Nahrung, anderseits in der durch die Sommerhitze herabgesetzten körperlichen Widerstandsfähigkeit. Um dieser Erkrankung vorzubeugen, müssen wir daher für ausgiebige Lüftung, leichte Bekleidung des Kindes und knappe Nahrungszufuhr an heißen Tagen Sorge tragen.

Darmkrankheiten des Säuglings bedeuten immer eine starke Verzögerung der Entwicklung und bahnen häufig, insbesondere bei künstlich genährten, den Weg zu einer Krankheit, die auch im zweiten und dritten Lebensjahr leider eine große Rolle spielt, das ist die *englische Krankheit* oder *Rachitis*, deren Folgen: Verkrümmungen der Gliedmaßen, häßliche Veränderungen am Schädel Ih-

A mother who feeds her child artificially will be well advised to consult a doctor or the welfare nurses about nutrition from time to time, in order to prevent digestive problems.

How are intestinal diseases manifested?

When fever and diarrhea are evident, the disease is usually at an advanced stage. The later medical attention is sought, the more difficult it is for a physician to assist, and the longer the cure will take. Therefore, one must pay attention to the first signs of illness. For example, when a child does not finish his bottle or refuses it, or if he sleeps restlessly, a mother should take note. The onset of constipation can often be observed when the usually firm flesh of a baby becomes limp. Even at this stage the doctor should be called. Instead, most parents experiment with various cures, including those of well-meaning, helpful friends, and the defenseless child must passively wait until catastrophe strikes. I will cite only one dangerous illness of the digestive tract for artificially nourished children: *vomiting and diarrhea*, or *"summer diarrhea,"* which usually strikes when outdoor temperatures are high. Its causes can be found, on the one hand, in the consumption of spoiled or ill-prepared food; and on the other hand, in the body's lack of resistance to higher summer temperatures. To prevent this disease from developing, one must be certain to ventilate the home properly, to dress the child lightly and with loose garments, and to reduce the intake of food on hot days.

Intestinal diseases in infants always mean a severe delay in their development, and often pave the way for another malady that often afflicts artificially nourished children in their second and third year of life: *"the English disease"* or *rickets*. As is commonly known, the consequences are crooked extremities

nen wohl alle geläufig sind. Weniger bekannt dürfte es sein, daß beim weiblichen Geschlecht unter Umständen durch die bleibende Abplattung des Beckens in den Jahren der Reife eine Erschwerung des Geburtsaktes stattfindet und operative Eingriffe verlangen kann. Manches Frauen- und Kindesleben ist schon dem rachitischen Becken zum Opfer gefallen. Die ersten Anzeichen der Rachitis sind häufig Unruhe des Kindes, das mit dem Kopfe auf der Unterlage hin und her wetzt, und starkes Schwitzen des Kopfes. Diese Zeichen sollen die Mutter auch bei sonst scheinbarem Wohlbefinden des Säuglings alarmieren. Bei rachitischen, einseitig mit Milch überfütterten Kindern kann es auch, zumeist im zweiten Lebenshalbjahr, zu allgemeinen Krämpfen, ferner zu starrkrampfähnlichen Zuständen und zum sogenannten Stimmritzenkrampf kommen. Sind diese Leiden einmal vorhanden, so kann natürlich nur der Arzt helfen.

Nun fehlt Ihnen gewiß noch die Besprechung einer Krankheit, welche jeder Mutter geläufig ist, das ist die sogenannte

Zahnkrankheit.

Was an Kritiklosigkeit in dieser Hinsicht geleistet wird, ist einfach fabelhaft. Ein kleines Bespiel: In die Sprechstunde des Arztes wird ein fieberndes Kind gebracht, dessen Bronchialkatarrh schon auf Entfernung schnurrt und pfeift. Das arme Kind hat sich erlaubt, die Spitzen seiner ersten Zähne durchschimmern zu lassen. Also fiebert es vom „Zahnen"; oder: Ein Kind mit schwerem Darmkatarrh wird gebracht. Durchbrechende Zähne sind nach der festen Überzeugung der Mutter die Ursache. Daß der Säugling, der tags zuvor dem Vater gar so sehnsüchtig beim Essen zugeschaut hat, von diesem ein Stück Wurst zum Kosten bekam, erfährt der Arzt beim Kreuzverhör so nebenbei. Solcher Beispiele ließen sich noch hunderte aus der täglichen Erfahrung aufzählen.

Es kann aber nicht nachdrücklich genug gesagt werden, daß das Durchbrechen der Zähne ein ebenso natürlicher Wachstumsprozeß ist wie das Wachstum der Haare, der Nägel, des ganzen kleinen Menschen

and ugly deformities of the skull. What most people do not know however, is that rickets can cause a flattening of the pelvis in females during puberty, making childbirth difficult and surgery necessary. Women and newborns have often lost their lives due to a pelvis wracked by rickets. The first signs of this disease are the restlessness of an infant, who throws his head back and forth on the pillow, his head sweating profusely. These signs should alarm the mother, if her baby seems otherwise healthy. In children aged 6 to 12 months, who have been fed or overfed exclusively with milk, general cramping may develop into muscle rigidity and cause a spasm of the glottis. If these symptoms are evident, only a physician can be of assistance.

Now we come to a disease which certainly every mother is familiar with, the so-called

disease of teething.

You cannot imagine the funny stories I could tell you! One small example: a feverish child, whose bronchitis can be heard rattling and whistling at a distance, is brought into the doctor's office. Because the tiny tips of the poor child's first teeth are gleaming through the gums, the parents imagine that they are the cause of the fever. Another example: a child suffering mightily from gastroenteritis is brought in. The new baby teeth are the culprit, says the mother. The fact that the infant had been given a piece of sausage, after longingly watching his father eating it the day before, only comes out in passing during the doctor's cross-examination. There are hundreds of such stories.

It cannot be stated emphatically enough that teething is as much a natural process of growth as is the growing of hair, nails and the whole little body, and that it is never accompanied by

überhaupt und daß es niemals mit schweren Krankheitserscheinungen einhergeht. Dieser Aberglaube von den Schäden des Zahnens wäre ja verhältnismäßig harmlos, wie etwa das Märchen vom Storch, wenn er nicht allzu oft die Eltern in Sicherheit wiegen würde und bei ernsten Krankheiten die kostbare Zeit zur Bekämpfung der Krankheitsursache ungenützt verstreichen ließe.

Bei dieser Gelegenheit möchte ich kurz bemerken, daß die Wissenschaft vom Wasser, das „sinkert" geworden ist, und vom „Unterwachsensein" genau so ins Märchenland gehört wie die Zahnkrankheit. Der Arzt aber kann bei diesen Märchen ebenso das Gruseln lernen wie beim Anblick von langen schmutzigen Fingernägeln, die deshalb nicht geschnitten werden dürfen, damit das Kind kein „Dieb" werde.

Besprechen wir nun in Kürze die wichtigsten Krankheiten, die dem *Kleinkind*

jenseits des Säuglingsalters

drohen. Das Kind hat sich den Raum erobert. Es läuft, und zwar überall hin, wohin es seine Beinchen tragen und es der Mutter nicht lieb ist; es wühlt im Mistkübel mit dem gleichen Interesse, wie es sich seelenruhig dem glühenden Ofen nähert und wie es sich den Inhalt der zum Bodenscheuern bereitstehenden Laugenflasche zu Gemüte zu führen sucht. Es kennt noch nicht die Gefahren, die es umgeben; solange es ungebrannt ist, fürchtet es das Feuer nicht. Selbstverständlich kann die geplagte Mutter das Kind nicht „unter dem Glassturz aufbewahren", sie darf es aber auch nicht darauf ankommen lassen, daß das Kind schwere, oft bleibende Schäden davonträgt. Eine Laugenessenzverätzung der Speiseröhre ist für den Träger, der zum dauernden Krüppel geworden ist, ebenso fürchterlich wie der dauernde Anblick ein ewiger Vorwurf für die allzu sorglos gewesene Mutter.

Nicht immer ist Ursache und Wirkung so deutlich wie in diesem Falle, aber darum nicht weniger schwerwiegend. Die sogenannten *„Schmieransteckungen"*, welche durch Verschlucken von

serious symptoms of illness. This superstition that teething is injurious to health would be relatively harmless – like believing that the stork brings the babies – if it did not lull the parents into a false sense of security, resulting in precious time being lost in treating truly serious diseases.

At this opportunity, I wish to note that the so-called science which claims that polluted water causes stunted growth – which is in fact due to rickets – is as much a fairy tale, as the belief that dentition is a disease. This fairy tale, like the sight of long, filthy fingernails that have not been cut to ensure that a child will not grow up to be a "thief," makes a doctor shudder.

Let us now briefly discuss the most important diseases that a *small child* may encounter

after infancy.

A child has conquered his immediate surroundings. He runs wherever his little legs can carry him, even in places where his mother does not want him to be. He rummages in waste bins with the same curiosity as he approaches the glowing furnace and the contents of the lye-bottle waiting to be used to scrub the floor. He is not yet aware of the dangers that surround him, for an unburned child does not fear fire. The harried mother cannot possibly shield her child from every possible risk, but neither can she allow her child to get into situations that might cause serious and lasting harm. Burning the esophagus by swallowing lye is as horrible to the victim – who has become a cripple – as it is to the careless, guilt-laden mother.

Cause and effect are not always as obvious as in this case, but they can nonetheless be serious. The so-called *"smear infections"* (*"Schmieransteckungen"*), which can lead to widespread skin ulcerations by scratching dirt into small skin cracks, or to tuberculosis by swallowing filth containing tubercle bacilli,

tuberkelbazillenhaltigem Unrat zur Tuberkulose oder durch Verkratzen von Schmutz in kleine Hautschrunden zu ausgebreiteten Hauteiterungen führen können („Zitterich", „Rauhen"), sind eine für das Kleinkindesalter charakteristische Erscheinung. Auch verschiedene Wurmeier werden, wie schon erwähnt, bei solchen Anlässen verschluckt und können oft zu Darmstörungen und Blutarmut Anlaß geben.

Durch Sauberhalten der Wohnung und des Kindes – besonders ist auf die *Reinlichkeit der Hände und der Fingernägel* sorgfältig zu achten – können die Schmieransteckungen wesentlich eingedämmt werden. Auch *sorgfältige Pflege der Haare* zum Schutz vor Kopfläusen und deren indirekten Folgen, Hauteiterungen und Drüsenentzündungen, ist besonders bei Mädchen vonnöten.

Wiederum müssen wir bei Betrachtung dieser Altersstufe der *englischen Krankheit* gedenken. Sie wird jetzt besonders sinnfällig durch die Verbiegungen, welche die beim Laufen belasteten Beine und die Wirbelsäule erfahren. Um sie zum Stillstand zu bringen, muß die ganze Lebensweise des Kindes vom Arzt sorgfältig geregelt werden.

Das Kleinkind, dessen Darm noch nicht sehr widerstandsfähig ist, pflegt meist schon an den Mahlzeiten der Erwachsenen teilzunehmen; demgemäß treten bei ihm besonders häufig Störungen auf, die man volkstümlich mit dem Ausdruck *„verdorbener Magen"* bezeichnet. Sie hemmen die Entwicklung, ihre Behandlung verlangt die Beschaffung kostspieliger Nahrungsmittel, sie müssen daher nach Möglichkeit verhütet werden. Man vermeidet blähende Gemüse, wie zum Beispiel Kraut und Kohl, und gibt etwa Hülsenfrüchte, um sie leichter verdaulich zu machen, nur passiert. Ebenso sind stark gewürzte oder gebeizte Speisen, wie Gulasch und Würste, zu vermeiden; *die Mahlzeiten sind regelmäßig zu verabreichen und Näschereien als überflüssig verboten.* Trotz *alledem* bleibt der Speisezettel noch genügend abwechslungsreich.

Nun wollen wir die in der Einleitung schon erwähnten *akuten Infektionskrankheiten* einer kurzen Besprechung unterziehen, deren Auftreten wir für das Kleinkind möglichst hinausschieben wollen. Es könnte ja jemand den Einwand machen: Da die meisten Men-

are a characteristic phenomenon of infancy. Also different worm eggs are, as already mentioned, swallowed on such occasions and can often cause intestinal disorders and anaemia.

By keeping the home and child as clean as possible, with *special attention to hands and nails*, these smear infections can be kept to a minimum. It is also necessary to pay *close attention to hair* in order to protect children – especially girls – from the spread of head lice and their indirect consequences, such as skin abscesses and gland inflammation.

Once again we must mention *"the English disease"* when discussing this age group. Crookedness of legs and backbone becomes more obvious when children begin to walk and run. To bring this disease to a halt, a child's complete way of life must be regulated by a physician.

A small child, whose intestinal tract is still not yet resistant to disease, usually takes part in family meals. As a consequence, he suffers quite frequently from what is referred to as *"an upset stomach,"* which hinders his growth and development. Since treatment may involve procuring more expensive foods, this condition should be prevented. Vegetables that bloat, such as sauerkraut and cabbage, should be avoided, and beans and peas should be strained to make them more digestible. Likewise, strongly spiced or marinated food like goulash or sausages should be avoided. *Meals should be given regularly, and superfluous snacks forbidden.* Despite all of this, the weekly menu can remain full of variety.

We will now turn our attention briefly to those *acute infectious diseases* mentioned in the introduction, which we wish to delay in the child for as long as possible. Someone may wish to raise an objection, that since almost everyone will contract these infectious diseases sometime in his life, why not simply leave it to fate, and do away with all *precautions*? To this we must answer: 1. We do not yet know whether a child that today has a tendency to develop whooping cough – to use an example – will have acquired the necessary antibodies against

schen den Infektionskrankheiten ohnehin nicht entrinnen können, wäre es das einfachste, alles dem Zufall zu überlassen und auf jede *Schutzvorkehrung* zu verzichten. Darauf müssen wir antworten: 1. Wir wissen nicht, ob ein Kind, das heute – um ein Beispiel zu gebrauchen – zur Erkrankung an Keuchhusten neigt, nicht etwa nach Jahresfrist die nötigen Schutzstoffe gegen diese Krankheit erworben haben wird. Schützen wir das Kind also heute gegen den Keuchhusten, so helfen wir ihm möglicherweise dauernd über diese Krankheit hinweg. 2. Wir wissen nie voraus, wie schwer eine Krankheit beim Kind ablaufen wird. Es ist also ein gewagtes Experiment, das Kind der Erkrankungsgefahr auszusetzen. Welche Mutter aber wird diese Verantwortung auf sich nehmen wollen? Als Drittes ist in Betracht zu ziehen, daß, je jünger das Kind, desto geringer seine Widerstandskraft ist, insbesondere bei Krankheiten, die häufig mit schweren Katarrhen der Luftwege einhergehen, wie Masern und Keuchhusten. Es erwächst uns also in jedem Fall einer infektiösen Erkrankung die Aufgabe, den Erkrankten von den noch nicht Befallenen zu trennen. Bei Krankheiten wie Scharlach, Typhus, Diphtherie, Ruhr steht den Erkrankten in größeren Städten das Spital offen. Bei anderen wie Masern, Keuchhusten, Schafblattern ist dies aus Bettenmangel meist nicht der Fall. Insbesondere ergeben sich Schwierigkeiten für die Aufnahme von Kindern unter zwei Jahren. Es ist daher ein dringendes Bedürfnis nach eigenen *Infektionsabteilungen für Kinder* vorhanden, wo spezialistisch geschultes Personal auch bei kleineren Kindern die mütterliche Pflege ersetzen kann. Überhaupt wäre die *Errichtung von Kinderspitälern*, welche auch nicht ansteckende Kranke aufnehmen müßten, in den großen Provinzstädten dringend notwendig. Bei den heute durch den Stillstand der Bautätigkeit allgemein verschlechterten Wohnungsverhältnissen, die oft eine mehrköpfige Familie in einen dumpfen Raum zusammenpferchen, ist es manchmal fast ein Wunder zu nennen, wenn ein schwer erkranktes Kind wieder aufkommt. Natürlich stellt sich Bau und Betrieb einer modernen Anstalt sehr hoch. Daran sind bis jetzt wohl alle derartigen Projekte gescheitert. Hoffen wir, daß das neue Krankenanstaltsgesetz in dieser Richtung Besserung bringen wird.

the disease in a year's time. If we protect a child today from whooping cough we can provide him with a permanent resistance to this disease. 2. We never know in advance how seriously a disease will affect each child. Therefore, it is risky to willingly expose him to the disease. What mother would want to take such a risk? 3. The younger the child, the lower is his power of resistance, especially to diseases that are often accompanied by severe disorders of the respiratory tracts, such as measles and whooping cough. Regarding infectious diseases, we are necessarily faced with the task of separating those who are ill, from those who have not yet suffered from the disease. Larger cities can provide hospital care for diseases like scarlet fever, typhus, diphtheria and dysentery. With measles, whooping cough or chickenpox, however, this is usually not the case, due to a lack of beds. In particular, difficulties arise in finding places in hospitals for children under the age of two. Therefore, there is an urgent need for *separate wards for children's infectious diseases*, in which specially trained personnel can replace the care normally given by mothers. The *building of children's hospitals*, which also must serve non-infectious children in larger provincial cities, is of utmost importance. Because today's halt in building activity, which worsens generally poor living conditions, can sometimes force even large families to live together in one stuffy room, it is almost a miracle when a seriously ill child recovers from an infectious disease. Since of course, the construction and the administration of a modern hospital are very expensive, such projects have often failed in the past. Let us hope that the new hospital laws will bring improvement in all directions.

Nun zurück zu unserem Thema:

Verhütung der Infektionskrankheiten.

Außer der Isolierung des Erkrankten sind beim Auftreten gewisser Krankheiten noch besondere Vorsorgen zu treffen, die ich nur an Beispielen andeuten kann. So wird man zur Zeit einer Typhus- oder Ruhrepidemie kein rohes oder gar ungeschältes Obst essen, überhaupt Eßwaren, die nicht gekocht werden können, nur in einwandfrei reinen Geschäften kaufen, gewissenhafter noch als sonst die Händereinigung überwachen, mehr noch als sonst auch Mäßigkeit im Essen und Trinken achten und jeden, auch scheinbar leichten Darmkatarrh ärztlich beobachten lassen. Denn der milde Verlauf zum Beispiel einer Ruhrerkrankung bei einem Familienmitglied bietet keine Gewähr dafür, daß ein anderes von ihm angestecktes nicht lebensgefährlich erkranke.

Auf die Beschreibung der einzelnen, Ihnen aus der Erfahrung ohnehin meist bekannten Krankheitsbilder kann ich wohl verzichten. Sicher wird jede gewissenhafte Mutter, sobald sie bei ihrem Kinde einen fieberhaften Ausschlag oder verdächtigen Husten wahrnimmt, sich an den Arzt wenden.

Nur noch ein Wort über die *Blatternimpfung*; ich hoffe, daß Ihnen allen der unschätzbare Wert der Blatternschutzimpfung geläufig ist und daß ich die Frage nur vom Standpunkt des „Wann soll man impfen?" erörtern muß. Darauf ist die Antwort: Besteht Blatterngefahr, so ist sofort ein jedes Kind, das nicht in den letzten fünf Jahren mit Erfolg geimpft wurde, der Impfung zu unterziehen. In ruhigen Zeiten ist ein gesundes Kind grundsätzlich zwischen dem sechsten Lebensmonat und dem Ende des zweiten Lebensjahres gegen Blattern zu impfen. Leider herrscht hierzulande in dieser Hinsicht bei der Bevölkerung noch große Gleichgültigkeit.

Auf den eigenartig milden Verlauf, den die *Tuberkulose* häufig im Kindesalter nimmt, ist bereits eingangs hingewiesen worden. Sie befällt mit Vorliebe die Schleimhäute und Lymphdrüsen – man nennt diese Form auch *Skrofulose* –, doch kann sie auch an-

But back to our topic,

the prevention of infectious diseases:

In addition to isolating sick patients, special precautions can be taken as soon as a disease manifests itself, as I will illustrate using examples. At the outbreak of a typhus or dysentery epidemic, one should not eat raw or unpeeled fruit, or indeed any other food that is not cooked. Food should only be purchased in extremely clean stores. Hand washing must be performed even more conscientiously than usual, and food and drink enjoyed in moderation. The slightest hint of gastroenteritis should be reported to a physician. A mild course of dysentery in one family member is no guarantee that the next infected person may not lose his life.

I will refrain from describing symptoms of diseases with which you are all familiar. Suffice it to say, that every diligent mother must take her child to a doctor as soon as she notices a rash accompanied by a fever, or a suspicious-sounding cough.

Just a word about *smallpox vaccination*: I hope you are all informed about the invaluable importance of the vaccination, and that the only question to be addressed is: "When should my child be vaccinated?" The answer is: "If there is an acute danger of being infected with smallpox, any child who has not been vaccinated within the past five years should be vaccinated." Otherwise, a healthy child should be vaccinated against smallpox sometime between six months and two years

dere Körpergewebe befallen, so insbesondere gern die Knochen und Gelenke. Jedenfalls soll das Auftreten hartnäckiger Katarrhe der Atemwege, von Drüsenschwellungen, ferner schlechter Appetit und schlechtes Aussehen, vor allem auch das Vorhandensein geringfügiger, zumeist abendlicher Temperatursteigerungen die gewissenhafte Mutter zum Arzt führen. Setzt die Behandlung in einem genügend frühen Zeitpunkt ein, so sind die Aussichten auf völlige Genesung sehr günstig.

Durch Errichtung von *Tuberkulosefürsorgestellen* auf dem flachen Land ist die Bekämpfung dieser Volksseuche in den letzten Jahren auch bei uns energisch eingeleitet worden.

Ein häufiges Leiden des Kindesalters, das wir kurz erwähnen wollen, ist die *Vergrößerung der sogenannten Gaumenmandeln und der Rachenmandel*, welche zu verschiedenen Störungen Anlaß geben kann. Ob ihre operative Entfernung angezeigt ist, kann nur der Arzt entscheiden.

Einiges über die Erkrankungen des

Schulalters.

Mit der Einschulung beginnt eine Umwälzung im kindlichen Leben. Die freie, bisher dem Spiel gewidmete Zeit wird gekürzt, der Aufenthalt im Freien eingeschränkt, Disziplin verlangt und der Geist zu einer methodischen Übung gezwungen. Es beginnt gewissermaßen der Übergang vom Naturmenschen zum zivilisierten Staatsbürger.

Die Richtung, welche die menschliche Zivilisation genommen hat, zwingt einerseits zum Erwerb einer gewissen Menge von Kenntnissen, andererseits fordert sie Übung des Verstandes und der Willenskraft für das praktische Leben. Dies alles zu vermitteln, ist Aufgabe der Schule. Die Summe von Eindrücken und Anforderungen, welche nun an das Kind herantreten, rufen öfters eine Reihe von Krankheitserscheinungen bei diesem hervor, die man mit dem Schlagwort *„Schulkrankheiten"* zusammengefaßt hat. Blutarmut und nervöse Anzeichen, wie Kopfschmerzen, Appetit-

of age. Unfortunately, apathy seems to prevail among many people in this matter.

I have already referred to the curiously mild course that *tuberculosis* takes in childhood. It attacks the mucous membranes and lymph nodes – a form called *scrofula* – but it can also affect other tissues, and particularly the bones and joints. If a conscientious mother observes a stubborn respiratory condition, swelling of the glands, a poor appetite and generally ill health, together with a slightly rising temperature in the evening, she would be wise to seek the assistance of a doctor. If treatment is started early enough, a child has excellent chances to fully recover.

By establishing *welfare offices for the treatment of tuberculosis patients* in areas outside cities in recent years, we have been able to energetically combat this widespread plague.

A common childhood ailment deserving brief mention is *enlargement of the tonsils*, which can in turn give rise to various disorders. Only a physician can decide if surgical removal of the tonsils is indicated.

A few comments on the

diseases of school-aged children.

Beginning school causes an upheaval in the life of a child. A child's free time, which has until now been devoted to playing outdoors is suddenly channeled into a life of discipline and methodical practice. The transition begins, as it were, from a state of natural childhood to a state of civilized citizenship.

The direction that human civilization has taken compels us to acquire numerous skills for practical life on the one hand, but also to learn how to exercise reason and willpower on the other. It is the task of schools to achieve all of this. The sum of the impressions and demands placed on a child in this process often evokes a number of maladies that can collectively be called *"school ailments."* Anaemia and nervous

mangel, schlechter Schlaf, Aufregungszustände, treten auf, besonders bei von Haus aus zarten und ehrgeizigen Kindern.

Andere für das Schulalter charakteristische Erkrankungen sind *Verbiegungen der Wirbelsäule* – durch fehlerhafte Körperhaltung begünstigt –, *Kurzsichtigkeit* usw. Den meisten dieser Schäden kann eine zielbewußte hygienische Erziehung rechtzeitig vorbeugen, indem eine vernünftige Tageseinteilung getroffen wird. Man sorge dafür, daß das Kind – unbeschadet der Erledigung seiner Schulaufgaben – täglich Zeit findet, einen ausgiebigen *Spaziergang* zu machen; außerdem wird durch leichte *turnerische*, im späteren Kindesalter durch mäßige *sportliche* Betätigung – Bergsport, Schwimmen, Rudern, Schlittschuhlaufen – gegen die Nachteile der sitzenden Lebensweise im geschlossenen Schulraum ein wertvolles Gegengewicht geschaffen. Doch ist vor jeder Übertreibung in dieser Richtung zu warnen. Der Sport hat *nie als Selbstzweck* im Vordergrund des jugendlichen Interesses zu stehen.

Daß man auch für genügend reichlichen *Schlaf* und ausreichende *Ernährung* des Schulkindes Sorge tragen muß, ist ebenso selbstverständlich, wie die Zufuhr jeglichen Alkohols ebenso verboten ist.

Je luftiger die Schulräume, je mehr Gelegenheit, in den Unterrichtspausen frische Luft zu schöpfen, desto geringer sind die erwähnten Schulschäden. Für schwächliche Kinder freilich sind sie nicht ganz zu umgehen; für solche ist der *Unterricht im Freien*, in gesunder Luft, die zweckmäßigste Lösung. In dieser Richtung ist die Stadtgemeinde Wiener Neustadt beispielgebend vorangegangen durch Gründung einer mustergültig angelegten und geleiteten *Waldschule*.[61]

---

61 Etwa sieben Kilometer außerhalb von Wiener Neustadt wurde inmitten eines Tannenwaldes eine Waldschule errichtet. Sie wurde am 10. Mai 1920 eröffnet. In ihr gab es etwa 200 Kinder, deren Gesundheit gefährdet schien und die durch eine Untersuchung des Schularztes ausgewählt worden waren. Die Waldschule war als Sommerschule konzipiert und von Mitte April bis Mitte Oktober in Betrieb. Acht Lehrer unterrichteten ihre acht Klassen im Freien, außer bei schlechtem Wetter. Vgl. dazu Zeisky, *Die soziale Tätigkeit der Stadtgemeinde Wiener Neustadt in den Jahren 1918–34* (Anm. 52), S. 58–66.

symptoms such as headaches, loss of appetite, poor sleep, and anxiety occur, especially in children who are predisposed to being sensitive and ambitious.

Other disorders characteristic of school-aged children include *curvature of the spine* [scoliosis] – encouraged by poor posture – and *short-sightedness* [myopia], and so forth. Most of these defects can be prevented before they appear by adhering to a resolute, hygienic upbringing and by following a reasonable daily routine. One must make sure that a child finds time daily to take a long *walk* (after finishing his school work). Through *physical exercise*, and in later years the practice of *sports* (mountain hiking, swimming, rowing, ice skating), a valuable balance may be achieved to compensate for the disadvantages of the child's sedentary existence in the classroom. But this should never be taken to an extreme; a *sport should never be pursued as an end in itself*, nor should it become the most important interest in a child's life.

It is obvious that a school child should get sufficient *sleep* and *nourishment* and that the use of alcohol is forbidden.

The airier the classroom, providing an opportunity to breathe in fresh air in the breaks between classes, the fewer the previously mentioned detriments. Admittedly, this is harder to achieve with frailer children: they should be *instructed outdoors* in fresh air whenever possible. In this respect the city of Wiener Neustadt has proceeded in exemplary fashion, by founding an expertly administered *Waldschule*, a school in the woods.[68]

---

68 About seven kilometers outside of Wiener Neustadt a *Waldschule* was built in the middle of a forest of fir trees. It was opened on May 10, 1920. There were approximately 200 children in attendance whose health appeared to be endangered, and who had been selected through examination by the school doctor. The *Waldschule* was conceived as a summer school, in operation from mid-April till mid-October. Eight teachers instructed their eight classes outdoors, except in inclement weather. Cf. Zeisky, *Die soziale Tätigkeit der Stadtgemeinde Wiener Neustadt in den Jahren 1918–34* (Fn. 58), pp. 58–66.

Zur Aufdeckung vieler krankhafter Zustände, deren erste Anzeichen bei großer Schülerzahl dem Lehrer entgehen können, kann eine ständige Überwachung des Schulkindes durch *Schulärzte* Wertvolles beitragen. Durch systematische Untersuchung der Schulkinder können bisher unbemerkte Leiden, wie zum Beispiel Kurzsichtigkeit oder Schwerhörigkeit, aufgedeckt werden, deren richtige Behandlung ein scheinbar faules oder dummes Kind im Handumdrehen in einen befähigten Schüler verwandeln kann. Bei der *Berufsberatung* beim Schulaustritt kann der Schularzt, welcher die Kinder im Laufe der Jahre an Leib und Seele kennengelernt hat, wertvolle Winke geben. Auch der so wichtigen *Fürsorge für die Erhaltung der Zähne* wird der Schularzt sein Augenmerk zuwenden, und durch die rechtzeitige Behandlung der Unbemittelten an Schulzahnkliniken wird der meist schon im Kindesalter einsetzenden Zerstörung des Gebisses durch die *Zahnfäule* vorgebeugt werden. Es ist mit Befriedigung zu begrüßen, daß die Stadtgemeinde Wiener Neustadt auch in dieser Richtung ihr Verständnis für die hygienischen Forderungen unserer Zeit durch Anstellung von Schulärzten und Schulfürsorgerinnen sowie durch Schaffung einer Schulzahnklinik bewiesen hat.

Es wäre nun noch manches zu sagen über die *Hygiene des Geistes*, besonders in den Entwicklungsjahren, und über den Weg, den gewissenhafte Eltern einschlagen müssen, um ihre Kinder zu *leistungsfähigen, willensstarken* und doch *selbstbeherrschten* Menschen zu erziehen. Leider würde dies den zeitlichen Rahmen unseres Vortrages überschreiten; darum nur einige wenige Worte, welche Ihnen andeuten sollen, wie man sich zu dieser Aufgabe stellen soll: Das Kind braucht in seinem Heim einen ruhigen Rückhalt, eine Vertrauen atmende Atmosphäre. Kluge und belehrende Reden verfehlen Ziel und Zweck, wenn das Handeln des Ratgebers in Widerspruch zu seinen Worten steht. Nervöse Eltern erziehen nervöse Kinder, rohe Eltern rohe Kinder: Ein Vater, der betrunken nach Hause kommt – um ein extremes Beispiel zu wählen –, schreibt vergeblich seinem Buben die guten Lehren mit dem Stock auf den verlängerten Rücken, er schafft nur einen verbissenen, tückischen

Because in large classes teachers cannot always recognize and identify the warning signs of illness, the continuous monitoring of the children by the *school physicians* has proved to be beneficial. The systematic examination of schoolchildren can uncover unnoticed defects, like shortsightedness and hardness of hearing. The timely correction of these shortcomings can quickly transform a seemingly lazy or unintelligent child into a capable pupil. When it is time to leave school, the school physician, who has come to know the child in body and mind over the course of years, can offer valuable *career counseling*. The school physician will also address *preventive measures for the child's teeth*, through timely treatment of those children without means, in school dental clinics. In this way, *tooth decay*, which begins its destructive course in childhood, can be prevented. It can be stated with great satisfaction that the municipality of Wiener Neustadt has shown its understanding for the hygienic demands of our time, by hiring school physicians and social workers, as well as by instituting school dental clinics.

It surely might be important to discuss *hygiene of the mind*, especially during the formative years, and the educational measures which conscientious parents should take in order to ensure that their children will become *accomplished, strong-willed, yet self-disciplined* young people. But our time is limited; thus, only a few words of advice which might point you in the right direction. A child needs a sense of emotional support at home and an atmosphere that radiates trust. Smart didactic speeches miss their target entirely when the actions of the speaker contradict his words. Nervous parents bring up nervous children, and rough parents, rough children. A father who comes home drunk – to offer an extreme example – will not succeed in beating lessons of good behavior into his son on his backside; instead he will make a bitter, malicious person out of him. There is only one prerequisite for influencing a young person effectively:

Menschen. Die Voraussetzung zu einer wirksamen Beeinflussung der Jugend ist nur auf eine einzige Art gegeben:

Wir selbst, wir Erwachsenen, müssen beispielgebend zu wirken suchen.

Dieser kurze Satz, so leicht er ausgesprochen ist, stellt an die Eltern freilich die größten, aber edelsten Anforderungen, Anforderungen, welche Menschen wohl nie restlos werden erfüllen können. Und doch muß er uns allen immer vorschweben als der Leitsatz der Lehre von der Erziehung. Je zynischer und zügelloser die Richtung unseres Zeitalters geworden ist, je fernergerückt uns all das Edle und Schöne erscheint, das vielen von uns den Lebensinhalt vergangener Zeiten gebildet hat, um so angestrengter müssen wir streben, unseren Nachwuchs emporzuführen aus der Nacht des krassen Materialismus zum Licht der Geistigkeit und sittlichen Reinheit, auf die Höhen der *wahren Kultur*!

We parents ourselves must set the best example.

This short sentence, so easily spoken, makes the greatest and noblest demands on us as parents, demands which we as human beings will rarely be able to fulfill. Nonetheless, it must be ever present in our mind as the guiding light of child rearing. The more cynical and unrestrained the direction of our age has become, and the more the Noble and the Beautiful that once provided us with a philosophy of life appear to have receded, the more earnestly we must strive to lift up our rising generation out of the darkness of blatant materialism, toward the light of intellectuality and moral purity, and to the heights of *true culture*!

„Die Säuglings- u. Kleinkinderfürsorge in Wiener Neustadt"

Mit der Vertiefung des menschlichen Wissens von den Ursachen der Krankheiten entwickelte sich allmählich auch die Erkenntnis, dass die aussichtsreichste Art der Krankheitsbekämpfung in ihrer Verhütung (Prophylaxe) begründet sei. Diesem Leitgedanken folgend wurden in den letzten Jahrzehnten in den meisten Kulturstaaten Fürsorgeeinrichtungen mit entsprechender Widmung errichtet. Auf breiterer Grundlage wurden solche Einrichtungen, im Besondern zur Bekämpfung der Säuglingssterblichkeit, in Österreich erst während des Weltkrieges in Gestalt der sogen. Kriegspatenschaft geschaffen. Nach dem Umsturz wurden diese im neuen Österreich in den Bundesländern zumeist durch die Berufsvormundschaften neu organisiert und als Mutterberatungsstellen unter Mitwirkung von Ärzten und zu diesem Zweck ausgebildeten Fürsorgerinnen fortgeführt.

Auch in Wiener Neustadt bestand seit dem Juni 1918 eine von der niederösterreichischen Landesberufsvormundschaft, jetzt Landesjugendamt, ins Leben gerufene Fürsorgestelle für Kinder bis zum vollendeten zweiten Lebensjahr, welche 2 Gruppen je alle 14 Tage beriet. Die Hausbesuche besorgte eine Fürsorgerin im Nebenamt, Schreibarbeiten wurden durch freiwillige Hilfskräfte besorgt. Die bescheidenen Mittel ließen begreiflicher Weise nur einen Bruchteil der zu befürsorgenden Bevölkerung erfassen, doch war einmal die mit großer Gewissenhaftigkeit durchgeführte Pionierarbeit begonnen, die etwas zurückhaltende Bevölkerung mit diesem neuen Zweig der Kinderpflege bekannt zu machen.

Im Mai 1920 übernahm die Stadtgemeinde Wr. Neustadt die Kinderfürsorge in eigene Verwaltung. Es wurde, wie von andrer Seite ausführlich berichtet wird, ein Jugendamt mit dem ganzen auf Rechts- u. Gesundheitsfürsorge abzielenden Apparat eingerichtet. In einem hierzu geeigneten Objekt wurden die Amtsräume, die

296

"The Care of Infants and Young Children in Wiener Neustadt"

As our knowledge of the causes of human diseases has deepened, the realization has also gradually grown that the most effective way to confront these diseases is to prevent them (prophylaxis). In line with this underlying principle, social services have been established in recent decades in most developed countries. On a broader basis, such institutions were created in Austria only during the World War, especially to combat infant mortality, in the form of the so-called War Sponsorship (*Kriegspatenschaft*) for needy children. After the fall of the monarchy, these institutions were reorganized in the federal provinces of the new Austria, mostly by the professional guardianships (*Berufsvormundschaften*), and continued as Mother's Advisory Bureaus (*Mutterberatungsstellen*) in cooperation with physicians and specially trained caregivers.

Likewise, beginning in June 1918, a care facility for children through their second year of life was established in Wiener Neustadt, and was run by the provincial Legal Guardianship of Lower Austria, now called the Youth Welfare Office (*Landesjugendamt*). It counseled two groups of children every fourteen days. House-calls were made by a caregiver (as a secondary job), and health records were kept by volunteer secretaries. It is clear that with these modest resources only a fraction of the population could be served. Nevertheless, the pioneering groundwork was being laid to familiarize the working population with this new approach to children's healthcare.

In May 1920, the municipal government of Wiener Neustadt assumed the administration of Child Welfare. A Youth Welfare Office was set up to deal with all aspects of a child's legal and health needs. In a designated building, accommodations were found for administrative offices, the

Mutterberatungsstelle, ein Säuglings- u. ein Jugendheim unterge-
bracht. Mit der Errichtung der beiden letztgenannten Anstalten
war die bis dahin fehlende Möglichkeit für eine hygienische Unterbringung von Kindern (geschlossene Fürsorge) gegeben.

Der Besuch der Mutterberatungsstelle, in welcher die früher
schon geübte Gepflogenheit fortgesetzt wurde, kleine Lebensmit-
telzubußen billig abzugeben, war bald ein so starker, dass im Oktober desselben Jahres zur Entlastung eine zweite Beratungsstelle in
der Josefstadt (einem stark von Arbeitern bewohnten Stadtteil) in
der dortigen Schule errichtet wurde.

Es folgte im März 1922, einer Anregung der damals in Wr.
Neustadt tätigen amerik. Hilfsmission nachkommend, die Gründung einer Mutterberatungsstelle für Kinder bis zum vollendeten
6. Lebensjahr, und im Mai desselben Jahres die Errichtung der Fürsorgestelle auf dem Flugfeld, einem weit vorgeschobenen Stadt-
viertel, dessen Bevölkerung infolge der großen Entfernung von der
Fürsorge schwer Gebrauch machen konnte. Aus genanntem Grund
sind noch zwei Mutterberatungsstellen im Nordosten und Süden
der Stadt, sobald die Geldmittel es erlauben werden, vorgesehen.

Inzwischen hatte sich das Fehlen einer Heimstätte für Kinder
unmittelbar nach dem Säuglingsalter störend fühlbar gemacht.
Da die Betriebskosten eines Tag und Nacht betriebenen Heimes
sich zu hoch gestellt hätten, wurden in kurzer Folge (April u. Juni
1922) je eine Kleinkinderkrippe im Jugendamtshaus und auf dem
Flugfeld in Betrieb gesetzt.

Dies in Kürze der Entwicklungsgang der dem Kleinkindesalter
gewidmeten städtischen Fürsorgeeinrichtungen.

Organisation der Mutterberatung

Die Mutterberatung wird von einem Facharzt mit Unterstützung
von zwei erfahrenen, ortskundigen Fürsorgerinnen geleitet. Die
Zahl der fürsorgerisch in gleichen Zeiträumen überwachten Kinder beträgt etwa 700, davon sind etwa 500 Säuglinge, das übrige
sind Kinder von 1–6 Jahren, doch wird für die älteren Jahrgänge

Mother's Advisory Bureau, a home for infants, and a home for youths. With the establishment of the latter two institutions, the previously missing possibility for the hygienic accommodation of children (closed care) was (finally) provided.

The number of visits to the Mother's Advisory Bureau soon rose so dramatically, that a second location had to be opened. This was in part, because a few groceries were customarily offered to mothers for a nominal fee. In October 1920, this second Bureau was opened in a school in the Josefstadt, a district heavily populated by workers.

In March 1922, another Mother's Advisory Bureau was founded at the request of an American charity organization, active in Wiener Neustadt, to counsel parents on the care of children through the age of six. This was followed in May by yet another Bureau at the airfield, meant to serve residents who lived far from the city center, and who had previously been unable to access the child welfare services. For the same reason, two more Mother's Advisory Bureaus are projected in the northeast and the south of the city, as soon as municipal funds are made available.

Meanwhile, the lack of a home for toddlers [ages one to four] had become disturbingly evident. Since the operating costs of a day and night home would have been too high, two day nurseries were set up, in the building of the Youth Welfare Office, and on the airfield grounds in quick succession (April and June 1922).

This, in brief, describes the development of institutions for the care of young children.

The Organization of the Mother's Advisory Bureau

Counseling sessions are led by a pediatrician, assisted by two experienced caregivers from the region. The total number of children being monitored at any given time is approximately 700, of which around 500 are infants and the rest children

die Fürsorge wenig in Anspruch genommen. Uns liegt auch am meisten die Erfassung der Säuglinge als der am meisten gefährdeten Altersstufe am Herzen. Es gelingt dies jetzt bis etwa zu 75 %. Die Fürsorgerinnen suchen durch fleißige Hausbesuche und mit diesen verbundener Aufklärung die Mütter zum Besuch der Fürsorgestelle anzuregen. Durch regelmäßige Nachfrage beim Stadtphysikat nach gemeldeten Geburten sind sie in der Lage, den Nachwuchs frühzeitig fürsorgerisch zu erfassen. Letzteres ist von großer Wichtigkeit, da es notwendig ist, jede stillfähige Mutter zu möglichst langer natürlicher Ernährung zu veranlassen. Die Erfolge in dieser Richtung sind erfahrungsgemäß umso günstiger, je früher die Mütter unter den Einfluss der Mutterberatungsstellen gelangen.

Die Kinder werden in der Regel einmal in 2 Wochen vorgestellt (es bestehen, wie aus dem früher Dargestellten hervorgeht, 8 solche Gruppen). Sie werden in entsprechend eingerichteten Warteräumen entkleidet, gewogen, das Gewicht verzeichnet, sodann in das ärztliche Sprechzimmer gebracht, die Mutter kurz nach Beobachtungen u. Beschwerden befragt, das Kind begutachtet, die Mutter beraten, der Ratschlag notiert. Krankheiten werden grundsätzlich nicht behandelt, sondern den Müttern die entsprechenden Wege zur Behandlung gewiesen.

In den ersten Jahren wurden, um einen materiellen Anreiz zum Besuch der Mutterberatung auszuüben, Lebensmittel zu ermäßigten Preisen abgegeben. Im Jahre 1921 geschah dies mit Unterstützung der englischen Gesellschaft der Freunde in reichlichem Ausmaß, auch wurden kleine Säuglingsausstattungen und Bekleidungsgegenstände für Kinder bis zum 6. L.j. verteilt. 1922 fand eine ähnliche großzügige Fürsorgeaktion mit Hilfe des amerikanischen Roten Kreuzes statt, welches hauptsächlich Bekleidungsgegenstände planmäßig verteilte und einen Teil der Betriebskostendeckung übernahm. Seit längerer Zeit verfügen wir über keine materiellen Anlockungsmittel mehr, trotzdem ist der Besuch der Fürsorgestellen nur mäßig gesunken und hält sich nun annähernd auf gleichem Niveau. Diese Tatsache spricht dafür, dass das Ver-

from one to six years of age. However, little use is made of the care for the older children. The thrust of our efforts is certainly directed towards infants, who at this age level are most at risk of contracting diseases. We are about 75 % successful in this endeavor. The caregivers make frequent house-calls and explain to mothers why it is in their best interest to come to the care facilities. By regularly checking the number of registered births, we are able to locate the newborns promptly. This is extremely important, because it is necessary to persuade every mother capable of breastfeeding to do so for as long as possible. Experience has shown that the sooner a mother comes to the Mother's Advisory Bureau, the more favorable the outcome.

The children are usually brought in once every two weeks. (As can be inferred from the prior description, there are eight such groups.) In furnished waiting rooms, the children are undressed, weighed and their weights registered. They are then taken to the doctor's office where each mother is asked for her observations and if anything seems to be wrong with her child. The child is then examined, the mother advised, and the advice recorded. Diseases are not treated as a rule, but the mothers are advised about possible treatments.

In the early years, in order to provide a material incentive to encourage mothers to take advantage of the counseling services, groceries were dispensed at a discounted price. In 1921 this practice was carried out on a large scale by the English Society of Friends (Quakers). Layettes and clothing for children up to the age of six were also distributed. In 1922 similar generous clothing drives were held regularly by the American Red Cross, which also offered subsidies for some utilities. In more recent years we have stopped offering material incentives, yet the visits to the care facilities have only diminished

ständnis für den Nutzen der fürsorgerischen Beratung in der Bevölkerung festen Fuß gefasst hat.

Folgende Tabelle gibt Aufschluss über den Besuch der Mutterberatung von Mai 1920 bis Ende 1924.

1920 (8 Monate)	-	45 Beratungstage	-	3470 Besucher
1921	-	97 Beratungstage	-	4736 Besucher
1922	-	132 Beratungstage	-	6425 Besucher
1923	-	208 Beratungstage	-	6587 Besucher
1924	-	204 Beratungstage	-	5967 Besucher

Erfolg:

Was den Erfolg anlangt, so ist der Gesamteindruck nach nun bald sechsjähriger Erfahrung der, dass ein Vergleich unserer befürsorgten Kinder mit solchen, die aus nicht befürsorgten Gegenden stammen, unbedingt zugunsten der ersteren ausfällt, sowohl, was Körperpflege, als auch, was Ernährung und die damit bis zu einem gewissen Grad in ursächlichem Verhältnis stehenden Krankheitszustände (z. B. englische Krankheit) anlangt.

Aber auch statistische Daten sprechen für einen Erfolg der Fürsorgetätigkeit.

Wir zogen zu diesem Zweck die Säuglingssterblichkeitstafeln der letzten 10 Jahre und unsere Beobachtungen über den Stillwillen der Mütter der durch längere Zeit beobachteten Säuglinge heran.

Im Nachstehenden eine Tabelle, welche in Prozenten berechnet die Ziffern der vor Vollendung des ersten Lebensjahres Verstorbenen angibt:

1915	1916	1917	1918	1919	1920	1921	1922	1923	1924
22,2%	20,4%	15,7%	13%	14,9%	16,4%	11,8%	ˉ 12%	11%	13%

Bei aller Vorsicht der Beurteilung lässt sich aus diesen Zahlen eine Besserung der Säuglingssterblichkeit herauslesen, was auch

slightly, and remain statistically stable. This fact can be taken as proof that people have come to realize the benefits of these social services for mothers and children.

The following table records attendance at the Mother's Advisory Bureaus from May 1920 through December 1924.

1920 (8 months)	45 counseling days	3470 visits
1921	97 counseling days	4736 visits
1922	132 counseling days	6425 visits
1923	208 counseling days	6587 visits
1924	204 counseling days	5967 visits

Results:

Our experience over the past six years shows that, in comparing our children who have received social services, with those from regions who have not, ours are better off with respect to hygiene and nutrition. This comparison also shows, to a certain degree, the causal relationship between better hygiene and nutrition on the one hand and lower incidence of disease (for example: "the English disease" [rickets]) on the other hand.

But statistical data also speak to the success of the health care activity.

For this purpose, we drew on infant mortality statistics over the past ten years, and on our observations over a longer period of time about mothers willing to breastfeed their babies.

The following table reflects in percentages the number of infants who died in their first year:

1915	1916	1917	1918	1919	1920	1921	1922	1923	1924
22.2%	20.4%	15.7%	13%	14.9%	16.4%	11.8%	12%	11%	13%

Even a cautious interpretation of these numbers shows a drop in the mortality rate of infants, which agrees with obser-

mit den andernorts gemachten Wahrnehmungen übereinstimmt. In der Vorkriegszeit schwankte die Säuglingssterblichkeit in Wr. Neustadt zwischen 15 % und 26 %.

Eine weitere Besserung der Säuglingssterblichkeit hängt weniger von einem Ausbau der Säuglingsfürsorge als von der Besserung der wirtschaftlichen und Wohnverhältnisse der Bevölkerung ab.

Was den Stillwillen der Mütter anlangt, so prüften wir die Verhältnisse in den ersten 3 Lebensmonaten, für welche uns die Brusternährung am dringendsten geboten erscheint.

Wir fanden, dass vor Ablauf des 3. Lebensmonates abgestillt wurden oder überhaupt nur künstlich ernährt waren:

1918	–	24 %
1920	–	13 %
1921	–	11,5 %
1924	–	7 %

der genauer beobachteten Säuglinge. Wir glauben aus dieser Beobachtung eine günstige Beeinflussung des Stillwillens der Mütter durch die Fürsorgetätigkeit ableiten zu dürfen, ohne uns zu verhehlen, dass auch die von dem Verband der Gen. Krankenkassen geübte Methode der Stillprämienbeteilung von nicht geringem Einfluss auf einen Teil der befürsorgten Frauen ist.

Es scheint uns aus dem eben Dargelegten die Frage nach dem Wert der Mutterberatung als in günstigem Sinn entschieden.

Das städtische Säuglingsheim hat die Widmung, gesunden (womöglich nach Wr. Neustadt zuständigen) Säuglingen in dringlichen Fällen (z. B. Krankheit, Obdachlosigkeit, sonstiger sozialer Notstand der Mutter) Obdach zu gewähren.

Die Säuglinge verbleiben bei Tag und Nacht in der Anstalt.

Das Heim liegt im ersten Stockwerk des Jugendamtshauses. Es ist eine geschlossene, nur mit Passierschein zu betretende Anstalt.

vations made elsewhere. Before the war the infant mortality rate in Wiener Neustadt vacillated between 15 % and 26 %.

If the infant mortality rate is to drop even further, more will need to be done to improve the economic and general living conditions, rather than just to improve infant care through social services.

Regarding mothers' willingness to breastfeed, we took a look at circumstances in the first three months after birth, during which mothers' milk appears to be of utmost importance.

We found the following percentages of infants who were weaned before their third month or who were solely artificially nourished:

1918	–	24 %
1920	–	13 %
1921	–	11.5 %
1924	–	7 %

We believe that our caregiving measures can favorably influence mothers to breastfeed their babies. We cannot deny, however, that the method used by the Association of Health Insurance Companies, offering a bonus for breastfeeding, also had an influence on a portion of these women.

It appears from the above-mentioned results that the value of providing counseling services for mothers can be considered favorable.

The municipal home for infants is dedicated to providing shelter for healthy infants (preferably from the Wiener Neustadt area) in urgent cases (e.g. illness, homelessness, other social emergency of the mother).

The infants stay day and night at the home.

The home is located on the second floor of the Youth Welfare Office. It is a closed facility which can only be entered with a pass.

Einrichtung:

In 4 luftigen Räumen (Boxen) mit je 3–4 Betten Belag können 15 Kinder Aufnahme finden. Ein kleiner Vorraum dient als Milchküche, eine große, nach Süden freie Veranda gestattet den Freiluftaufenthalt bei günstiger Witterung. Mit einer Ausnahme ist in allen Räumen Wasserleitung, die Beleuchtung ist elektrisch, die Beheizung erfolgt mittels Gasöfen. (Die Gasheizung hat sich nach vorübergehenden, durch minderwertiges Gas verursachten Störungen bewährt.)

Außer den Kinderbetten (je eine Type für größere und kleinere Säuglinge) und je einem Untersuchungstisch für ein Zimmer sind alle zur Pflege notwendigen Gegenstände für jeden Pflegling gesondert vorhanden. Zwei Wannen, zwei Kinderwagen, ferner ein Apotheken-, ein Küchen-, ein Wäschekasten, Eisschrank etc. vervollständigen die Einrichtung.

Betrieb:

Personal: ein fachärztlicher Leiter, eine erfahrene Oberschwester, zwei im Haus herangebildete Hilfsschwestern, eine Aufräumerin.

Dienstordnung: 2 Schwestern versehen den Dienst bei Tag, eine bei Nacht. Der Dienstbetrieb (z. B. Bade-, Koch-, Fütterstunden, ärztliche Visite, Erholungszeit) ist genau geregelt. Die täglichen Vorkommnisse werden fortlaufend aufgezeichnet.

Jedes neu aufzunehmende Kind wird zuvor ärztlich untersucht, die Art seiner Ernährung festgesetzt und überwacht. Die Mehrzahl der Kinder muss künstlich genährt werden. Stillfähige Mütter werden zum Stillen ihrer im Heim untergebrachten Kinder nach Tunlichkeit angehalten.

Die zur Verwendung gelangende Kuhmilch wird von der städtischen Ökonomie in plombierter Kanne geliefert.

Die gebrauchte Wäsche wird bis zur Abholung in mit Blech ausgeschlagenen Kisten verwahrt und in der städtischen Waschanstalt gereinigt.

The facility and its furnishings:

Fifteen children can be accommodated in four airy, spacious rooms, with three to five beds per room. A small anteroom serves as a kitchen to store and prepare the milk; a large open-air veranda facing south can be used to take the infants outdoors in pleasant weather. With one exception, there is running water in every room; there is also electric lighting, and heating is provided by gas furnaces. (This heating system experienced temporary disruptions due to inferior gas, but now runs efficiently.)

In addition to the cribs (two sizes for smaller and larger infants) and an examining table in each room, each infant has his own articles of hygiene. Two small bathtubs, two baby carriages, a medicine chest, a kitchen cupboard, a wardrobe and an icebox complete the furnishings.

Operations of the home:

Staff: a pediatrician as head of operations, an experienced head nurse, two assistant nurses who have been trained on site, and a cleaning woman.

Work Plan: two nurses are on duty during the day, one at night. The work schedule is precisely regulated: for example, bathing, cooking, feeding, doctor's examinations, and resting periods. All routine activities are continuously recorded.

Each newly admitted infant is examined by a doctor beforehand, and the child's type of nutrition is determined and monitored. The majority of the babies must be fed artificially. Mothers who are capable of breastfeeding their babies at the home are encouraged to do so.

The cow's milk which is used as nourishment is delivered by the municipal dairy in leaded milk containers.

The soiled clothing and linens are kept in tin-lined boxes until they are picked up and washed at the municipal laundry.

Statistischer Überblick:

Seit der Eröffnung (Mai 1920) bis Ende 1924 fanden 164 Säuglinge Aufnahme, welche zusammen 18.838 Tage verpflegt wurden, sodass auf ein Kind durchschnittlich 115 Verpflegtage entfallen.

Von diesen Kindern sind 11 (6.7 %) verstorben, 9 Kinder (5 %) wurden krankheitshalber an Krankenanstalten übergeben, alle übrigen, sofern nicht in Anstaltspflege mit Ende 1924 verblieben, gesund entlassen, der größere Teil in häusliche Pflege, ein kleiner Teil in Kostpflege, welche durch das städt. Jugendamt vermittelt wurde.

Die Gewichtszunahme ist im Allgemeinen befriedigend. Sie beträgt im Durchschnitt 24 g pro Tag und Kind.

Von kleinen Endemien an Darmkatarrh in den Sommermonaten 1920, 1921, 1923, die ohne nachhaltigen Schaden beseitigt wurden, und Krätze (3 Kinder 1920, 5 Kinder 1923) abgesehen, hatten wir nur einmal unter Keuchhusten (1924) zu leiden, an dem fast alle Kinder erkrankten. Überträgerin war eine Pflegeschwester, bei der die Krankheit im Beginn nicht bemerkt wurde.

Von den auf allen Säuglingsstationen bekannten, leider bei aller Vorsicht nicht immer zu verhütenden katarrhalischen Erkrankungen der Luftwege blieben und bleiben auch wir nicht verschont.

Zusammenfassung:

Das Säuglingsheim hat sich als eine segensreiche, heute unentbehrlich gewordene Gründung bewährt. Das Gesamtergebnis in pflegetechnischer Hinsicht ist ein günstiges. Gelegentliche Misserfolge sind leider nicht zu vermeiden. Sie sind für Arzt und Pflegerin ein Ansporn, ihr Wissen immer mehr zu vertiefen und ihre Aufmerksamkeit zu verdoppeln im Kampf gegen die Feinde ihrer Schützlinge.

Statistical overview:

From its opening in May 1920 until the end of 1924, 164 infants were admitted, for a total sum of 18,838 days of care, an average of 115 days of care per child.

Of these children 11 (6.7 %) died, and 9 children (5 %) were transferred to hospitals due to illnesses. All others, unless they remained at the home as late as the end of 1924, were released in healthy condition. The majority of the children returned home to their families, and a small number were given into foster care, which was arranged by the Child Welfare Office.

Weight gain was generally satisfactory, amounting to 24 grams per day per child.

Aside from instances of gastroenteritis in the summer months of 1920, 1921 and 1923, which were alleviated without further side effects, and several instances of scabies (3 children in 1920, 5 in 1923), we only had one outbreak of whooping cough in 1924. Almost all of the children suffered from the latter illness, which was transmitted by a nurse whose infection was not detected early enough.

We were and are not spared from the respiratory infections, which are known in all infant wards and unfortunately cannot always be prevented despite all precautions.

Summary:

The founding of the infant home proved to be a blessing, and it seems indispensable to us today. The overall results of our caregiving are auspicious. Occasional failures cannot be avoided. They are an incentive for both the physicians and the caregivers to deepen their knowledge, and to redouble their efforts in the battle against the enemies of their tiny charges.

„Ende vom Lied".
In memoriam Franz Strauß

Am 15. Dezember 2005 wurde mein Onkel Franz im Morgen-
stötter-Familiengrab auf dem Friedhof der Pfarrkirche in Jenbach
(Tirol) beigesetzt. Seit seiner Geburt in Wiener Neustadt im Jahr
1922 hatte er die schwierigen wirtschaftlichen Bedingungen in der
Ersten Republik, die Revolution des Jahres 1934, den ‚Anschluss'
(wie Hitler es euphemistisch nannte) und das dadurch bedingte
Auseinanderbrechen seiner Familie, den Zweiten Weltkrieg sowie
die langsame Verbesserung der Lebensbedingungen in der Nachkriegszeit erlebt beziehungsweise überlebt. Er war der letzte ver-
bliebene Enkel des Prager Trockenfrüchte- und Kaffeehändlers
Salomon (Samy) Strauß (1845–1933) und seiner zweiten Frau
Berta, geborene Jeiteles (1857–1907), und auch der letzte Tiroler
Enkel von Peregrin Morgenstötter (1860–1930) und seiner Frau
Maria, geborene Müllauer (1862–1924). Die Familie Morgenstötter, von Beruf Bauern, Gerber, Handwerker und Gastwirte,
stammte ursprünglich aus dem Zillertal, während die Mitglieder
der Familie Müllauer zu den frühesten Einwohnern des mittelalterlichen Tiroler Ortes Jenbach gezählt hatten. Franz, der den Mädchennamen seiner Mutter angenommen hatte, um der Verfolgung
durch die Nazis zu entgehen, war auch der letzte in Tirol ansässige
Überlebende der Familien Morgenstötter und Müllauer.

Franz Strauß (1922–2005) war der zweite von drei Söhnen des
Kinderarztes Wilhelm (Willi) Strauß (1885–1970) und seiner Frau
Therese, geborene Morgenstötter (1892–1978). Der älteste Sohn
war mein Vater Felix (Fritzl) Strauß (1918–1990), und der jüngste
war mein Namensvetter Johann (Hans) Strauß (1930–1941), der
während des Krieges in Budapest untergekommen war und dort
einer Kinderkrankheit erlag – oder, wie mein Vater vermutete, an
gebrochenem Herzen starb. So war es ironischerweise der aufgrund
von Poliomyelitis und Enzephalitis seit seiner frühen Kindheit körperlich und geistig beeinträchtigte Franz, der am längsten lebte.

"End of the Story:"
In memoriam Franz Strauss

On the fifteenth of December 2005, Uncle Franz was laid to rest in the Morgenstötter family plot of the parish church (*Pfarrkirche*) in Jenbach, Tyrol. Born in Wiener Neustadt in 1922, he had survived the harsh economic realities of the First Republic, the Revolution of 1934, the *"Anschluss"* (as Hitler euphemistically called it) and the subsequent break up of his family, the Second World War, and the slow post-war recovery. He was the last surviving grandson of the dried fruit and coffee merchant Salomon (Samy) Strauss (1845–1933) of Prague and his second wife Berta Jeiteles (1857–1907), and the last Tyrolean grandson of Peregrin Morgenstötter (1860–1930) and his wife Maria Müllauer (1862–1924). The Morgenstötter family, farmers, tanners, craftsmen, and innkeepers were originally from the Zillertal, and the Müllauers were among the earliest inhabitants of the medieval town of Jenbach. Franz, who had assumed his mother's maiden name to evade the Nazis during the war, was the last surviving member of the Morgenstötter/Müllauer clan to live in Tyrol.

Franz Strauss (1922- 2005) was the second of three sons born to the pediatrician Wilhelm (Willi) Strauss (1885–1970) and Therese Morgenstötter (1892–1978). The oldest son was my father Felix (Fritz) (1918–1990), and the youngest was my namesake Johann (Hans) (1930–1941), who died in Budapest during the war of a childhood ailment or, as my father would have it, of a broken heart. Ironically, it was Franz, impaired both physically and mentally by polio and encephalitis at an early age, who lived the longest.

Im Frühjahr 1965, als ich sechzehn Jahre alt war, bin ich Onkel Franz zum ersten Mal begegnet. Damals war er Türhüter des Klosters von Schwaz, nach Jenbach der nächste Ort flussaufwärts. Der Inn hatte kurz zuvor das Tal überschwemmt, die Straßen waren für die wenigen Autos, die es gab, kaum befahrbar. Selbst in Wien konnten nur bemittelte Österreicher darauf hoffen, ein Auto zu besitzen. Jenbach war in den mittleren 1960er Jahren eine kleine, trostlose und ziemlich schmutzige Ortschaft, der beißende Geruch von mit Kohle und Holz befeuerten Öfen hing überall in der Luft. In Tirol schien die Zeit stehen geblieben zu sein, und die Bewohner Jenbachs sahen aus, als wären sie gerade einem Gemälde aus der Biedermeierzeit entstiegen.

Franz sollte uns anlässlich einer Familienzusammenkunft im Gasthaus von Alois (Loisl) Morgenstötter (1914–1992) in Jenbach treffen. Loisl war der einzige Sohn des jüngeren Peregrin (1886–1940) und Leopoldine Esterhammers (1899–1942) und somit ein Cousin ersten Grades von Franz und meinem Vater. Loisl und seine Lebenspartnerin Maria (Mitzi) Harb hatten Franz während des Krieges bei sich aufgenommen. Man sprach davon, dass Franz im Gasthaus ausgeholfen und so seinen Unterhalt bestritten habe, viel wahrscheinlicher ist jedoch, dass dies durch Überweisungen aus Bagdad geschah, wo seine Eltern inzwischen Zuflucht gefunden hatten.

Trotz seiner Gebrechen war Franz ein gut aussehender Mann mit breiten Schultern, dichtem dunklen Haar und ebenmäßigen Gesichtszügen. In seinen Augen konnte man Verletzlichkeit und einen ängstlichen Ausdruck erkennen, besonders wenn er zu sprechen versuchte: Er murmelte und stotterte sehr. Er hatte einen sprunghaften Gang, und man hatte immer den Eindruck, dass er jeden Moment stolpern könnte. Bei diesem ersten Zusammentreffen wurde mir klar, dass Mitzi Franz nur geduldet und er sich dort nicht wohlgefühlt hatte.

I first met Uncle Franz in spring 1965, when I was sixteen years old. At that time, Franz was the gatekeeper (*Türhüter*) at the monastery in Schwaz, one town up-river from Jenbach. The Inn River had flooded with disastrous results that spring, and roads were nearly impassable, not that there were many cars on the road. Even in Vienna, only a wealthy Austrian could hope to own an automobile. Jenbach in the middle 1960's was a small, drab and dirty town, strongly redolent of coal and wood-burning stoves. Time seemed to have stood still in Tyrol, and its denizens looked as though they had recently stepped out of a Biedermeier Era painting.

Franz was to meet us for a family reunion at the inn (*Gasthaus*) of Alois (Loisl) Morgenstötter (1914–1992) in Jenbach. Loisl was the only son of the younger Peregrin (1886–1940) and Leopoldine Esterhammer (1899–1942), and therefore a first cousin of Franz and my father. It had been Loisl and his common-law wife Maria (Mitzi) Harb who had sheltered Franz during the war. The polite fiction was that Franz had helped out at the inn, although it was almost certainly remittances from his parents, then in Baghdad, which paid for Franz's room and board.

Despite his infirmities, Franz was a handsome man: well-proportioned and broad-shouldered, with thick dark hair and regular features. There was something vulnerable and slightly haunted in his eyes, especially when he tried to speak: he both mumbled and stuttered terribly. He walked with a lurching gait and gave the constant impression that he was about to stumble. It was clear to me that spring when we met, that Mitzi accepted his presence on sufferance, and that Franz was uncomfortable.

Es gab noch ein weiteres bemerkenswertes Familienmitglied bei diesem Treffen: Josef (Sepp) Morgenstötter, der letzte noch lebende Bruder meiner Großmutter, ein kräftiger Mann mit breiter Brust, etwa achtzig Jahre alt. In der Zeit des ‚Anschlusses‘ hatte Sepp einen hohen Posten bei der Wiener Polizei innegehabt und war maßgeblich daran beteiligt gewesen, meinem Vater zur Flucht nach Frankreich und schließlich in die Vereinigten Staaten zu verhelfen. Nun saß er mit zwei Gefährten an einem Tisch in der Ecke des Gastraumes; die drei spielten Karten und tranken Bier. Ihr Gespräch bestand, soweit ich das beurteilen konnte, nur aus einem gelegentlichen „Na ja" (wobei das ‚ja‘ in Tirol eher zu einem tiefen ‚jo‘ wird), das je nach Betonung ein Ausdruck der Überraschung, der Resignation oder auch der gedankenverlorenen Akzeptanz des menschlichen Daseins sein konnte. Sepp nahm kaum Notiz von seinen amerikanischen Verwandten – meinen Eltern, meiner Schwester Elizabeth und mir – oder den übrigen Anwesenden, nur von seinen beiden Mitspielern.

Abgesehen vom Eingangsbereich, bestand Loisls Gasthaus lediglich aus einem langen dunklen Gastraum mit niedriger Decke, hölzernen Tischen und Stühlen und einem österreichischen Kachelofen, einer nur mit dem Allernötigsten versehenen Küche und einem hinter dem Gebäude gelegenen kleinen Gastgarten. Für die Stammgäste gab es Fächer für ihre Servietten und Biergläser. Die ungeheizte Toilette neben dem Eingang wies als einzige Annehmlichkeit einen Nagel auf, an dem in Streifen geschnittenes Zeitungspapier aufgehängt war. Das Angebot des Gasthauses beschränkte sich auf Bier, Wurst mit Senf und Meerrettich, dazu noch Schwarzbrot. Loisl und Mitzi lebten in Zimmern über dem Gastraum. An dem ganzen Gasthaus hatte sich, von der Einführung der Elektrizität abgesehen, seit der Zeit Mozarts wohl kaum etwas verändert. Ihren exotischen amerikanischen Verwandten gegenüber war das Paar großzügig, sie bedachten uns mit zahlreichen kleinen Geschenken. Viele Jahre später, nach Loisls Tod, habe ich zu meiner Überraschung erfahren, dass er Land im Wert von acht

There was another noteworthy family member present in the inn that day: Josef (Sepp) Morgenstötter, my grandmother's only remaining brother, a barrel-chested, powerful looking gentleman of about eighty years. Sepp had held a high post in the Vienna police during the *"Anschluss,"* and had been instrumental in helping my father escape to France and eventually to the United States. Sepp sat with two companions in the corner of the common room, drinking beer and playing cards. The only conversation, as far as I could tell, consisted of the occasional "Well" (*"Na ja;"* the *"ja"* becomes a deep *"jo"* in Tyrol), delivered in tones that alternately expressed discovery, resignation, and absent-minded acceptance of the human condition. Sepp paid scant attention to the Americans – my parents, my sister Elizabeth and me – or for that matter to anyone else in the room save the other two card players.

Loisl's inn consisted of an entryway, a long, low-ceilinged and dark eating room with wooden tables and an Austrian tiled heating oven, a primitive kitchen, and a small guest garden in the back. There were cubbyholes where regular guests kept their napkins and beer glasses. The only amenity in the unheated toilet off the entryway was a nail with strips of newspaper, and the inn fare consisted of little more than beer, sausage with mustard and horseradish, and black bread. Loisl and Mitzi lived simply in rooms above the inn which, except for electricity, had probably not much changed in appearance or function since the time of Mozart. They were generous hosts to their exotic American relatives, showering us with small gifts. Much later, after his death, I was astonished to learn that Loisl had been the owner of eight million dollars' worth of real estate, and that he had died intestate.

Millionen Dollar besessen hatte und verstorben war, ohne ein Testament zu hinterlassen.

Vierzig Jahre nach diesem ersten Besuch in Jenbach bat mich der Abt des Klosters Schwaz um Informationen über meinen Onkel, die er für seine Leichenpredigt verwenden könnte. Ich konnte ihm herzlich wenig mitteilen. Franz' Leben war seit seiner frühen Kindheit sehr eingeschränkt gewesen. Er hatte eine Pflegerin und bekam Privatunterricht, regelmäßig auch das, was wir heute als Physiotherapie verstehen. Er hatte lesen gelernt und verfügte über elementare Kenntnisse der Mathematik; er konnte mit unsicherer Hand schreiben und nahm an Familienausflügen aufs Land teil. Mit anderen Worten: Seine Eltern hatten ihm liebevolle Pflege und Aufmerksamkeit zukommen lassen. Der ‚Anschluss' muss für den stark von anderen abhängigen und zugleich empfindsamen sechzehnjährigen Franz Konsequenzen gehabt haben, die für ihn unverständlich waren: Seine Beeinträchtigung machte für ihn selbst jede Ausreise unmöglich, während seine Eltern nach Bagdad entkamen, sein älterer Bruder nach Amerika und sein jüngerer Bruder nach Budapest. Seine Erziehung kam abrupt an ein Ende, und er musste sich mit einem unsicheren und sehr wahrscheinlich unglücklichen Leben abfinden, aus dem es keinen Ausweg gab. Noch als alter Mann hatte Franz stets ein Photoalbum aus der Zeit vor dem ‚Anschluss' auf dem Nachttisch liegen, und er sprach fast ausschließlich von seiner Kindheit und seinen Eltern. Die Kriegsjahre oder sein Leben im Kloster erwähnte er nie.

1948 konnten meine Großeltern Bagdad endlich verlassen und mit der Hilfe meiner Eltern in die Vereinigten Staaten einwandern. 1959 besuchten sie zum ersten Mal seit dem Krieg wieder das nunmehr stark veränderte Österreich, wo sie für Franz die Unterkunft im Kloster Schwaz arrangieren konnten. Dort arbeitete Franz die nächsten dreißig Jahre bis zu seinem Ruhestand. Meine Großmutter zog nach dem Tod ihres Mannes im Jahr 1970 in eine Wohnung in der Nähe des Klosters, um nach ihrem Sohn sehen zu können. Franz wusste ihre Fürsorge zweifellos zu schätzen, obwohl er sich manchmal bitter darüber beklagte, dass er beständig Bananen essen

Forty years after my first visit to Jenbach, when the Abbot of the Schwaz Monastery asked me to describe my uncle in preparation for the funeral eulogy, there was shockingly little I could tell him. Franz's life had been severely circumscribed since early childhood. He had had a nursemaid and tutors, been given what we now call physical therapy, had learned to read, do elementary math and write with a shaky hand, had participated in family outings to the country: in short, he had been loved and cared for by his parents. The *"Anschluss"* must have been an unmitigated calamity for a highly dependent and sensitive sixteen-year-old: disability prevented his own departure from Austria, while his parents escaped to Baghdad, his older brother to America, and his younger to Budapest. Franz's education came to an abrupt halt, and he was forced into a tenuous and probably unhappy living situation with no relief in sight. As an old man Franz kept his pre-*"Anschluss"* photo album by his bedside and spoke almost exclusively about his childhood and his parents. He never mentioned the war years or the monastery.

My grandparents were finally able to leave Baghdad and immigrate to America with the sponsorship of my parents in 1948. They revisited a greatly changed Austria for the first time since the war in 1959, and were able to place Franz in the Schwaz Monastery, where he worked for the next thirty years until his obligatory retirement. Upon Willi's death in 1970, my grandmother moved permanently to an apartment near the monastery, in order to look after my uncle. He undoubtedly appreciated the attention, although he sometimes complained bitterly about having to eat bananas and keep to a strenuous exercise regime. My grandmother, by then a devout Christian Scientist in her late seventies, had a will of iron and was determined to make Franz physically fit.

und Gymnastik treiben musste. Meine Großmutter, die in ihren späten Siebzigern zur Christian Science übergetreten war, hatte einen eisernen Willen und war entschlossen, Franz zu einer guten körperlichen Verfassung zu verhelfen.

Therese Strauß starb im Jahr 1978, hatte aber bereits zuvor die finanzielle Versorgung ihres beeinträchtigten Sohnes gesichert. Sie hatte den sogenannten „Strauss Trust Number One" eingerichtet, der die magere staatliche Rente aufbesserte, die Franz bezog, und der nach ihrem Ableben zunächst von meinem Vater und nach dessen Tod von mir verwaltet wurde. Dieses Arrangement erlaubte es Franz, in das Altersheim St. Josef in Schwaz zu ziehen, eine gut ausgestattete Einrichtung der katholischen Kirche, die unter der Leitung der gestrengen Oberin Hilda stand. Franz wurde im Laufe der Jahre „eine Institution", wie es Schwester Hilda später beschrieb, überlebte er doch alle vor ihm aufgenommenen Bewohner und auch viele der nach ihm Gekommenen. Kurz nach seiner Ankunft und ungeachtet seiner vergleichsweise guten körperlichen Verfassung erklärte Franz dem Pflegepersonal, dass er nur essen werde, was ihm zusage (mit Sicherheit keine Bananen), und dass er keine Spaziergänge und keine Gymnastik mehr machen werde.

Von 1990 bis 2005 besuchte ich Franz mindestens einmal im Jahr, manchmal allein und manchmal zusammen mit meiner hilfsbereiten und liebenswürdigen Cousine zweiten Grades Dr. Gerda Kienesberger. (Sie ist die Tochter von Lydia, der Lieblingscousine meines Vaters, und die Enkelin von Martin, einem Bruder meiner Großmutter Therese.) Franz hat sich immer über meine Besuche gefreut, die ihn, selbst wenn ich unangekündigt kam, zumindest dem Anschein nach niemals überraschten. Mehr als alles andere war er ein stoischer und extrem treuherziger Mensch, was vielleicht auf seine lebenslange Abhängigkeit zurückgeführt werden kann. Er hatte Spaß am Patiencespiel, sah viel Sport im Fernsehen, knobelte an Kreuzworträtseln und beschäftigte sich mit seiner ständig wachsenden Sammlung von Plüschtieren. Wirklich erstaunlich war seine Fähigkeit, sich genau an Fußballergebnisse zu erinnern und den Fahrplan des gesamten österreichischen Bundesbahnnet-

Therese died in 1978, after establishing a trust fund for Franz, which first my father and then I administered. The so-called Strauss Trust Number One supplemented Franz's meager state pension and permitted him to retire to the St. Josef nursing home (*Altersheim*), in Schwaz, a humane and well-run, managed care facility administered by the redoubtable Mother Superior (*Schwester Oberin*) Hilda, and supported by the Catholic church. Franz became "an institution," as Sister Hilda was later to describe him, outliving all of the other residents who had preceded and many who followed him. Shortly after his arrival, and in spite of being relatively fit, Franz made it clear that he was going to eat exactly what he wanted (certainly no bananas), and that moreover, he wasn't going to walk or exercise anymore.

Between 1990 and 2005, I visited Franz at least once a year, sometimes alone and sometimes with my helpful and lovely second cousin Dr. Gerda Kienesberger. (Gerda is the daughter of my father's favorite cousin Lydia, and the grand-daughter of my grandmother Therese's brother Martin.) Franz was always happy to see me and seemingly never surprised, although I sometimes dropped in unannounced. He was, above all, a stoic and extremely trusting person, perhaps because he had been dependent all of his life. He enjoyed playing solitaire, watching sports on television, doing crossword puzzles and arranging his ever expanding stuffed animal collection. His ability to recall football (soccer) scores and recite the schedule of the entire Austrian federal train network by heart was truly astonishing. He also followed exchange rates with keen interest, in part because the Strauss Trust was denominated in U. S. dollars.

zes auswendig herzusagen. Auch verfolgte er die internationalen Wechselkurse mit Interesse, was zum Teil wohl daran lag, dass der „Strauss Trust" auf US-Dollar lautete.

Gerdas Vater, der Psychologe Dr. Alfred Kienesberger, war der Meinung, dass Franz in seiner intellektuellen und emotionalen Entwicklung einem ziemlich gescheiten Vierzehnjährigen entspreche. Er war faul, wenn es sich um Gymnastik und Spaziergänge, Briefeschreiben oder den Umgang mit den anderen Heimbewohnern handelte, und er verfügte über eine gewisse Bauernschläue, wenn er etwas von den Schwestern wollte. Er hatte auch ein paar englische Wörter aufgeschnappt und hatte Spaß daran, sie in meiner Anwesenheit zu präsentieren. Besonders gern gebrauchte er den Ausdruck ‚K.o.', den er stets mit einem zufriedenen Lachen begleitete. Je älter er wurde, desto mehr sah er wie ein Morgenstötter aus, wobei auch sein Tiroler Dialekt zunehmend in den Vordergrund trat. Seine Sprechweise wurde immer undeutlicher, sodass selbst Gerda Schwierigkeiten hatte, ihn zu verstehen. Ich versuchte, meine Besuche bei Franz so zu legen, dass ich morgens eintraf, wenn er noch relativ frisch war. Aber selbst dann war ein Besuch von höchstens eineinhalb Stunden alles, was jeder von uns beiden verkraften konnte.

Ein paar Tage vor seinem Tod erlitt Franz einen Darminfarkt, dem auch eine Notoperation nicht mehr abhelfen konnte. Franziska (Franzi) Kienesberger, Alfreds zweite Frau und Gerdas Stiefmutter, kümmerte sich in seinen letzten Tagen um ihn, genau so, wie sie es dreizehn Jahre zuvor auch für Loisl getan hatte. Franz akzeptierte seinen herannahenden Tod, wie er sein ganzes Leben akzeptiert hatte: stoisch und ohne Überraschung. Wie er Franzi anvertraute, war es eine große Freude für ihn, dass der Abt des Klosters höchstpersönlich gekommen war, um ihm die Letzte Ölung zu erteilen.

Wie mein Vater war Franz in der österreichischen katholischen Kirche getauft und in ihren Ritualen unterwiesen worden. Der österreichische Katholizismus, eine von der habsburgischen Geschichte und ihren Traditionen geprägte und manchmal herabsetzend als

Gerda's father, the psychologist Dr. Alfred Kienesberger, had been of the opinion that Franz displayed the intellectual and emotional development of an extremely bright fourteen-year-old. He was lazy about exercise and walking, writing letters and socializing with the other residents of the nursing home, and he had a kind of peasant slyness about getting the sisters to do his bidding. He had picked up a few words of English and liked to display them when I visited. He particularly liked the expression "KO" (knockout), which he always delivered with a satisfied belly laugh. As he aged, he looked more and more like a Morgenstötter, his Tyrolean dialect became ever more pronounced, and his speech became less distinct, so that even Gerda had trouble understanding him. I tried to time my visits to Franz so that I arrived in the morning when he was relatively fresh. Even then, a visit of an hour to an hour and a half was as much as either one of us could take.

A few days before his death, Franz suffered an infarction of the bowel which emergency surgery was unable to remedy. Franziska (Franzi) Kienesberger, the second wife of Alfred and stepmother of Gerda, ministered to Franz during his last days, just as she had ministered to Loisl thirteen years earlier. Franz accepted his impending death as he had accepted life, stoically and without surprise. It was a source of great joy to him, as he repeated to Franzi, that the Abbot himself had come to administer the Last Rites.

Franz, like my father, had been baptized and schooled in the rituals of the Austrian Catholic Church, an institution peculiarly filtered through the prisms of Hapsburg history and custom. Sometimes described disparagingly as "Baroque Catholicism," Austrian Catholicism is uniquely colored by Baroque architecture and its decorative trimmings, Viennese Classical music, bourgeois laissez-faire sensibility, and dramatic, often theatrical ceremony. Only the shell remains of its Counter-Reformation roots. Rome has, from time to time, tried to tame Austrian liturgical excesses, but to little avail. As

‚barocker Katholizismus' bezeichnete Institution, ist auf einzigartige Weise eingefärbt mit barocker Architektur und ihrem Zierwerk, mit der Wiener Klassik, einer bürgerlichen Laissez-Faire-Einstellung sowie dramatischen, oft theatralischen Zeremonien. Von seinen gegenreformatorischen Wurzeln ist allein das Gehäuse übrig geblieben. Rom hat hin und wieder versucht, die österreichischen liturgischen Auswüchse zu bändigen, allerdings mit wenig Erfolg. Das Ergebnis ist, dass der österreichische Katholizismus selbst für religiöse Skeptiker äußerst berührend und beeindruckend sein kann.

Franz' Vater Willi hingegen war das, was Österreicher einen ‚assimilierten Juden' nennen: ein durch das 2. Toleranzedikt Josephs II. Begünstigter in der vierten Generation. Er hatte Therese Morgenstötter in der eindrucksvollen katholischen Kirche Maria Treu geheiratet, die in Wiens 8. Bezirk, der Josefstadt, liegt. Doch war er auch Wissenschaftler und Arzt, wahrscheinlich auch ein Atheist oder zumindest ein Skeptiker in Sachen Religion, der dem Roten Wien näher stand als dem Katholizismus. Er versuchte sicherlich in keiner Weise, auf die katholischen Überzeugungen seiner Frau einzuwirken. Schließlich stammte sie aus dem ‚Heiligen Land Tirol', wie es die Österreicher gern nennen. In ihrem späteren Leben wurde die ehemalige Krankenschwester, Rotkreuzfreiwillige und Frau eines verdienten Kinderarztes jedoch zu einer überzeugten Anhängerin der Christian Science. Mein Vater wiederum folgte der althergebrachten Praxis, zum protestantischen Glauben zu konvertieren, der auch der Glaube seiner Frau Isabelle Bonsall (1917–1981) war. Allein Franz blieb unbeirrbar in seinem Glauben an die eine, wahrhaftige, katholische Kirche.

Seine letzte Rolle auf dieser Erde sollte er, wie es in einer auf dem Jenbacher Marktplatz aushängenden Parte angekündigt wurde, in der Pfarrkirche von Jenbach wahrnehmen. Die Parte hatte folgenden Wortlaut:[62]

---

62 Anm. von U. H.: Der hier wiedergegebene Text der Parte ist eine Rückübers. ins Dt.

a result, even to religious skeptics, Austrian Catholicism can be deeply affecting and impressive.

Franz's father Willi, on the other hand, had been what Austrians call an "assimilated Jew" *("assimilierter Jude")*: a fourth generation beneficiary of Joseph the Second's Edict of Toleration. He had married Therese Morgenstötter in the impressive Catholic church, Maria Treu, in Vienna's Eighth District, the Josefstadt. Nonetheless he was also a scientist and medical doctor, and probably an atheist or at least a religious skeptic, far more in tune philosophically with the Red Vienna movement than with Catholicism. He certainly did not interfere with his wife Therese's Catholic convictions: she was after all from "the Holy Land of Tyrol" (*"das Heilige Land Tirol"*), as the Austrians like to call it. Later in life, however, the one-time nurse, Red Cross volunteer and wife of a distinguished pediatrician became a determined Christian Scientist. My father, on the other hand, followed the time-honored practice of converting to his wife Isabelle Bonsall's (1917–1981) Protestant faith. Franz alone remained an unswerving believer in the one, true, Catholic Church.

His final temporal appearance, as announced in a *Parte* (an Austrian death announcement) prominently displayed in the Jenbach town square, was to take place in the Jenbach parish church. The *Parte* reads:

,Lege alles in die ewigen Hände Gottes: Glück und Schmerz, Anfang und Ende.'

In tiefer Trauer nehmen wir Abschied von unserem lieben Onkel Franz (25. Juni 1922 – 10. Dezember 2005), der uns nach Empfang der Letzten Ölung für immer verlassen hat. Wir werden am Donnerstag, dem 15. Dezember, um 14.00 Uhr in der Pfarrkirche zu Jenbach ein Requiem feiern. Auch werden wir den lieben Verstorbenen zu seiner letzten Ruhestätte auf dem Gottesacker begleiten. Am Mittwoch um 17.00 Uhr werden wir seiner bei einer Abendmesse im Altersheim St. Josef in Schwaz gedenken.

Schwaz, im Dezember 2005

Elizabeth und Terry Fralick mit Heather und Neil
Dres. John und Virginia Strauss mit Alexander

Für diese Parte sowie für so viele andere Dinge, welche die letzten Tage und das Begräbnis meines Onkels Franz betrafen, muss ich mich bei der tatkräftigen und gastfreundlichen Franzi Kienesberger sehr herzlich bedanken. Ohne ihre Unterstützung hätte ich den vielen kulturellen Besonderheiten einer Tiroler Beerdigung niemals gerecht werden können. Es war Franzi, die für mich die vielen notwendigen Termine mit dem Leiter des Bestattungsunternehmens, dem Floristen, dem Jenbacher Priester, der Oberin und dem Pflegepersonal des Altersheims sowie den Angestellten des Gasthauses arrangierte. Wir nahmen am Mittwoch gemeinsam an der Gedenkfeier teil, aßen danach im Schwazer Kloster, also am selben Ort, an dem ich während der vergangenen Jahre mit vielen meiner längst verstorbenen Verwandten gegessen hatte, zu Abend und besprachen die Einzelheiten des Begräbnisses am darauffolgenden Donnerstag. Ich wurde genauestens mit den lokalen Gebräuchen vertraut gemacht, ich erfuhr, wie viel Geld ich den Sargträgern, dem Chorleiter, dem Hauptorganisator, den beiden Priestern, dem Abt und dem Messdiener am Ende der Zeremonie jeweils zustecken sollte. Der lokale Brauch verlangte es zudem von mir, alle Zelebranten und die übri-

'Release everything into God's eternal hands, happiness, pain, beginning and end.'

In silent grief we take leave of our dear uncle Franz (June 25, 1922 – December 10, 2005) who has departed from us after receiving Last Rites. We will celebrate a Requiem on Thursday, the 15th of December at 2:00 p. m. in the Jenbach parish church. We will also accompany the dearly departed to his last resting place in the cemetery. We will remember him at an evening mass at 5:00 p. m. on Wednesday in the St. Josef nursing home in Schwaz.

Schwaz, in December 2005

Elizabeth and Terry Fralick with Heather and Neil
Drs. John and Virginia Strauss with Alexander

For this *Parte*, as for so many things regarding Franz's last days and his funeral, I must gratefully thank the energetic and hospitable Franzi Kienesberger. Without her guidance, I would never have been able to avoid the many cultural pitfalls attendant on a Tyrolean funeral. It was Franzi who made the many requisite appointments for me with the funeral parlor director, the florist, the Jenbach priest, the Mother Superior, and other care-givers at the nursing home and the inn staff. We attended the Wednesday memorial service together, ate dinner together at the Schwaz Monastery, where I had eaten in years past with many long-departed family members, and planned the Thursday funeral. I was instructed minutely in local forms and customs, and told how much money to slip the pallbearers, the choir director, the general organizer, the two priests, the Abbot, and the altar boy at the end of the ceremony. Local custom also demanded that I invite all of the celebrants and other church worthies to a celebratory dinner at a local inn after the burial.

gen kirchlichen Würdenträger nach der Beerdigung zu einem feierlichen Abendessen in einem örtlichen Gasthaus einzuladen.

Franz wurde eine prunkvolle und sehr katholische Abschiedsfeier zuteil, eine Zeremonie, die jedoch nicht ohne Überraschungen und Anomalien blieb. Der Jenbacher Priester, dem ich am Mittwoch im Pfarrhaus zum ersten Mal begegnet war, entpuppte sich als ein junger Ostinder. (Nur wenige Österreicher sind heute noch bereit, Priester zu werden.) Er benutzte ein kabelloses Mikrofon, um die Litanei zu singen, die zu meiner großen Verwunderung auch aus Lautsprechern gehört werden konnte, die auf dem Dach der Kirche montiert waren. Zudem machten im Blumengeschäft zwei verschleierte muslimische Frauen deutlich, dass selbst das ‚Heilige Land Tirol‘ von Globalisierung und tiefgreifendem Wandel nicht ausgenommen ist.

Die Jenbacher Pfarrkirche ist ein hoher, schmaler und elegant proportionierter mittelalterlicher Bau mit einfachen Holzbänken, reich geschmücktem, barockem Altarraum, ihre Buntglasfenster stammen aus der Zeit nach dem Zweitem Weltkrieg. Ich saß zusammen mit Gerda und Franzi Kienesberger in der ersten Reihe des Mittelschiffs. Auf den drei zum Altarraum führenden Stufen befand sich ein einfacher hölzerner Sarg, drapiert mit Kränzen und Blumen der Familien Strauss, Fralick und Wagner. Hinter mir saßen in voneinander getrennten Gruppen die Brüder des Schwazer Klosters; die Ordensschwestern des Altersheims St. Josef, alle über siebzig Jahre alt, mit hohen gebrochenen und kraftlosen Stimmen singend und psalmodierend; eine ansehnliche weitere Gruppe bestand aus mir unbekannten Jenbachern, die wohl gewohnheitsmäßig an Trauerfeiern teilnahmen. Über und hinter uns befand sich eine Orgel mit barockem Prospekt, und es sang ein Chor in perfekter Wiener Klassik-Harmonie. Hinter dem Altarraum und links von ihm gab es eine Holzbank mit hoher Rückenlehne, auf der mehrere gut gekleidete Herren saßen, deren Rolle mir verborgen blieb. Am Altar hielt der Abt des Klosters, unterstützt von dem ostindischen Priester, einem Novizen und einem Messdiener, ein feierliches Requiem, an dem sich alle Anwesenden beteiligen durf-

Franz was given a magnificent and very Catholic send-off, a ceremony, however, not without its surprises and anomalies. The Jenbach priest, whom I had first met at the rectory on Wednesday, turned out to be a young East Indian. (Few Austrians are willing to enter the priesthood today.) He used a cordless microphone to chant litanies which were broadcast, to my great surprise, from speakers mounted on the roof of the church. Two cloaked Muslim women in the florist shop provided another reminder that globalization and change had come, even to "the Holy Land of Tyrol."

The Jenbach parish church is a tall, narrow, elegantly proportioned medieval structure with simple wooden benches, an ornately decorated Baroque chancel, and post-World War II stained glass windows. I sat in the first row of the nave with Gerda and Franzi Kienesberger. On the three steps leading to the chancel was a simple wooden coffin, draped with flowers and wreaths from the Strauss, Fralick and Eva Wagner families. Behind me in insular groups sat the brothers of the Schwaz Monastery; the sisters from the St. Josef nursing home, every one of them over seventy years of age, singing and chanting in high cracked tuneless voices; and a sizeable group of anonymous habitual mourners from the town of Jenbach. Above and behind was an organ with a Baroque façade, and a choir which sang in perfect Viennese Classical harmony. To the rear and left of the chancel was a high-backed wooden bench occupied by several well-dressed gentlemen whose function was obscure to me. At the altar, the Abbot with the assistance of the East Indian priest, a novice, and an altar boy, performed a solemn Requiem in which everyone was invited to participate, and which lasted a bit longer than an hour. The lavabo, the consecration of the host, the communion, the incense, the liturgical clothings, the music, and the medieval setting all combined to produce a memorable ceremony, at once theatrical, solemn and timeless. Franz, whose life had been so simple and lim-

ten und das etwas länger als eine Stunde dauerte. Das Lavabo, die Weihe der Hostie, das Abendmahl, der Weihrauch, die liturgischen Gewänder, die Musik und das mittelalterliche Setting – zusammen ließ all das eine denkwürdige Zeremonie entstehen, die gleichermaßen theatralisch, erhaben und zeitlos war. Franz, dessen Leben so einfach und eingeschränkt gewesen war, wurde geehrt und als würdiges Mitglied eines ununterbrochenen Stromes der Familie und ebenso der Bürgerschaft des Ortes Jenbach gepriesen.

So eindrucksvoll diese Zeremonie auch war, musste ich dennoch daran denken, dass in genau dieser Kirche die Gemeinde im Winter des Jahres 1917 dazu angehalten worden war, für den Tod meines Großvaters Willi zu beten: „Es wäre besser, wenn er an der Ostfront stürbe", hatte der Priester einer oftmals erzählten Geschichte zufolge gesagt, „als dass ein katholisches Mädchen einen Juden heiraten sollte." So dachten damals die Menschen des ‚Heiligen Landes Tirol' über Juden. Es kann daher nicht überraschen, dass, wie viele ihrer Landsleute, nicht wenige Angehörige der Familie Morgenstötter während des Zweiten Weltkriegs zu überzeugten Nazis wurden. Auch diese Zeiten, kam mir während der Trauerfeier für Franz in den Sinn, waren Teil des Schauspiels in Jenbach und in der Pfarrkirche.

Nach der Totenmesse führten die Sargträger, gefolgt vom Priester, seinem kirchlichen Geleit, der Familie und der Gemeinde, einen sich schlängelnden Trauerzug über den Friedhof, wobei der Priester in sein kabelloses Mikrophon sang und der Messdiener sein Weihrauchfässchen schwingen und scheppern ließ, was die Luft mit dem katholischsten aller Gerüche erfüllte. Abrupt hielt der Trauerzug an einer kleinen Kapelle, wo jeder der Reihe nach aufgefordert wurde, das Aspergill zu schütteln und Weihwasser auf den Sarg zu sprenkeln. Schließlich ergriffen Leute, die ich nicht kannte und die ich sicherlich nie wiedersehen würde, feierlich meine Hand und sprachen mir ihr Beileid aus, während ich, wie es mir von Franzi angewiesen worden war, Trinkgelder verteilte und Einladungen zum Abendessen aussprach.

ited, was honored and eulogized as a worthy member of an uninterrupted stream of the family and the townsfolk of Jenbach.

Nonetheless, as affecting as the ceremony was, I could not help but reflect that, in this very church during the winter of 1917, the congregation had been exhorted to pray for the death of my grandfather Willi: "Better he should die on the Eastern Front," said the priest according to an oft-repeated story, "than a Catholic girl should marry a Jew." That is how the good people of "the Holy Land of Tyrol" thought in those times. Not surprisingly, several Morgenstötter family members in company with their compatriots, became ardent Nazis during the Second World War. Those times too, I reflected at Franz's funeral, were part of the pageant of Jenbach and the parish church.

After the Requiem, the pallbearers, followed by the priest and his retinue, the family, and the congregation, led a serpentine funeral cortege through the churchyard, while the priest chanted into his cordless microphone and the altar boy swung and clanked his censer, filling the air with that most Catholic of all smells. The procession came abruptly to a halt at a small chapel where each person in turn was invited to shake the aspergillum, sprinkling holy water on the coffin. Finally, my hand was solemnly shaken and condolences were offered by people I did not know and would surely never see again, while I dispersed gratuities and proffered invitations to dinner as instructed by Franzi.

Quite suddenly it was all over: the crowd melted away and I realized that the coffin had been removed. I wandered alone to the Morgenstötter gravesite, where my parents' urns are also interred, and was surprised to see the pallbearers lowering the coffin into an excavation precisely where I knew Loisl to be buried. The Abbot later explained to me that after ten years nothing remains of a coffin or its contents: So long as ten years

Ganz plötzlich war alles vorbei. Die Menschenmenge löste sich auf, und ich stellte fest, dass der Sarg nicht mehr da war. Allein ging ich zum Familiengrab der Morgenstötters, in dem auch die Urnen meiner Eltern beigesetzt sind, und war überrascht zu sehen, wie die Sargträger den Sarg in eine Aushebung hinabsinken ließen, die sich genau dort befand, wo ich Loisl begraben wusste. Der Abt erklärte mir später, dass nach zehn Jahren nichts mehr von einem Sarg oder seinem Inhalt übrig bleibe: Vorausgesetzt, dass zehn Jahre zwischen den Bestattungen verstrichen, könne eine Grabstelle immer wieder aufs Neue genutzt werden. Asche zu Asche, Staub zu Staub…

elapse between burials, a grave site can be used over and over again. Ashes to ashes, dust to dust…

Franz Strauß mit Anfang 30 (undatiert)
Franz Strauss in his early 30s (undated)

Pfarrkirche in Jenbach (15. Juni 2005)
Parish church in Jenbach (June 15, 2005)

Links unten: Loisl Morgenstötters Gasthaus in Jenbach, Tirol (18. April 1965)
Bottom left: Loisl Morgenstötter's inn in Jenbach, Tyrol (April 18, 1965)

333

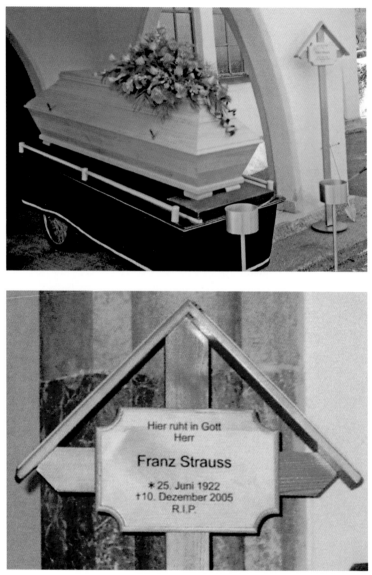

Sarg Franz Strauß' und Kreuz des Trauerzugs für ihn am Eingang der Pfarrkirche
(15. Dezember 2005)

Coffin and funeral procession cross of Franz Strauss at the entrance of the parish church
(December 15, 2005)

Totenmahl für Franz Strauß in Jenbach; von links nach rechts: der Abt des Klosters Schwaz, der Priester der Pfarrkirche, Dr. John F. Strauss, Dr. Gerda Kienesberger und ihre Stiefmutter Franzi Kienesberger (15. Dezember 2005)

Funeral repast for Franz Strauss in Jenbach; left to right: the Abbot of Schwaz Monastery, the Pastor of the parish church, Dr. John F. Strauss, Dr. Gerda Kienesberger and her stepmother, Franzi Kienesberger (December 15, 2005)

Anhang. Familienstammbäume:
Wilhelm Strauß und
Therese Morgenstötter

Appendix. Family Trees: Wilhelm Strauss and Therese Morgenstötter

Wilhelm (Willi) Strauß und seine Familie

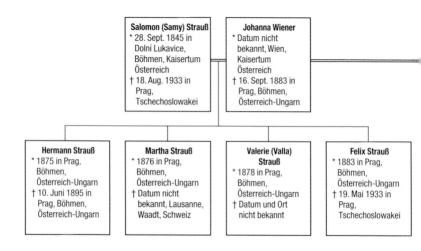

Salomon (Samy) Strauß
* 28. Sept. 1845 in Dolní Lukavice, Böhmen, Kaisertum Österreich
† 18. Aug. 1933 in Prag, Tschechoslowakei

Johanna Wiener
* Datum nicht bekannt, Wien, Kaisertum Österreich
† 16. Sept. 1883 in Prag, Böhmen, Österreich-Ungarn

Hermann Strauß
* 1875 in Prag, Böhmen, Österreich-Ungarn
† 10. Juni 1895 in Prag, Böhmen, Österreich-Ungarn

Martha Strauß
* 1876 in Prag, Böhmen, Österreich-Ungarn
† Datum nicht bekannt, Lausanne, Waadt, Schweiz

Valerie (Valla) Strauß
* 1878 in Prag, Böhmen, Österreich-Ungarn
† Datum und Ort nicht bekannt

Felix Strauß
* 1883 in Prag, Böhmen, Österreich-Ungarn
† 19. Mai 1933 in Prag, Tschechoslowakei

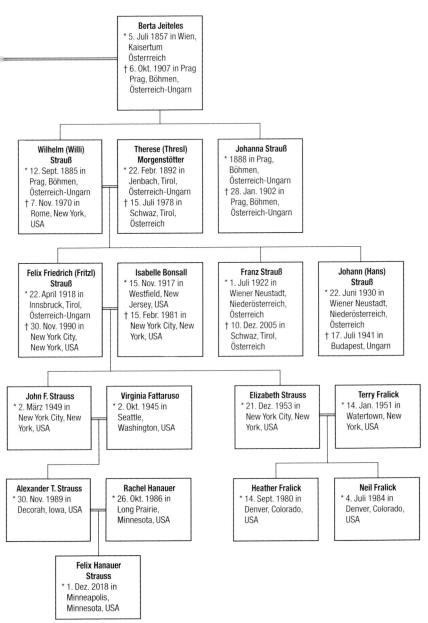

Berta Jeiteles
* 5. Juli 1857 in Wien, Kaisertum Österrreich
† 6. Okt. 1907 in Prag Prag, Böhmen, Österreich-Ungarn

Wilhelm (Willi) Strauß
* 12. Sept. 1885 in Prag, Böhmen, Österreich-Ungarn
† 7. Nov. 1970 in Rome, New York, USA

Therese (Thresl) Morgenstötter
* 22. Febr. 1892 in Jenbach, Tirol, Österreich-Ungarn
† 15. Juli 1978 in Schwaz, Tirol, Österreich

Johanna Strauß
* 1888 in Prag, Böhmen, Österreich-Ungarn
† 28. Jan. 1902 in Prag, Böhmen, Österreich-Ungarn

Felix Friedrich (Fritzl) Strauß
* 22. April 1918 in Innsbruck, Tirol, Österreich-Ungarn
† 30. Nov. 1990 in New York City, New York, USA

Isabelle Bonsall
* 15. Nov. 1917 in Westfield, New Jersey, USA
† 15. Febr. 1981 in New York City, New York, USA

Franz Strauß
* 1. Juli 1922 in Wiener Neustadt, Niederösterreich, Österreich
† 10. Dez. 2005 in Schwaz, Tirol, Österreich

Johann (Hans) Strauß
* 22. Juni 1930 in Wiener Neustadt, Niederösterreich, Österreich
† 17. Juli 1941 in Budapest, Ungarn

John F. Strauss
* 2. März 1949 in New York City, New York, USA

Virginia Fattaruso
* 2. Okt. 1945 in Seattle, Washington, USA

Elizabeth Strauss
* 21. Dez. 1953 in New York City, New York, USA

Terry Fralick
* 14. Jan. 1951 in Watertown, New York, USA

Alexander T. Strauss
* 30. Nov. 1989 in Decorah, Iowa, USA

Rachel Hanauer
* 26. Okt. 1986 in Long Prairie, Minnesota, USA

Heather Fralick
* 14. Sept. 1980 in Denver, Colorado, USA

Neil Fralick
* 4. Juli 1984 in Denver, Colorado, USA

Felix Hanauer Strauss
* 1. Dez. 2018 in Minneapolis, Minnesota, USA

339

Wilhelm (Willi) Strauss and his family

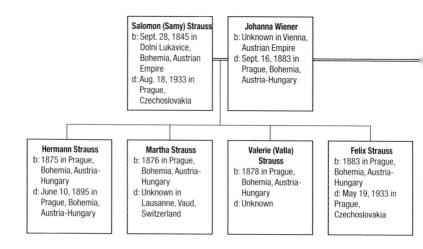

Salomon (Samy) Strauss
b: Sept. 28, 1845 in Dolní Lukavice, Bohemia, Austrian Empire
d: Aug. 18, 1933 in Prague, Czechoslovakia

Johanna Wiener
b: Unknown in Vienna, Austrian Empire
d: Sept. 16, 1883 in Prague, Bohemia, Austria-Hungary

Hermann Strauss
b: 1875 in Prague, Bohemia, Austria-Hungary
d: June 10, 1895 in Prague, Bohemia, Austria-Hungary

Martha Strauss
b: 1876 in Prague, Bohemia, Austria-Hungary
d: Unknown in Lausanne, Vaud, Switzerland

Valerie (Valla) Strauss
b: 1878 in Prague, Bohemia, Austria-Hungary
d: Unknown

Felix Strauss
b: 1883 in Prague, Bohemia, Austria-Hungary
d: May 19, 1933 in Prague, Czechoslovakia

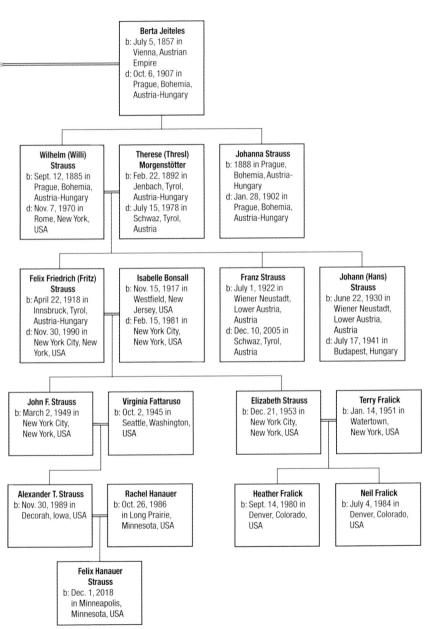

Berta Jeiteles
b: July 5, 1857 in Vienna, Austrian Empire
d: Oct. 6, 1907 in Prague, Bohemia, Austria-Hungary

Wilhelm (Willi) Strauss
b: Sept. 12, 1885 in Prague, Bohemia, Austria-Hungary
d: Nov. 7, 1970 in Rome, New York, USA

Therese (Thresl) Morgenstötter
b: Feb. 22, 1892 in Jenbach, Tyrol, Austria-Hungary
d: July 15, 1978 in Schwaz, Tyrol, Austria

Johanna Strauss
b: 1888 in Prague, Bohemia, Austria-Hungary
d: Jan. 28, 1902 in Prague, Bohemia, Austria-Hungary

Felix Friedrich (Fritz) Strauss
b: April 22, 1918 in Innsbruck, Tyrol, Austria-Hungary
d: Nov. 30, 1990 in New York City, New York, USA

Isabelle Bonsall
b: Nov. 15, 1917 in Westfield, New Jersey, USA
d: Feb. 15, 1981 in New York City, New York, USA

Franz Strauss
b: July 1, 1922 in Wiener Neustadt, Lower Austria, Austria
d: Dec. 10, 2005 in Schwaz, Tyrol, Austria

Johann (Hans) Strauss
b: June 22, 1930 in Wiener Neustadt, Lower Austria, Austria
d: July 17, 1941 in Budapest, Hungary

John F. Strauss
b: March 2, 1949 in New York City, New York, USA

Virginia Fattaruso
b: Oct. 2, 1945 in Seattle, Washington, USA

Elizabeth Strauss
b: Dec. 21, 1953 in New York City, New York, USA

Terry Fralick
b: Jan. 14, 1951 in Watertown, New York, USA

Alexander T. Strauss
b: Nov. 30, 1989 in Decorah, Iowa, USA

Rachel Hanauer
b: Oct. 26, 1986 in Long Prairie, Minnesota, USA

Heather Fralick
b: Sept. 14, 1980 in Denver, Colorado, USA

Neil Fralick
b: July 4, 1984 in Denver, Colorado, USA

Felix Hanauer Strauss
b: Dec. 1, 2018 in Minneapolis, Minnesota, USA

341

Therese (Thresl) Morgenstötter und ihre Familie

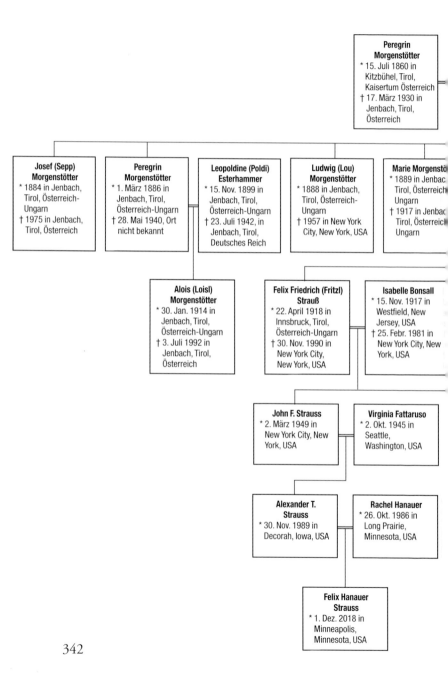

Peregrin Morgenstötter
* 15. Juli 1860 in Kitzbühel, Tirol, Kaisertum Österreich
† 17. März 1930 in Jenbach, Tirol, Österreich

Josef (Sepp) Morgenstötter
* 1884 in Jenbach, Tirol, Österreich-Ungarn
† 1975 in Jenbach, Tirol, Österreich

Peregrin Morgenstötter
* 1. März 1886 in Jenbach, Tirol, Österreich-Ungarn
† 28. Mai 1940, Ort nicht bekannt

Leopoldine (Poldi) Esterhammer
* 15. Nov. 1899 in Jenbach, Tirol, Österreich-Ungarn
† 23. Juli 1942, in Jenbach, Tirol, Deutsches Reich

Ludwig (Lou) Morgenstötter
* 1888 in Jenbach, Tirol, Österreich-Ungarn
† 1957 in New York City, New York, USA

Marie Morgenstö
* 1889 in Jenbac Tirol, Österreich Ungarn
† 1917 in Jenbac Tirol, Österreic Ungarn

Alois (Loisl) Morgenstötter
* 30. Jan. 1914 in Jenbach, Tirol, Österreich-Ungarn
† 3. Juli 1992 in Jenbach, Tirol, Österreich

Felix Friedrich (Fritzl) Strauß
* 22. April 1918 in Innsbruck, Tirol, Österreich-Ungarn
† 30. Nov. 1990 in New York City, New York, USA

Isabelle Bonsall
* 15. Nov. 1917 in Westfield, New Jersey, USA
† 25. Febr. 1981 in New York City, New York, USA

John F. Strauss
* 2. März 1949 in New York City, New York, USA

Virginia Fattaruso
* 2. Okt. 1945 in Seattle, Washington, USA

Alexander T. Strauss
* 30. Nov. 1989 in Decorah, Iowa, USA

Rachel Hanauer
* 26. Okt. 1986 in Long Prairie, Minnesota, USA

Felix Hanauer Strauss
* 1. Dez. 2018 in Minneapolis, Minnesota, USA

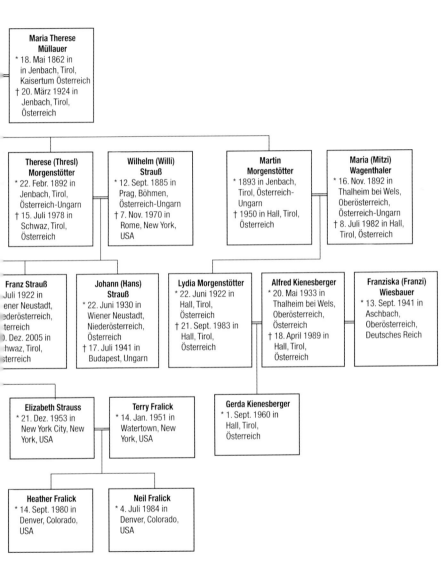

Maria Therese Müllauer
* 18. Mai 1862 in
in Jenbach, Tirol,
Kaisertum Österreich
† 20. März 1924 in
Jenbach, Tirol,
Österreich

Therese (Thresl) Morgenstötter
* 22. Febr. 1892 in
Jenbach, Tirol,
Österreich-Ungarn
† 15. Juli 1978 in
Schwaz, Tirol,
Österreich

Wilhelm (Willi) Strauß
* 12. Sept. 1885 in
Prag, Böhmen,
Österreich-Ungarn
† 7. Nov. 1970 in
Rome, New York,
USA

Martin Morgenstötter
* 1893 in Jenbach,
Tirol, Österreich-
Ungarn
† 1950 in Hall, Tirol,
Österreich

Maria (Mitzi) Wagenthaler
* 16. Nov. 1892 in
Thalheim bei Wels,
Oberösterreich,
Österreich-Ungarn
† 8. Juli 1982 in Hall,
Tirol, Österreich

Franz Strauß
Juli 1922 in
ener Neustadt,
ederösterreich,
terreich
. Dez. 2005 in
hwaz, Tirol,
sterreich

Johann (Hans) Strauß
* 22. Juni 1930 in
Wiener Neustadt,
Niederösterreich,
Österreich
† 17. Juli 1941 in
Budapest, Ungarn

Lydia Morgenstötter
* 22. Juni 1922 in
Hall, Tirol,
Österreich
† 21. Sept. 1983 in
Hall, Tirol,
Österreich

Alfred Kienesberger
* 20. Mai 1933 in
Thalheim bei Wels,
Oberösterreich,
Österreich
† 18. April 1989 in
Hall, Tirol,
Österreich

Franziska (Franzi) Wiesbauer
* 13. Sept. 1941 in
Aschbach,
Oberösterreich,
Deutsches Reich

Elizabeth Strauss
* 21. Dez. 1953 in
New York City, New
York, USA

Terry Fralick
* 14. Jan. 1951 in
Watertown, New
York, USA

Gerda Kienesberger
* 1. Sept. 1960 in
Hall, Tirol,
Österreich

Heather Fralick
* 14. Sept. 1980 in
Denver, Colorado,
USA

Neil Fralick
* 4. Juli 1984 in
Denver, Colorado,
USA

343

Therese (Thresl) Morgenstötter and her family

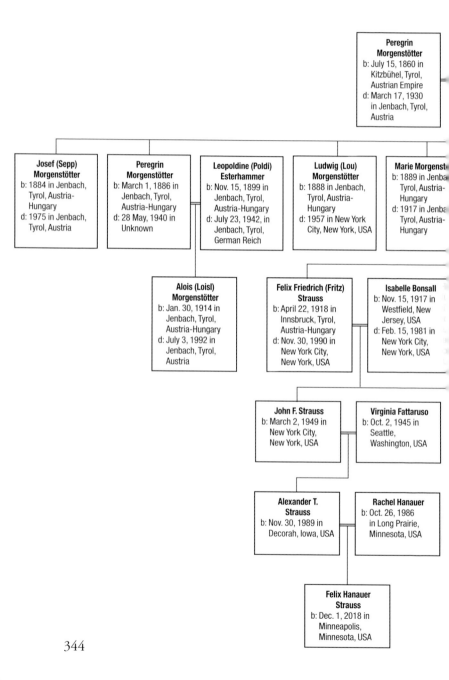

Peregrin Morgenstötter
b: July 15, 1860 in Kitzbühel, Tyrol, Austrian Empire
d: March 17, 1930 in Jenbach, Tyrol, Austria

Josef (Sepp) Morgenstötter
b: 1884 in Jenbach, Tyrol, Austria-Hungary
d: 1975 in Jenbach, Tyrol, Austria

Peregrin Morgenstötter
b: March 1, 1886 in Jenbach, Tyrol, Austria-Hungary
d: 28 May, 1940 in Unknown

Leopoldine (Poldi) Esterhammer
b: Nov. 15, 1899 in Jenbach, Tyrol, Austria-Hungary
d: July 23, 1942, in Jenbach, Tyrol, German Reich

Ludwig (Lou) Morgenstötter
b: 1888 in Jenbach, Tyrol, Austria-Hungary
d: 1957 in New York City, New York, USA

Marie Morgenst·
b: 1889 in Jenba·
Tyrol, Austria-Hungary
d: 1917 in Jenba·
Tyrol, Austria-Hungary

Alois (Loisl) Morgenstötter
b: Jan. 30, 1914 in Jenbach, Tyrol, Austria-Hungary
d: July 3, 1992 in Jenbach, Tyrol, Austria

Felix Friedrich (Fritz) Strauss
b: April 22, 1918 in Innsbruck, Tyrol, Austria-Hungary
d: Nov. 30, 1990 in New York City, New York, USA

Isabelle Bonsall
b: Nov. 15, 1917 in Westfield, New Jersey, USA
d: Feb. 15, 1981 in New York City, New York, USA

John F. Strauss
b: March 2, 1949 in New York City, New York, USA

Virginia Fattaruso
b: Oct. 2, 1945 in Seattle, Washington, USA

Alexander T. Strauss
b: Nov. 30, 1989 in Decorah, Iowa, USA

Rachel Hanauer
b: Oct. 26, 1986 in Long Prairie, Minnesota, USA

Felix Hanauer Strauss
b: Dec. 1, 2018 in Minneapolis, Minnesota, USA

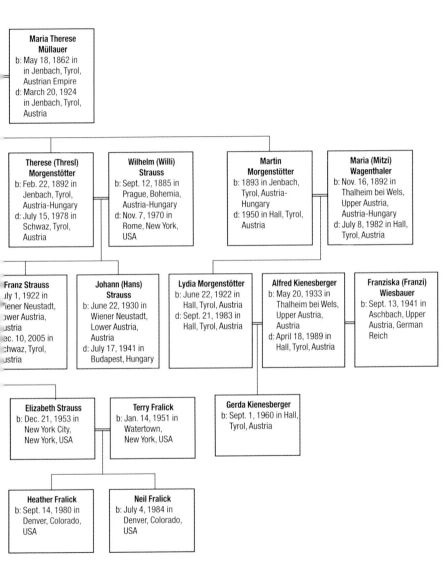

Maria Therese Müllauer
b: May 18, 1862 in in Jenbach, Tyrol, Austrian Empire
d: March 20, 1924 in Jenbach, Tyrol, Austria

Therese (Thresl) Morgenstötter
b: Feb. 22, 1892 in Jenbach, Tyrol, Austria-Hungary
d: July 15, 1978 in Schwaz, Tyrol, Austria

Wilhelm (Willi) Strauss
b: Sept. 12, 1885 in Prague, Bohemia, Austria-Hungary
d: Nov. 7, 1970 in Rome, New York, USA

Martin Morgenstötter
b: 1893 in Jenbach, Tyrol, Austria-Hungary
d: 1950 in Hall, Tyrol, Austria

Maria (Mitzi) Wagenthaler
b: Nov. 16, 1892 in Thalheim bei Wels, Upper Austria, Austria-Hungary
d: July 8, 1982 in Hall, Tyrol, Austria

Franz Strauss
uly 1, 1922 in iener Neustadt, ower Austria, ustria
ec. 10, 2005 in chwaz, Tyrol, ustria

Johann (Hans) Strauss
b: June 22, 1930 in Wiener Neustadt, Lower Austria, Austria
d: July 17, 1941 in Budapest, Hungary

Lydia Morgenstötter
b: June 22, 1922 in Hall, Tyrol, Austria
d: Sept. 21, 1983 in Hall, Tyrol, Austria

Alfred Kienesberger
b: May 20, 1933 in Thalheim bei Wels, Upper Austria, Austria
d: April 18, 1989 in Hall, Tyrol, Austria

Franziska (Franzi) Wiesbauer
b: Sept. 13, 1941 in Aschbach, Upper Austria, German Reich

Elizabeth Strauss
b: Dec. 21, 1953 in New York City, New York, USA

Terry Fralick
b: Jan. 14, 1951 in Watertown, New York, USA

Gerda Kienesberger
b: Sept. 1, 1960 in Hall, Tyrol, Austria

Heather Fralick
b: Sept. 14, 1980 in Denver, Colorado, USA

Neil Fralick
b: July 4, 1984 in Denver, Colorado, USA

Impressum
© John F. Strauss 2022
Verlag Berger Horn/Wien
www.verlag-berger.at
Satz und Layout: Martin Spiegelhofer
Lektorat: Uwe Hebekus
Druck: Ferdinand Berger & Söhne GmbH, 3580 Horn

ISBN 978-3-85028-973-3
1. Auflage 2022